Matka Wszystkich Lalek

Monika Szwaja

Matka Wszystkich Lalek

Wydawnictwo SOL

SOL OMNIBUS LUCET

Redakcja:
Elżbieta Tyszkiewicz

Redakcja techniczna, typografia, skład, łamanie:
Ilona i Dominik Trzebińscy Du Châteaux
atelier@duchateaux.pl

Korekta:
Karina Stempel-Gancarczyk

Okładka:
Leszek Żebrowski

ISBN 978-83-62405-23-7
Warszawa 2011

Wydawca:

Wydawnictwo SOL
Monika Szwaja
Mariusz Krzyżanowski
05-600 Grójec, Duży Dół 2a
wydawnictwo@wydawnictwosol.pl
www.wydawnictwosol.pl

Dystrybucja:
Grupa A5 sp. z o.o.
92-101 Łódź, ul. Krokusowa 1-3
tel. 42 676 49 29
handlowy@grupaa5.com.pl

Druk i oprawa: opolgraf
www.opolgraf.com.pl

Opowieść tę z wielką przyjemnością dedykuję Pani Bogusi Stachurskiej, prawdziwej pielęgniarce z Daru Młodzieży – wspaniałej Osobie, która jest żywym dowodem na to, że zawsze można pójść nową drogą, znaleźć nowe horyzonty, barwnie przeżyć kawałek czasu, jaki został nam dany.

WSTĘP,
W KTÓRYM AUTORKA UPRAWIA
PRYWATĘ

Tak się przypadkowo złożyło, że zarys tej powieści ostatecznie dopracowałam na pokładzie fregaty Dar Młodzieży, podczas ubiegłorocznych (2010) regat wielkich żaglowców. Książkę wymyśloną należy jeszcze napisać – i oto traf chciał, że nie udało mi się jej zacząć wcześniej niż latem tego (2011) roku, znów na pokładzie mojego ukochanego żaglowca i podczas Tall Ships' Races. Na dystansie Szczecin – Greenock w Szkocji – Hebrydy – Szetlandy – Stavanger w Norwegii i Halmstad w Szwecji powstała mniej więcej połowa całej historii. Resztę napisałam już w domu, ale wciąż z obrazem morza i statków w tyle głowy – co, mam nadzieję, nie wpłynęło negatywnie na całość...

Na Darze, najpiękniejszym ze statków, doświadczyłam prawdziwej życzliwości (tu specjalne uściski dla tych, co mnie na Hebrydach w szkockim deszczu bohatersko taszczyli ze zwariowanej dmuchanej łódki na śliski trap Daru!), widziałam prawdziwe piękno morza, żagli i ludzkiej pracy. Wartości takich przeżyć nie da się przecenić.

Chyba pisanie kolejnej książki od razu zaplanuję na przyszłoroczne regaty...

A na razie dziękuję najserdeczniej jak potrafię Panu Komendantowi Białej Fregaty, Kapitanowi ż.w. Arturowi Królowi, Panu Intendentowi Ryszardowi Kwiatkowskiemu, Panu Michałowi i wszystkim członkom darowej załogi. Życzę Wam, kochani, szczęścia i silnych wiatrów – zawsze i wszędzie.

Panie: Kasię Muszyńską i Basię Rogalską z Działu Armatorskiego Akademii Morskiej w Gdyni pozdrawiam równie serdecznie.

Ani i Jaśminie, wspaniałym dziewczynom, dziękuję za bezcenne, wstępne konsultacje – jeszcze w morzu...

A teraz podziękowania lądowe – górskie i nizinne:

– Pani Alicji Adwent, znakomitej artystce, dziękuję za inspiracje „druciarskie", a Pani Annie Mazoń – za „biżuteryjne".

– Państwu Jadwidze i Tadeuszowi Kutom dziękuję za Teatr Nasz i *Amerykę*...

– Panu Juliuszowi Naumowiczowi dziękuję za wprowadzenie w czarodziejski świat kamieni i minerałów...

– Pani Oldze Danko, mojej karkonoskiej Przyjaciółce, dziękuję za wędrówki dolnośląskie...

– Pani Ani Henry, mojej Koleżance z Klasy, dziękuję za wędrówki bretońskie...

Postać genialnej krawcowej Hedwig dedykuję pamięci mojej ukochanej, szalonej, nieżyjącej już cioci Ady, a niezwykłej zagłębiowskiej akuszerki, babci Heli – pamięci mojej babci Franciszki.

∽

Claire Pierrette Autret niemal od urodzenia wyglądała na dziecko nieślubne. Zarówno jej ojciec – Vincent Autret, Bretończyk dumny ze swego pochodzenia, jak i matka, Ewa z domu Stobiecka (o wiele mniej dumna ze swego) byli wysokimi brunetami o karnacji jakby naturalnie opalonej. Ich pierworodna córka miała włosy barwy spłowiałego złota, mleczną cerę i piegi, a przy tym nie wyrosła poza metr pięćdziesiąt sześć. Figurę, jak na francuskie wymagania, miała raczej pełną, co nie znaczy, że była gruba. Skąd taki mały odmieńczyk w rodzinie? – zastanawiano się dobrotliwie. I dochodzono do jedynie możliwego wniosku, że zapewne po jakichś ciotkach z linii matki. Jej młodsza siostra, Marianne, wybujała, szczupła i ciemna, trzymała już rodzinne standardy.

Claire, zwana też czasem Kuleczką, podniosła szarozielone oczy znad włóczki oraz drutów, spojrzała w okno i skrzywiła z niesmakiem pięknie wykrojone, acz troszkę niesymetryczne usta.

Nad Atlantykiem zbierały się ciemne chmury, a na ołowianej wodzie pojawiały się coraz większe białe grzywy. W wysoki falochron biły fale przypływu, podnosząc w górę pieniste rozbryzgi. Wyglądało na to, że wczorajsza prognoza pogody się sprawdzi. Będzie sztorm.

Claire kochała ocean, ale nie lubiła sztormów. Bała się ich. Kiedyś, dawno, jej bretońska babcia Pierrette opowiadała czteroletniej wówczas dziewczynce historię o tym, jak to ocean zalał całą wyspę. Calutką. Kobiety i dzieci zebrały się na kościelnej dzwonnicy (mężczyźni chyba się tam już nie zmieścili...), a ksiądz na wszelki wypadek dał wszystkim rozgrzeszenie.

– *In articulo mortis* – mówiła babcia Pierrette, przewracając ze zgrozy oczami. – W obliczu śmierci – tłumaczyła, dodając zaraz potem, że śmierć jednak nie nadeszła. – Ale mieszkańcy wyspy dwa dni z drżeniem serca czekali na to, czy ocean odstąpi, czy nie.

– Gdyby nie odstąpił, to co? – pytała mała Claire, wstrzymując oddech.

– To ludzie by się potopili – odpowiadała babcia, wzdychając. – Szczęśliwie ocean zabrał swoje wody i poszedł precz. Niedaleko, jak widzisz, dziecinko. Jest tuż obok cały czas.

– I może nas zalać? – Claire natychmiast wyciągała prawidłowe wnioski i umierała z przerażenia, a jej babcia zazwyczaj w tym momencie orientowała się, że wystraszyła wnuczkę okropnie.

– A skąd, maleńka! Patrz, jakie mamy wysokie falochrony, jakie potężne! Żaden ocean nie da im rady! Chodźmy do kuchni, zrobię specjalnie dla ciebie *galette* z masłem i cukrem!

Skruszona babcia, przeklinając swoją sklerozę – ileż razy przyrzekała sobie nie opowiadać więcej wnuczce o tym wydarzeniu sprzed stu lat z okładem! – pędziła do kuchni, przeganiała z niej tych, którzy aktualnie tam się znajdowali, i smażyła jasnobrązowy, chrupiący naleśnik z mąki gryczanej. Smarowała go masłem, posypywała cukrem i podawała Claire, obserwując bacznie, czy ukochana wnusia przestaje się wreszcie trząść.

Pod koniec naleśnika Claire w istocie pozornie wracała do równowagi. Babcia opowiedziała jej tę dramatyczną historię w sumie jakieś cztery, może pięć razy. To wystarczyło, żeby utrwalić w dziewczynce obawę przed grozą oceanu.

Jako z natury opanowana i dzielna osóbka, Claire starała się nie pokazywać po sobie, jak bardzo się boi. Właściwie można powiedzieć, że przywykła do tego strachu. Dwadzieścia osiem lat na mikroskopijnej wysepce otoczonej burzliwymi wodami Biskajów daje pewną wprawę w odgrywaniu dzielnego zucha.

Ano właśnie. Odgrywaniu. Ten stary, dziecinny strach wciąż w niej siedział i nigdy nie dał się tak całkiem przegonić.

Można jednak było starać się jakoś go zagłuszyć.

Claire miała na to swoje wypróbowane sposoby. Przede wszystkim należało zająć się czymś. Tym czymś zazwyczaj była praca. Na co dzień Claire uczyła matematyki w miejscowym gimnazjum – aktualnie uczęszczało tam ośmioro uczniów, nie była więc jakoś specjalnie zawalona szkolną robotą. Miała czas na coś, co lubiła o wiele bardziej niż wbijanie dzieciakom do głów prawideł królowej nauk. Były to robótki dziewiarskie oraz wyrób biżuterii.

Właściwie nie ma chyba kobiety, która choć raz w życiu nie zaliczyłaby przygody z drutami, szydełkiem i różnokolorową włóczką. Jakieś sweterki, kamizelki, a przynajmniej proste szaliki. Podobnie ma się sprawa z własnoręcznie nawleczonymi koralikami, wisiorkiem zrobionym z innego wisiorka, który się rozleciał, czy przeróbki kolczyków na bardziej lub mniej ozdobne.

To, co robiła Claire w zakresie dziewiarstwa i jubilerstwa, nie miało jednak nic wspólnego z amatorskimi próbami. Claire tworzyła arcydzieła. Obszerne płaszcze, swetry i kamizele przypominające gobeliny – były na nich liście i kwiaty albo pawie ogony, albo całe miasta i wioski, fale oceanu, latarnie morskie, łodzie bretońskich rybaków. Sprzedawała je za pośrednictwem Internetu – miała swoją stronę, ostatnio coraz częściej odwiedzaną, coś w rodzaju internetowej galerii. Pokazywała tam nie tylko własne wyroby dziewiarskie, ale i biżuterię. Wisiory, kolczyki, bransoletki. Ze srebra albo brązu. Z półszlachetnymi kamieniami – kochała zwłaszcza zieleń i błękit mieniących się jak ocean w słońcu labradorytów, ale też słonecznie złoty, przezroczysty cytryn. Czasem wykorzystywała lżejsze kamyczki z plaży, małe tutejsze otoczaki, zwane jak naleśniki, *galettes* (choć to raczej kamyczki były pierwsze). Miała niewielką pracownię na pięterku rodzinnego domu, z oknem, czy raczej okienkiem, wychodzącym na Atlantyk. Ojciec, który za nią przepadał i był szalenie dumny z jej talentów, podśmiewał się dobrodusznie, nazywając ją elektroniczną artystką. Rzeczywiście, nie tylko sprzedawała w Internecie, ale i całe zaopatrzenie w sprzęt, włóczki, narzędzia jubilerskie, kruszce, minerały załatwiała w sieci.

Obydwie umiejętności przywiozła Claire z Rennes, gdzie swego czasu studiowała na wydziale nauk ścisłych uniwersytetu. Nawiasem mówiąc, były to jedyne lata w jej życiu całkowicie wolne od podskórnego strachu przed oceanem.

Oczywiście, na uniwersytecie nie uczono jej ani robótek na drutach, ani jubilerstwa.

Pierwsze pokazała jej matka przyjaciółki z roku. Madame Marivon Dulac była zapaloną „druciarką" – ubierała się wyłącznie w suknie, swetry i spódnice własnej produkcji. Miała do tego świetną figurę – była szczupła i wysoka. Nieduża i kulkowata Claire z dzianin mogła bezkarnie nosić wyłącznie swetry i kamizele. Tylko pierwsza kamizelka, którą zrobiła dla Jeanne, córki madame, była jednobarwna. Wprawiwszy się w różnych ściegach i dziewiarskich sztuczkach, Claire zaczęła łączyć kolory. Madame Marivon tego nie robiła. Teorię znała doskonale, lecz zbyt skomplikowane wzory nie wychodziły jej za dobrze i na ogół poprzestawała na szlachetnej, geometrycznej prostocie. Kwadraty, prostokąty innych kolorów, obramowania – i starczy. Z całą życzliwością przestrzegała więc Claire przed mnożeniem barw. Okazało się jednak niebawem, że dla dziewczyny jest to po prostu bułka z masłem. Zabawa. Druty śmigały w małych dłoniach, a dokoła rosły zwały różnokolorowych włóczek.

– One cię kochają! – powiedziała kiedyś madame z podziwem.

– Kto mnie kocha? – nie zrozumiała Claire.

Madame zamachała rękami.

– Druty cię kochają! Włóczka cię kocha! Patrz, nawet ci się nie plącze! No tak, masz zdolności matematyczne, te wszystkie obliczenia to dla ciebie drobiazg, a ja zawsze zapominam o jakichś oczkach albo robię o jedno za dużo… Mój Boże, jak pięknie ci to wychodzi! Czuję, że będę kiedyś z ciebie dumna i będę wszystkim opowiadała, że to ja cię nauczyłam pierwszego ściegu! Już jestem dumna. Claire, czy to co widzę, to dachy domów?

Claire skinęła głową.

– To będzie miasteczko. Głównie na plecach, ale na przody też wchodzi wzór. Nieduże miasteczko, takie jak Audierne albo coś w tym rodzaju.

– Mnie to przypomina raczej Douarnenez – orzekła ze znawstwem madame i roześmiała się. – Ta rzeka na dole i ten most. Powinnaś jeszcze wrobić ten stary latarniowiec, który tam stoi... Och, nieważne. Przecież to taka synteza miasteczka. Można zobaczyć, co się chce. Piękne, naprawdę piękne. Pokaż lewą stronę!

Teraz Claire się roześmiała i pokazała lewą stronę roboty. Nic się nie plątało. Madame potrząsnęła głową z podziwem.

– Nie wierzę. Nigdy w życiu nie zrobiłam tak porządnie niczego. Niczego, powiadam. To jest twoja druga próba? Mój Boże, to jaka będzie trzecia?

– Trzecia będzie dla pani – obiecała Claire, bardzo zadowolona z pochwały. – Chce pani miasteczko czy może wielkie miasto, takie z katedrą, albo jakąś przyrodę? Ja bym panią widziała w kolorowych liściach.

– To zrób mi jesień, kochana. Dasz radę? Bo domki to jednak kąty proste... Nie, co ja mówię! Oczywiście, że dasz radę. Moje przyjaciółki oszaleją!

– Najpierw oszaleją przyjaciółki Jeanne – podsumowała rozmowę Claire, chichocząc pod nosem.

Rzeczywiście. Po kilku tygodniach skończyła Miasteczko, zabrała przyjaciółce tamtą, niezupełnie dokładnie zrobioną, kamizelę (zamierzała ją spruć, żeby nie patrzyć na własne błędy) i podarowała jej nowiutkie wdzianko. Połowa studentek uniwersytetu w Rennes dostała gorączki spowodowanej zdrową kobiecą zazdrością. Po następnych kilku tygodniach przyjaciółki madame Marivon dostały dokładnie takiej samej gorączki na widok Miedzianej Jesieni. Madame przefarbowała włosy na rudo, żeby zgadzać się kolorystycznie ze swoim imponującym okryciem. Tak jak przewidziała to Claire, jej mistrzyni wyglądała oszałamiająco.

– Czuję się jak królowa – wyznała autorce płaszcza, obracając się przed lustrem. – Chociaż nie wiem, czy królowe ubierały się w gobeliny.

– Raczej wieszały je na ścianach – odrzekła, śmiejąc się, Claire.

– Pani ma fantastyczną figurę, mogłam sobie zaszaleć.

– Nie mam pojęcia, jak poradziłaś sobie ze zliczaniem tych wszystkich oczek. Przecież to olbrzymia dzianina, nie wiem, hektar chyba...

– Oczka to nic. Ale pod koniec roboty taka prozaiczna rzecz, jak przytrzymanie tego wszystkiego... to jest dopiero wyzwanie.

– No właśnie! A ty masz takie małe rączki! Jak dajesz radę?

– Siłą woli i charakteru. Wyobrażam sobie te okrzyki zachwytu i jakoś idzie.

Madame poczuła się w obowiązku natychmiastowego wydania kilkunastu kolejnych okrzyków zachwytu, po czym zaproponowała Claire, że jej zapłaci.

Dziewczyna pokręciła głową.

– Nie ma mowy. Pani mnie nauczyła robić na drutach i to jest podziękowanie. Poza tym jest pani dla mnie jak druga mama... kiedy miałam grypę, pani się o mnie tak troszczyła... Jednym słowem, mowy nie ma. Chyba że on się pani nie podoba, to mogę zabrać...

– Oszalałaś, dziecko, z kretesem! To najpiękniejsza rzecz, jaką miałam w życiu!

Madame trochę się jakby zapowietrzyła, a po sekundzie błysnęła oczami i uderzyła dłonią w stół.

– Coś mi przyszło do głowy – zawiadomiła Claire. – Ten dom zawsze był spory, a po śmierci mojego Nicolasa jest za duży na nas dwie. Gdybyś chciała zamieszkać z nami, zapraszam cię serdecznie. Chyba że wolisz kampus.

Claire nie wolała kampusu. Był duży, gwarny i nieco nadmiernie wesoły, a ona kochała spokój. Dom Jeanne i jej matki bardzo lubiła i z przyjemnością przesiadywała u obu pań. Nie miała jednak pewności, czy wypada jej przyjmować taką propozycję.

Madame zauważyła jej wahanie natychmiast i machnęła ręką.

– Bez skrupułów, moja droga. Zawsze chciałam mieć dwie córki, ale Nicolas dał mi jedną i umarł. Swoją drogą, co za ironia! To kobiety umierają przy porodzie. Mężczyzna ma obowiązek żyć i kobietę wspierać. Oraz własne dziecko.

– Ale przecież mąż pani nie umarł przy porodzie...

Madame podniosła do góry zielone oczy w otoczeniu kilku odcieni brązu i pokiwała głową nad losem własnym i swego męża Nicolasa. Potem spojrzała na Claire i nieoczekiwanie wybuchnęła śmiechem.

– Mój Boże, właśnie że umarł przy porodzie... Nie powinnam się śmiać i przez długie lata się nie śmiałam, tylko płakałam, ale przecież on dokładnie to zrobił! Umarł przy porodzie, tyle że moim. Dostał zawału i padł jak ścięty kwiat! A mówiłam, że to idiotyczne, dopuszczać mężczyznę do asystowania przy porodzie własnej żony. Jeszcze pępowinę zdążył przeciąć i powiedział: „Moja kochana Jeanne, moja najmilsza córeczka". I koniec. Po mężu! Dostałam takiego szoku, że biedna Jeanne musiała się chować na sztucznych odżywkach zamiast na matczynym mleku! Pomijając to, że wcale nie miała być Jeanne, tylko Tristana. Nie po babce Nicolasa, tylko po mojej. Jeanne miała być druga. No i nie zdążył mi tej drugiej dać!

Claire nie bardzo wiedziała, czy może się śmiać, czy powinna zachować powagę, ale spojrzała na chichoczącą madame i nie wytrzymała. Po chwili obie wycierały załzawione oczy.

– Przepraszam – zaczęła Claire, ale madame tylko machnęła ręką.

– Nie przepraszaj, bo nie ma za co. Zastanów się spokojnie, czy wolisz swój okropny kampus, czy pomieszkasz te kilka lat z nami, i daj mi znać, co zdecydowałaś. Nie spiesz się. Żebyś nie żałowała. Chociaż przecież w każdej chwili mogłabyś się wyprowadzić, gdyby coś ci nie pasowało.

Ale Claire już czuła, że się nie wyprowadzi, bo kiedy się wprowadzi, wszystko jej będzie pasowało. Niewielki biały domek ze stromym dachem pokrytym ciemnoszarą dachówką, otoczony niezbyt dużym ogródkiem, podobał jej się od chwili, kiedy Jeanne po raz pierwszy zaprosiła ją na obiad do swojej mamy. Stał przy *Rue de Hyl*, tworzącej jakby jedną dużą pętlę i dwie mniejsze wiszące na ogonkach... tak to w każdym razie wyglądało na planie miasta. Dom stał przy końcu ogonka średniej z trzech pętli. Na dole miał salon, kuchnię, łazienkę i pokój madame, góra podzielona była na dwa pokoje z mansardowymi oknami. Jeden z nich zajmowała Jeanne, drugi pełnił funkcję gościnnego.

No więc zagościła w nim Claire i przemieszkała tam całe cztery lata. Jeanne była zachwycona towarzystwem przyjaciółki, madame Marivon również. W czasie akademickich wakacji lokatorka ustępowała miejsca letnikom, a sama wracała na swoją wyspę.

Na kampusie de Bealieu odżałowano jakoś zniknięcie średnio towarzyskiej dziewczyny. Był jednak ktoś, kto nie mógł odżałować.

Hervé Loussaut, równolatek Claire i jej przyjaciel od dzieciństwa (na wyspie mieszkał w domu tuż obok), studiował w Rennes informatykę. W przeciwieństwie do swojej odwiecznej kumpelki dostał od natury w prezencie naprawdę nadzwyczajną urodę. Jeśli ktoś pamięta, jak wyglądał Alain Delon w młodości, to już wie, jak wyglądał Hervé. Kto Delona nie znał, niech zajrzy do Internetu, a dowie się. Kobietom polecamy szczególnie.

Zasadniczą różnicą między przepięknym Delonem a przepięknym Hervé było to, że ten pierwszy był (w każdym razie na zdjęciach) zawsze pochmurny, a jego młodszy sobowtór zazwyczaj uśmiechał się łagodnie. Można było przypuszczać, że jest odrobinę gamoniem – i rzeczywiście, trochę nim był, ale jego uroda z reguły nie pozwalała (zwłaszcza kobietom) w to uwierzyć.

Podkochiwać się w Claire Hervé zaczął jakieś dwa lata przed maturą, ale wrodzona nieśmiałość nie pozwoliła mu się ujawnić. Był o krok od przełamania tej nieśmiałości, kiedy pojawiła się przed nimi perspektywa rozstania. Ale kiedy się okazało, że będą studiować na tym samym uniwersytecie i mieszkać na tym samym kampusie, kamień spadł mu z serca i postanowił jeszcze zaczekać z aktem odwagi. Poza tym – myślał sobie – może niespodziewanie w tym tłumie dziewczyn spotkam kogoś, kto sprawi, że miłość do Claire okaże się pomyłką... co wtedy?

Jak dotąd jednak nikt podobny się Hervé nie objawił. Były, owszem, dziewczyny piękniejsze, ale milszej nie było ani jednej. W każdym razie według jego kryteriów. Kiedy Claire wyprowadziła się z kampusu, Hervé poczuł się obrzydliwie osamotniony. Postanowił umawiać się z nią jak najczęściej – do kina, na spacery, do ulubionej przez studentów kreperii, czyli knajpki naleśnikowej, gdziekolwiek!

Niestety, Claire już wpadła w szpony druciarskiego nałogu i biedny Hervé miał ją dla siebie (w sensie jedynie koleżeńskim!) o wiele rzadziej, niżby chciał. Paradoksalnie – im rzadziej ją widywał, tym bardziej się do niej przywiązywał.

Któregoś dnia postanowił nieco zacieśnić zażyłość, jaka łączyła ich od dzieciństwa. Nie, nie pomyślał jeszcze o zmianie niewinnego charakteru owej zażyłości – jak już wspominaliśmy, był troszkę gamoniem. Poczuł natomiast kategoryczny imperatyw nakazujący mu ofiarowanie Claire jakiegoś pięknego prezentu. Po kilku konsultacjach z koleżankami z roku był gotów do czynu.

Biedny Hervé! Nie przypuszczał, że szlachetne zamiary obrócą się przeciw niemu.

Ba! Gdyby przypuszczał, raczej ofiarowałby jej koraliki z plastyku!

W dniu urodzin Claire zaprosił ją do rozkosznej kafejki w pobliżu uniwersytetu i zamówiwszy kawę, lody oraz białe wino, podarował jej wisior z oksydowanego srebra, z zielono połyskującym labradorytem w środku. Wisior miał kształt liścia jesionu i w sumie był dość prosty. Ale w swej prostocie przepiękny.

– O mamo, jaki on śliczny – wyszeptała Claire z nabożnym podziwem. – Hervé, dziękuję ci, jesteś kochany. Skąd wytrzasnąłeś takie cudo?

– Ty też jesteś kochana. Skąd wytrzasnąłem cudo? Miałem ci nie mówić i udawać tajemniczego, ale wiesz, że nie potrafię. Taki jeden to robi, nawet niedaleko. Ma pracownię jubilerską, razem z ojcem. Ojciec robi jakoś inaczej, starymi metodami, coś mi mówili, ale zapomniałem. A syn rzeźbi takie, o, jak widzisz. Dziewczyny mnie tam zaprowadziły, z mojego wydziału.

– On ma jeszcze inne?

– A co, chcesz zamienić?

– Oszalałeś. Chcę zobaczyć tego więcej!

Godzinę później Hervé pomyślał z niejakim żalem, że na jego widok oczy Claire nigdy tak nie błyszczały. A przecież był o tyle przystojniejszy od małego, pękatego syna jubilera, który teraz puszył się jak prawdziwy galijski kogut, pokazując oczarowanej dziewczynie wisiory, bransolety i pierścionki, a każdy – trzeba mu to było przyznać, niestety! – każdy był małym dziełem sztuki. Miały swoje nazwy (mocno poetyckie jak na takiego tłustego kurdupla – pomyślał z irytacją Hervé), nawiązujące do celtyckich legend, starych ballad, dawnych wierzeń. Oksydowane i polerowane srebro albo brąz wiły się wokół barwnych minerałów, wśród których królowały: opalizujący na zielono i niebiesko labradoryt, złocisty cytryn, czerwonawy karneol, ciemnoniebieski lapis lazuli. Niektóre biżutki ozdabiały misterne ornamenty, większość jednak charakteryzowała szlachetna prostota.

Claire miała coraz większe oczy i widać było, że z własnej woli nie wyjdzie z tej pracowni.

– Czy ja bym mogła kiedyś zobaczyć, jak to się robi? – spytała w końcu niemal bez tchu. – To bardzo skomplikowane?

– Czy ja wiem? – Syn jubilera zaśmiał się. – Niespecjalnie. No, trochę talentu trzeba mieć – dodał skromnie. – Teraz używa się tak zwanych glinek metali, one się łatwo dają obrabiać. Chcesz zobaczyć, jak to się robi?

– O matko! Pewnie, że chcę. A mogę?

– A możesz. Wpadnij na przykład jutro po południu, mam do zrobienia takiego małego korrigana dla jednej pani, to będzie, oczywiście, płaskorzeźbka na srebrnym medalionie.

– Z jakimś kamykiem?

– Nie, kamienie mi do niego nie pasują, ale za to dam trochę emalii. Co ja ci będę opowiadał, przyjdź, a zobaczysz.

I w ten sposób mały bretoński skrzat z łajdackim wyrazem twarzy, zastygły w srebrnej płytce z odrobiną zielonej emalii, odbił studentowi dziewczynę... No, nie do końca, ale wiele popołudniowych godzin, które można było spędzić razem w kinie albo na spacerach, albo jeszcze inaczej, zostało bezpowrotnie straconych.

Oczywiście, wyłącznie w oczach Hervé. Claire uważała swoje popołudnia i wieczory w jubilerskiej pracowni za doskonale wykorzystane. Druty i włóczka chwilowo poszły w odstawkę. Dziewczyna całkowicie oddała się formowaniu, polerowaniu, oksydowaniu, emaliowaniu, technice *wire wrapping* i wprawianiu kamieni. Bardzo polubiła pękatego Paula i jego nie mniej pękatego tatusia – poważne słowo „ojciec" jakoś nie pasowało do pogodnego miłośnika życia we wszelkich jego przejawach, Jean-Luca Pourbaix. Sympatia została odwzajemniona. Obaj panowie chętnie wtajemniczali Claire w arkana swojej sztuki, ona zaś, pojętna uczennica, niebawem zaczęła im się odwdzięczać coraz piękniejszymi biżutkami. Traktowała to jako zapłatę za nauki. Po roku była równie dobra jak Paul. Pracowni jednak nie opuściła, zaczęła natomiast otrzymywać honoraria.

Starszy pan Pourbaix zaczął ją traktować niemal jak córkę. Początkowo miał nadzieję, że może Claire zostanie jego synową, ale nadzieje mu przeszły, kiedy zobaczył tego przystojnego gamonia, który po nią przychodził wieczorami. Bardzo żałował, bardzo. Ale nie ma się co dziwić. Porównanie Paula z gamoniem – pod względem męskiej urody – wypadało zdecydowanie na niekorzyść syna. A tyle razy mu się mówiło, że powinien mniej jeść! W swoim czasie pan Jean-Luc Pourbaix pilnował się w tym względzie, dopóki zwiewna Marie nie została jego żoną. Po prawdzie to i ona dość szybko po ślubie przestała być zwiewna.

Claire też wcale łątką nie jest. Ale taka miła! I taka utalentowana! Och, Paul, Paul, ty ośle!

Biżuteryjny szał opuścił Claire po dwóch latach. Powróciła do dziergania. Nie do końca jednak. Połowę wolnego od nauki czasu nadal poświęcała wytwarzaniu dzieł sztuki jubilerskiej, drugą połowę zaś wytwarzaniu dzieł sztuki dziewiarskiej.

Dla Hervé pozostawała jej... trzecia połowa. Raczej niewielka, mówiąc uczciwie.

Kiedy skończyła studia i żegnała się z jubilerami – z poczciwych, błękitnych jak u niemowlęcia oczek pana Pourbaix starszego popłynęły autentyczne łzy. Paul był bliski rozklejenia się, ale jakoś trzymał pion.

Claire wyściskała ich obu i obsypała tysiącznymi podziękowaniami za bezcenne nauki. Nie spłakała się wprawdzie tak rzetelnie jak tatunio Pourbaix, ale kilka łez uroniła.

– Odwiedzaj nas, dziecko, jeśli będziesz w Rennes. Będzie nam ciebie bardzo brakowało.

– Na pewno będę was odwiedzać. Mnie też będzie was brakowało. Nie wiem, jak wam dziękować...

– Nie dziękuj, odwdzięczyłaś się tysiąc razy. Paul, daj jej nasz prezent!

Paul kiwnął głową i wyjął z szuflady małe ozdobne pudełeczko, jedno z tych, w które pakowali swoje wyroby.

– To dla ciebie, żebyś o nas nie zapomniała. Tato zrobił łańcuch, a ja medalion. Pamiętasz, jakie miałem zamówienie, kiedy do nas przyszłaś pierwszy raz?

– Korrigana...

Claire otworzyła pudełeczko. W środku leżał srebrny wisior. Mały, kudłaty na głowie skrzat, z lekko łajdackim wyrazem twarzy – jak to u korriganów – miał w stosownym miejscu małe serce z czerwonej emalii... o, do licha, serce było podwójne, jak gdyby nałożone jedno na drugie. Ojciec i syn Pourbaix wyrazili w ten sposób swoje uczucia.

– Kocham was! – zawołała Claire impulsywnie i po raz kolejny wyściskała obydwu. – Wisiorek jest uroczy! I ten łańcuszek, cudo. Unikat. Jedyny na świecie. Będę go nosić i na pewno nigdy was nie zapomnę!

Pożegnanie z madame Marivon było równie serdeczne, aczkolwiek nie aż tak wzruszające. Kobiety czasem bywają przytomniejsze od mężczyzn. Madame podarowała swojej lokatorce piękny, lekki jak piórko i ciepły jak piecyk szal własnej roboty.

– W sam raz na paskudne pogody na tej twojej wyspie – powiedziała.

Lokatorka odwdzięczyła się kamizelą z motywem kwietnej łąki.

Kiedy Hervé przyjechał swoim trochę tylko rozklekotanym terenowym nissanem, aby ostatecznie zabrać Claire z małego domku przy *Rue de Hyl*, złapał się teatralnym gestem za głowę. To, co dziewczyna przywiozła z sobą, kiedy zaczynała studia na uniwersytecie, nadal mieściło się grzecznie w dwóch walizkach. Poza tym jednak na chodniku przed domem kłębiły się masy kolorowych włóczek w różnych torbach, jakieś pozaczynane kawałki robótek w reklamówkach i koszyczkach, a zewsząd sterczały druty, stwarzając przechodniom niebezpieczeństwo nadziania się na ostre końce. Doszła do tego jeszcze jedna niewielka walizeczka, dość ciężka. Były w niej materiały i narzędzia – zaczątek przyszłej pracowni biżuterii artystycznej. Częściowo otrzymane w prezencie od panów Pourbaix, częściowo za ich radą kupione, przeważnie w Internecie.

Hervé wziął głęboki oddech, zapełnił dobytkiem przyjaciółki spory bagażnik nissana oraz jego tył (jak to dobrze, że swoje rzeczy odwiózł na wyspę już miesiąc temu, wcześniej zakończywszy sprawy uczelniane), pożegnał uprzejmie madame Marivon, przeczekał kolejne rzucanie się sobie na szyję trzech kobiet (Jeanne była obecna) i w końcu udało mu się wyjechać z gościnnego Rennes.

Po tym znaczącym sukcesie zaraz przyszedł następny. Ponieważ zrobiło się późnawo, stracili szansę dostania się na swoją wyspę, w związku z czym musieli przenocować w motelu po drodze – tam wreszcie Hervé dopadł swoją ukochaną i udowodnił jej, że jest prawdziwym mężczyzną, a nie jakimś tam gamoniem.

∽

Kiedy Elżunia Szumacher była małą dziewczynką, żadna babcia nie straszyła jej oceanem. Dla babci Heli Szumacherowej ocean był pojęciem abstrakcyjnym, ponieważ babcia Hela, doskonała akuszerka, czyli położna, nigdy w życiu nie wystawiła nosa poza rodzinne Zagłębie. Podobnie dziadek Józef Szumacher, właściciel sklepiku typu „szwarc, mydło i powidło". Co innego dziadkowie ze strony mamy, Anny Szumacher z domu Gros. Nie to, żeby dziadkowie Grosowie widzieli ocean, broń Boże, nie było ich stać na dalekie podróże. Za to oboje byli nauczycielami – babcia Jania uczyła małe dzieci wszystkiego, a dziadek Zenek starsze dzieci geografii. Mieli więc pewne pojęcie w tej kwestii. Jak również w kwestii gór i rozmaitych krain. Czasami obiecywali wnuczce, że gdy dorośnie, nauczą ją wszystkiego o świecie. A czasami zabierali ją na spacer, na górę Dorotkę i pokazywali Grodziec, domy, rzekę Brynicę, kominy fabryczne, szmat śląsko-zagłębiowskiej ziemi i cementownię, w której pracował jej tata, inżynier Anzelm Szumacher.

Małą Elżunię straszyło zupełnie co innego, a mianowicie wojna. Oczywiście, wojny w Grodźcu właściwie nie było, a w każdym razie nie było jej widać na podwórku domu u stóp góry Dorotki, z widokiem na kościół świętej Doroty. Czasami jednak starsi o niej mówili i Elżunia szybko zauważyła, że kiedy padało to słowo, dorośli pochmurnieli i zaczynali mówić półgłosem. Najwyraźniej było to złe słowo. Podobnie jak słowo „Niemcy". Kiedy jednak próbowała się jakoś dowiedzieć, o co chodzi, prosiła mamę albo tatę czy któregoś z dziadków, żeby jej wytłumaczyli – zazwyczaj kończyło się na tym, że tata brał ją na kolana i podrzucając do góry, śpiewał wesoło:

– *Na Boleradzu, na przykopie*
niedotykane ziele,
na Boleradzu ładni chłopcy,
ale ich niewiele…

Elżunia natychmiast zapominała o swoich dociekaniach, łapała ojca z obu stron za uszy i podskakiwała na jego kolanach coraz wyżej. Temat rozwiewał się w powietrzu.

Któregoś dnia – Elżunia prawie zaczynała już szósty rok i uważała się za doskonale zorientowaną we wszystkich sprawach tego świata – rodziców odwiedził ważny gość. Musiał być ważny, skoro Elżunia jednym ruchem maminej ręki została „sprzątnięta" do kuchni, gdzie babcia gotowała obiad. Babcia Jania, zazwyczaj uosobienie łagodności, tym razem miała zaciśnięte usta i wyraz twarzy mówiący: „Bez kija ani przystąp".

Elżunia chciała ją wypytać, o co chodzi, ale babcia zbyła ją byle czym, a potem poprosiła o pomoc przy lepieniu pierożków. Dziewczynka właśnie opanowała tę trudną sztukę i była bardzo dumna z własnej umiejętności zakręcania pierogom falbanek, zajęła się więc pracą i zapomniała o gościu.

Trzaśnięcie drzwi obwieściło jego wyjście. Mama z tatą, bladzi i zdenerwowani, stanęli w drzwiach kuchni.

– Wójt – zakomunikował krótko ojciec.

– Wiem. Czego chciał? – spytała równie krótko babcia.

Ojciec zawahał się i spojrzał na Elżunię, stojącą jak trusia z umączonymi łapkami i wielkim pytaniem w błękitnych oczach. Nawet z tym pierogiem w garści wyglądała jak mały aniołek. Westchnął ciężko.

– Chyba już trzeba zacząć mówić o tych rzeczach przy dziecku – powiedział niepewnie.

– Nie jestem dzieckiem – oburzył się pierogowy aniołek.

– Jesteś, jesteś. – Ojciec znowu westchnął. – Ale trzeba, żebyś o pewnych rzeczach już wiedziała. Ja ci potem wszystko dokładnie objaśnię. Na razie powiem babci, dobrze? A ty pamiętaj, że o tym, co mówimy w domu, nie wolno nigdzie opowiadać. Nigdzie i nikomu.

– Bo jest wojna?

– Tak, kochanie. Bo jest wojna. Naprawdę, potem ci wszystko wyjaśnię, córeczko, a teraz słuchaj. No więc, proszę mamy, tak jak się spodziewaliśmy, pan wójt przyszedł do nas z propozycją, żebyśmy podpisali volkslistę. Chyba mu zresztą chodziło głównie o moją mamę, bo według niego to nie jest w porządku, żeby polska akuszerka sprowadzała na świat niemieckie dzieci. Z drugiej strony, wiadomo, że mama jest wspaniała i kobiety wójta zagryzą, jakby jej zrobił krzywdę. On sobie umyślił, że z naszymi nazwiskami to będzie łatwe, pisownię Szumacherów się zmieni na niemiecką, Grosom dołoży się jeszcze jedno „s" i wszystko będzie cacy. Urodę mamy nordycką, czy tam aryjską, nie pamiętam, jak on nas tam określił. W każdym razie jego zdaniem nadajemy się na Niemców.

– Coście mu powiedzieli?

Jej córka i zięć jednocześnie wzruszyli ramionami. Babcia skinęła głową.

– No tak.

– Nic nie rozumiem – zgłosiła pretensję Elżunia. – Tacimku, miałeś mi wytłumaczyć…

– Dobrze, kochanie, pamiętam. Dokończcie z babcią Janią ten obiad, zjemy, a potem zabiorę cię na spacer i porozmawiamy jak dorośli.

Zanim babcia Jania wykończyła pierogi i doprawiła zupę, do domu wróciła babcia Hela, a zaraz po niej pojawił się dziadek Zenek. Usłyszeli lakoniczny komunikat i nie skomentowali go, podobnie jak babcia Jania.

Atmosfera przy stole w ogóle nie przypominała codziennej beztroski, jaką prezentowała na ogół rodzina. Elżunia wyraźnie czuła, że coś złego się dzieje. No tak, wojna.

Po obiedzie ojciec, który zawsze dotrzymywał słowa danego swojej małej córeczce, oświadczył, że teraz idzie z nią na górę Dorotkę, gdzie będą omawiać sprawy rodzinne i państwowe. Tak powiedział. Rodzinne i państwowe. Zabrzmiało to godnie.

– Tato – poprosił jeszcze dziadka Zenka. – Gdyby ojciec zechciał…

– Wiem, rozumiem – przerwał mu dziadek. – Skoczę do sklepu, powiem Józefowi, co się dzieje. Czemu nie przyszedł na obiad?

– Pracownik zachorował – poinformowała go mama. – Tatuś nie mógł zostawić sklepu. Słuchajcie, wyjdziemy razem, ja też pójdę na Dorotkę. Pomodlę się w kościele, może święta Dorota jakoś nas uchroni przed kłopotami…

– Święta Dorota chroni od kłopota – mruknął jej mąż. – Anulko, może niepotrzebnie kraczemy, pamiętaj, że nie ma tu lepszej akuszerki niż moja mama... jest potrzebna wójtowi, on sam jeszcze może mieć dzieci, to u kogo będzie chciała rodzić pani wójtowa? Tylko u pani Szumacherowej...

– Pamiętam. A ty pamiętasz, że jak Kloce odmówili podpisania volkslisty, to dwa tygodnie później pojechali do Niemiec na roboty, wszyscy trzej?

– Optymizmu, kobieto! Wszystko będzie dobrze.

– Nie denerwuj mnie, mężu! Robię, co mogę... ale się martwię – dokończyła prawie szeptem.

Mąż przygarnął ją i ucałował w czubek głowy. Anna Szumacher wysunęła się z jego ramion i pospiesznie wyszła przed dom. Po chwili szybkim krokiem szła w stronę kościoła na wzgórzu.

– A my sobie pomalutku – oznajmił tata. – Znajdziemy ładne miejsce, usiądziemy i uświadomimy naszą małą córeczkę.

Ładne miejsce było mniej więcej w połowie zbocza, w każdym razie ani ojcu, ani córce nie chciało się iść dalej.

Nie można powiedzieć, żeby Elżunia zrozumiała wszystko, co usłyszała od swojego ukochanego tacimka. Niemniej zrozumiała sporo i posmutniała.

Posmutniałaby jeszcze bardziej, gdyby wiedziała, że za miesiąc tacimek zniknie.

∽

Bracia Egon i Erwin Zacharzewscy opuścili bezpieczny pokład LOT-owskiego embraera i znaleźli się w kotle lotniska de Gaulle'a w Paryżu. Lotnisko to zbrzydziło ich natychmiast, obaj bowiem z natury byli spokojnymi ludźmi i nie znosili tłoku, hałasu i przepychanek. Gdyby zamiast nich był tu ich ojciec, czułby się zachwycony i w swoim żywiole. Cóż, kiedy obaj najwyraźniej wrodzili się w mamusię. Mamusia, kobieta anielskiego usposobienia, była biologiem morza, pracowała w Morskim Instytucie

Rybackim w Gdyni, a jej mąż śmiał się, że przez to upodobniła się charakterologicznie do swoich „klientów" – ryb i innych morskich żyjątek. On sam był swego czasu gdańskim dziennikarzem prasowym, typowym pistoletem, którego wszędzie pełno, bez którego nie odbyłaby się żadna awantura w mieście, żadna afera, rewolucja i tak dalej. No, kilka rewolucji w Gdańsku miał, więc w sumie uważał się za spełnionego zawodowo.

Jego synowie (imiona mówią same za siebie) mieli pójść śladami ojca. Tak to sobie wymarzył. Ale im obydwu cierpła skóra za uszami na samą myśl o wykłócaniu się, przyciskaniu do muru, chytrym wyciąganiu zeznań. Ostatecznie starszy, Egon, został, jak matka, biologiem – tyle że lądowym. Entomologiem. Jakby powiedział Gałczyński: badaczem owadzich nogów. Wybrał sobie dziwną specjalizację (to znaczy dziwił się ojciec, matka świetnie rozumiała synka) – chrząszcze z rodziny kusakowatych. W efekcie wylądował w Karkonoskim Parku Narodowym, gdzie uwił sobie gniazdko i czuł się znakomicie, mając do towarzystwa ponad tysiąc trzysta gatunków chrząszczy. W tym swoje ukochane *Staphylinidae*.

Erwin, młodszy Zacharzewski, też wykazał się dziwnymi (w rozumieniu tatusia) upodobaniami: lubił młodzież. Mało tego – lubił uczyć młodzież. Skończył studia historyczne, podziękował za propozycję pozostania na uczelni i poszukał sobie liceum, żeby móc robić to, na co miał ochotę. Znalazł takie ni mniej, ni więcej tylko w Karpaczu – uczciwie mówiąc, znalazł mu je brat, który chciał go ściągnąć do siebie. Erwin, bardzo zadowolony, rozwinął talenta i dał się poznać z tak dobrej strony, że w wieku dwudziestu siedmiu lat został zastępcą dyrektora szkoły. Obecnie miał lat dwadzieścia osiem i we wrześniu czekał na niego pełny etat dyrektorski: jego poprzednik był kobietą w ciąży, a kiedy przyszły na świat trojaczki, z bólem serca musiał pożegnać się z pracą zawodową i poświęcić rodzinie.

Obaj bracia poczuli się w Karkonoszach, jakby tu przyszli na świat i nigdy w życiu nie wyjeżdżali. Przypuszczali, że to geny po cioci.

Ciocia, Bogusia Januszewicz, rodzona siostra Gabriela Zacharzewskiego, mieszkała w uroczej karkonoskiej wsi rozłożonej na zboczach i w dolinkach górskich. Wioska od jednej z otaczających ją gór wzięła nazwę Zachełmie. Sam Chełm nie był przesadnie wysoki, niecałe pięćset metrów. Ale były też inne – zielone, zalesione kopki, tu i ówdzie przetykane skałkami i skalnymi dziurami. A wysoko nad Zachełmiem stał majestatyczny Mały Szyszak, wtopiony w główny grzbiet Karkonoszy.

Ciocia Bogusia była pielęgniarką, i stąd cały kłopot.

Pracowała w jeleniogórskim szpitalu jako przełożona pielęgniarek na internie, a poza tym była serdecznie, choć platonicznie (miała własną sporą, kochaną i kochającą rodzinę) zaprzyjaźniona z ordynatorem tejże interny, doktorem Jerzym Dzierzbowskim, również mieszkańcem Zachełmia. Onże miał nieszczęście poważnie zachorować i przewidując własny koniec, zwierzył się ciotce Bogusi oraz powierzył jej niebywale ważną misję.

A ona przekazała tę misję bratankom.

W rezultacie stali teraz obaj w kotłującym się tłumie na paryskim lotnisku i mieli obłęd w oczach.

– Tam – powiedział Egon i wskazał ręką jakiś kierunek. – Tam będą oddawać bagaże.

Bracia popędzili za strzałkami z kilkujęzycznymi informacjami, że bagaż jest TAM.

– Słuchaj – odezwał się z kolei Erwin. – Ja nie będę nic kombinował z żadnymi kolejkami, rerami, metrami i Bóg wie czym. Ja mam oszczędności i ja wsiadam do taksówki. Nie dam się zwariować.

– Doskonale. Jestem z tobą, bracie. Cholera, to jednak nie było tam. Nie wiesz, co robią, jak się człowiek nie zgłosi w porę po walizki?

– Nie wiem. Jakiś czas one chyba jeżdżą na tej taśmie. Nienawidzę takich tłumów. Chodź tędy.

– Czekaj, spytam funkcyjnego!

Elegancki funkcyjny z angielskim opanowanym do perfekcji wskazał im właściwą drogę. Kilka minut później bracia z obłędem w oczach już znacznie mniejszym wsiadali do taksówki.

– Gar Mąparnas, siwuple – zadysponował Egon, który słyszał o tym, że Francuzi wolą jak się do nich mówi po francusku. Usilnie starał się akcentować wszystko na ostatniej sylabie.

Taksówkarz, o dziwo, zrozumiał i kiwnął głową.

– *La Pologne* – powiedział z miłym uśmiechem. – Wałęsa. Tusk!

– O, uiiii – potwierdził z ulgą Egon. – Ziuuu. Jedziemy. Teżewe. Bretania. La Bretań. Kęper.

– *Bretagne, je comprends. S'il vous plaît. Vacanses? Le tourisme?*

– O, ną – jęknął Erwin z tym samym akcentem, co brat. – *Mission impossible...*

Kierowca wybuchnął śmiechem pełnym sympatii do dwóch zagubionych nieco Polaków. Po drodze usiłował im tłumaczyć, co właśnie widzą, a oni, choć rozumieli go tylko częściowo, grzecznie wykazywali zainteresowanie wszystkim.

W rezultacie dojechali na dworzec Montparnasse nieomal zaprzyjaźnieni. Sympatyczny taksówkarz stanął dokładnie przed właściwym wejściem. Znowu coś gadał, z czego oni zrozumieli, że on im życzy *bonne chance*. Znaczy: powodzenia.

Pożegnali go serdecznie, wzięli plecaki i weszli w dworcową czeluść. Kocioł panował tu prawie taki jak na lotnisku, ale już się troszkę uodpornili. Wszak od godziny byli w Paryżu!

– Gdzie tu są TGV? – spytał Egon. – Masz jakiś pomysł?

– Moim zdaniem wszędzie – mruknął Erwin. – Rozejrzyj się, człowieku.

W istocie, na peronach przylegających do głównej hali stały srebrne maszyny jak gigantyczne stwory z wydłużonymi pyskami i czerwonymi oczyma świateł.

– O kurczę, ależ one są piękne – zachwycił się starszy brat. – Ciekawe, czy nasz już stoi?

– Chyba nie, mamy jeszcze trzy godziny z hakiem. Zorientujmy się, co i jak, i chodźmy gdzieś coś zjeść. Chyba że wolisz tu...

– Nie, wolę gdzie indziej. Tu jest tablica informacyjna. No, oczywiście, naszego pociągu jeszcze nie ma. Gdzie oni mają oznaczone perony?

– Obawiam się, że nigdzie. Jak jest po ichniemu peron albo tor? Ty sprawdzałeś te rzeczy.

– *Voie*? – powiedział niepewnie Egon.

– Tam coś jest napisane o *voie*. Patrz.

Istotnie, na tablicy informacyjnej pod trasami i godzinami odjazdu pociągów widniała informacja: *La voie de départ des trains sera affichée 20 minutes avant le départ.*

– Na inteligencję trzeba – orzekł stanowczo Erwin. – To całe wuaje, zakładamy, oznacza peron. *Départ* jak angielskie *departur* czyli odjazd. *Train* to pociąg, każdy głupi wie. *Sera*… nie wiem. Oni tu mają od zarąbania serów. Afiszeee… no to jasne, afiszują. Ogłaszają. Dwadzieścia *minutes*, wiadomo. Awangarda idzie przed. Ariergarda idzie za. Wszystko rozumiem. Peron odjazdu pociągu afiszuje się dwadzieścia minut przed odjazdem. Ser nam został, ale on chyba nie ma jakiegoś specjalnego znaczenia. To jakiś przyimek albo słowo posiłkowe.

– Piękny język – zachwycił się niespodziewanie Egon. – Będę się go uczył, stary.

– Teraz?

– Później. Chodź, pójdziemy sobie gdzieś. Nie chcę jeść bułki na dworcu. Poza tym widziałem takie jedno duże, chętnie bym to zobaczył z bliska.

Bracia wyszli na słoneczną ulicę. Duże natychmiast rzuciło się obydwu w oczy.

– O, ja wiem, co to jest – pochwalił się Erwin. – Jak guglałem sobie o TGV i dworcu Montparnasse, to mi samo wyskoczyło. To jest, mój drogi, Tour Montparnasse. Znaczy wieża. Dwieście metrów z groszkiem. Na pięćdziesiątym dziewiątym piętrze mają jakieś widoki. Ja bym to chętnie zobaczył.

Niebawem bracia oglądali Paryż z góry i rozpoznawali rozmaite obiekty architektoniczne, znane im dotąd jedynie z obrazków – ruchomych albo nieruchomych. Zidentyfikowali Panteon, bazylikę Sacré-Cœur, Wieżę Eiffla, Notre Dame, dawne więzienie Conciergerie, Łuk Tryumfalny, Luwr, Ogród

Luksemburski, dzielnicę La Défense i kilka innych drobiazgów. W Erwinie nagle obudziła się zawodowa żyłka historyczna i Paryż do niego przemówił.

– Co za miasto – mruknął w zadumie. – Pierwszy raz je widzisz, a ono do ciebie gada. Wszystko mi się teraz mętli w głowie: Rewolucja Francuska, noc świętego Bartłomieja, Komuna Paryska, Napoleon, Henryk IV, Król Słońce, de Gaulle i marszałek Foch... Muszę tu kiedyś przyjechać na dłużej. Dotarł do mnie zew minionych wieków, mój bracie.

– Biedaczek – odmruknął jego brat. – Ja tam niczego podobnego nie słyszę. Nic mnie nie woła. Takie wielkie miasto mnie przeraża. Chcę jak najszybciej wrócić do mojej chatki pustelnika i w spokoju oglądać wschody i zachody słońca. A historia jest głównie pasmem morderstw i wszelkiego obrzydlistwa. Nie lubię jej.

– Ja uważam, że to twoje robale są pasmem obrzydlistwa – wyszczerzył się Erwin. – Chodź, znajdziemy coś do jedzenia.

– Owady, głąbie. Chodź, bo już mnie w dołku ściska.

Pokręciwszy się chwilę, bracia trafili na połączenie restauracji z grillem i brasserią o nazwie L'Atlantique. Uznali to za świetny zbieg okoliczności – jechali przecież nad ten ocean. Postanowili, że ryby będą jeść tam, gdzie one są naprawdę świeże, poprosili więc, posługując się angielskim, o porządne porcje mięsa. Dostali całkiem spore steki, jakieś frytki, surówki, dodatki, dołożyli sobie desery i poczuli, że mogą jechać.

W hali dworcowej odbywało się coś dziwnego. Pociągi stały jak przedtem, gotowe do jazdy. Chyba nie były to te same składy, co wcześniej, bo tamte powinny trzy godziny temu odjechać. Zapewne podstawiono nowe. Pod tablicą informacyjną zebrał się tłum pasażerów, spoglądających w górę z wyczekiwaniem. Numerów peronów konsekwentnie na niej nie było.

– Coś mi tu nie gra. – Egon pokręcił głową. – Patrz, wszystkie perony są puste. Normalnie powinno być tak, że ludzie jeżdżą tymi pociągami i wiedzą, skąd one odchodzą. A to wygląda, jakby do ostatniej chwili nic nie było wiadomo.

– Dokładnie tak jest! – warknęła po polsku stojąca obok wiedź-mowata staruszka z długim nosem i potarganymi siwymi włosa-mi. – Oni tu sobie urządzają regularnego toto-lotka! Losowanie, cholera! Jedziecie do Bordeaux?

– Nie, my do Quimper, proszę pani – odpowiedział grzecznie Erwin.

– Gdzie to jest? – Staruszka wyglądała na zdziwioną, ale na-tychmiast trzepnęła się dłonią w czoło. – Dobrze, już nie mów, wiem. Bretania. A po co wy tam jedziecie, chłopcy? Tam strasznie wieje. Jak w Kieleckiem... hehe, mówi się tak jeszcze w kraju? A w Bordeaux są dobre wina, hehe. W Bretanii będziecie się truli cydrem... O Jezusie! Pokazują!

Klapki na tablicy zaczęły się obracać, odsłaniając kolejne numery peronów. Babcia porwała swoją walizę na kółkach i z łoskotem tychże kółek pognała gdzieś w głąb dworca.

– Pomożemy! – Obaj jak na komendę ruszyli za nią.

– Nie trzeba! – wrzasnęła wiedźma. – Pilnujcie swojego, bo nie zdążycie!

Rzeczywiście, niewiele brakowało. Widocznie francuskie koleje nie przewidywały gapiostwa u swoich klientów. Srebrny pociąg zdawał się nie mieć końca, a właściwy wagon znajdował się – no właśnie – na tym końcu oddalonym maksymalnie od głównej hali. Bracia dotarli do niego po kilku minutach, zastanawiając się, ile nerwów kosztują podobne biegi przełajowe ludzi niepełnospraw-nych, leciwych, na wózkach...

Obaj z dziecinną ciekawością oczekiwali momentu, kiedy su-perszybki pociąg ruszy z miejsca. Spodziewali się jakiegoś szarp-nięcia, wgniecenia w fotel, czegoś z tej poetyki. TGV sprawił im zawód. Przeoczyli moment dziejowy, bo się zagadali. Podnieśli oczy, a za oknem migały już krajobrazy. Trochę się pocieszyli, kiedy mijali równolegle biegnącą autostradę i wyprzedzali śmigające po niej samochody.

– To nie ma nic wspólnego z Pekape – zachichotał Erwin. – Warto było zapłacić tę kupę forsy, żeby takie sztuki zobaczyć.

– Też mi się podoba – zgodził się jego brat. – Ładna ta Francja, ale strasznie szybko przelatuje. To ja się prześpię.

Po chwili obaj bracia, wreszcie odprężeni, chrapali w najlepsze, ignorując całkowicie malownicze pejzaże słodkiej Francji.

∽

Sztorm przyszedł i poszedł. Potrwał dwa dni. Wcale to nie było dużo jak na możliwości Atlantyku na północnym krańcu Biskajów, ale dość sporo jak na wytrzymałość Claire. Oczywiście, trzymała się dzielnie, jak zwykle, ale co się wewnętrznie natrzęsła, to jej. Dwukrotnie musiała iść do szkoły, zmagając się z porywami wichru, który koniecznie chciał urwać jej głowę, a to, co zostanie, miotnąć pod jakiś mur albo płot. Dwie noce przespała – jak to mówiła jej polska babcia – na jedno oko. Nie było to precyzyjne określenie; obydwoje oczu miała szczelnie zamknięte, ale w jej uszy wciąż wdzierały się ryki gniewnego oceanu. Babcia mawiała też coś o stulaniu uszu i kładzeniu ich po sobie – chyba zresztą w zupełnie innym znaczeniu – niemniej Claire najchętniej całkiem dosłownie zwinęłaby uszy w trąbkę albo odłożyła je gdzieś daleko od siebie, byle nie słyszeć tego, co się działo za oknem. Kiedy udało jej się zasnąć, śniły jej się babcine opowieści o kobietach zebranych na kościelnej dzwonnicy i księdzu. Obudziwszy się, postanowiła, że kiedyś wydzierga taki płaszcz: fale morskie, ludzie i dzwonnica. Może wtedy przestanie się bać sztormów.

– Ty, mały – powiedziała do korrigana, który razem ze swoim medalionem wisiał na klamce okiennej. – Mógłbyś kiedyś coś zrobić w tej sprawie. Albo jesteś istotą czarodziejską, albo nie.

Korrigan łypnął na nią okiem, ale nic nie powiedział. Claire z westchnieniem wygrzebała się spod kołdry. Jest ładnie, a zatem przypłyną turyści, a ona będzie musiała raczej pomagać w ich obsługiwaniu, niż dłubać w metalu. Myślała właśnie intensywnie o zrobieniu w srebrze małej rybki patrzącej na świat ułamkiem ciemnoniebieskiego lapis lazuli. Rybka będzie nosiła nazwę

Chimera Maris. Claire miała nadzieję, że gdzieś w głębinach oceanu pływają podobne do tej, którą sama wymyśliła i nazwała. Nadawała imiona wszystkim swoim pracom – i rzeźbiarskim, i jubilerskim – łacińskie, francuskie, bretońskie, a czasem polskie. Najlepiej bawiła się, nazywając kolejne korrigany – a rzeźbiła ich ostatnimi czasy mnóstwo.

Claire zupełnie nieźle mówiła po polsku, ale nie było to zasługą jej matki, tylko babki. Pani Hanna Stobiecka przyjechała na stałe do Francji dwa lata po tym, jak zmarł jej mąż, dziadek Claire, którego dziewczynka nigdy nie poznała. Babcia Ana miała wtedy pięćdziesiąt kilka lat i z radością rzuciła pracę w archiwum państwowym, znudziwszy się nią ostatecznie. Teraz, dobiegając siedemdziesiątki, była osobą wesołą, pogodną i optymistyczną. Zupełnie jak francuska babcia Pierrette. I dziadek Charles. Ci z kolei znudzili się prowadzeniem restauracji *Chez Marianne* i prysnęli do słonecznej Prowansji, kiedy tylko uznali, że mogą przekazać rodzinny biznes synowi i jego żonie. Wszystko wynikło stąd, że kiedyś, dawno (były to lata sześćdziesiąte ubiegłego wieku) na wyspie pojawili się ze swymi obrazami dwaj znakomici malarze, Maurice Boitel i Jean Rigaud. Starsi państwo Autret odkryli nagle dla siebie powaby malarstwa i zostali wielkimi amatorami sztuki. Pociągał ich zwłaszcza impresjonizm, w związku z czym zaczęli marzyć o odwiedzeniu miejsc malowanych kiedyś przez Van Gogha i innych wielkich. Siedzieli już od dwudziestu lat w niewielkim domku, w samiutkim Arles i napawali się szczęściem oraz słońcem. To ostatnie doskonale robiło im na reumatyzmy nabyte w poprzednim miejscu zamieszkania. Co jakiś czas pojawiali się na Île-de-Sein, obładowani butelkami prowansalskiego wina i koszami prowansalskich łakoci. Claire i Marianne objadały się kandyzowanymi owocami, a kiedy wydoroślały, opijały doskonałymi winami, szukając w nich – według zaleceń babci i dziadka – południowego słońca i powiewów mistrala.

Babcia Ana zaprzyjaźniła się z Autretami serdecznie – w przeciwieństwie do Ewy, swojej córki, która cały czas odnosiła się do teściów z rezerwą... podobnie zresztą jak do własnego męża. Hanna nie rozumiała tego. Przecież, na Boga, widziały gały, co brały! Vincent może nie jakiś cud urody, ale przystojny – jak na mężczyznę – zupełnie wystarczająco. Sympatyczny. Ciepły. Dobry człowiek. Kocha żonę i jest najlepszym ojcem na świecie. Czego ona od niego chce?

Ewa chciała po prostu, żeby Vincent był kimś innym.

∽

Egon i Erwin dotarli francuskim cudem techniki kolejowej do Quimper, zostali dobudzeni przez współpasażerów i wyszli na peron, przecierając zaspane oczy. Wypili w dworcowym barze kiepską kawę i poszli po samochód. Zamówili go sobie przez Internet a teraz byli ciekawi, czy naprawdę na nich czeka. Owszem, czekał. Uprzejma do szaleństwa pani załatwiła z nimi formalności i przekazała im kluczyki do niewielkiego czerwonego C3, stojącego na parkingu przed dworcem.

– Było zamówić z dżipiesem – westchnął Egon, sadowiąc się za kierownicą. – Gdzie mam jechać?

– Zawiń w lewo i prosto. Nic się nie martw, będę twoim dżipiesem, mam tu mapę, a podobno we Francji są przyzwoite drogi.

– Jak się nazywa toto, do czego jedziemy, bo zapomniałem?

– Esquibien. Na razie jedź przodem do przodu. Mam wrażenie, że dzisiaj się na tę naszą wyspę nie dostaniemy.

– Było sprawdzić.

– Sprawdziłem. Na pewno się nie dostaniemy.

– Było zamówić hotel.

– Zamówiłem. Na wyspie. Uważaj, żebyś mandatu za prędkość nie dostał.

Licznik czerwonej cytrynki wskazywał prędkość trzydzieści kilometrów na godzinę.

– Pierwszy raz prowadzę diesla. Muszę się przyzwyczaić do reakcji. Chcesz, żebym wykonał katastrofę drogową w obcym kraju?

– Ja ucieknę z miejsca wypadku, a ty rób, jak uważasz – zaśmiał się Erwin beztrosko. – Dobrze będzie, co się martwisz, bracie...

– Bracie-wariacie – mruknął Egon i ostrożnie przyspieszył do trzydziestu pięciu.

Powoli zaczynał się przyzwyczajać do nieznajomego samochodu i francuskich oznaczeń na drogach. Jechało mu się całkiem dobrze, zwłaszcza że francuscy kierowcy byli kulturalni i tolerancyjni. Nikt na niego nie zatrąbił, nawet kiedy usiłował zjechać z ronda pod prąd.

– Widzą obcą rejestrację i rozumieją, że kierowca nie zna terenu...

– Jaką obcą – naprostował brata Erwin. – Przecież tutejszym jedziemy. Rejestracja też tutejsza.

– A faktycznie, masz rację. – Egon zahamował gwałtownie, ustępując pierwszeństwa efektownej blondynie w wielkim jeepie. Pomachała mu wdzięcznie rączką i rycząc silnikiem, pozostawiła ich daleko za sobą. – Ale widzą, że auto wynajęte, i się domyślają. Może byś jednak sam poprowadził? Ja chyba wolę swojego łazika i nasze drogi, dziurawe, ale znajome. Nie będę mistrzem rajdów Monte Carlo. Mogę ci mówić, jak jechać.

– Nie trzeba, dam radę. Stań gdzieś. Patrz, tam jest jakaś cepeenka...

– Co ty z tą cepeenką... Już zjeżdżam.

Wprawdzie polska Centrala Przemysłu Naftowego od lat była nieboszczką, Erwin jednak przejął od ojca zwyczaj nazywania stacji paliw cepeenkami, czego Egon w żaden sposób nie mógł zrozumieć. Paliwa nie potrzebowali, ale francuska stacja oferowała też kanapki i kawę, co przyjęli wdzięcznym sercem, nie wyrywając się ze stwierdzeniem, że na naszych orlenach kawa jest dużo lepsza. Niestety, benzyniarz życzył sobie mówić wyłącznie po francusku, więc nie pogadali zbyt wiele. Metodą częściowo migową upewnili się tylko, że są na właściwej drodze i że do Esquibien powinni dojechać za niecałą godzinę.

Ponieważ był dopiero maj i rzesze turystów jeszcze się nie pojawiły, a także dlatego, iż kierownicę przejął młodszy brat, rzeczywiście w niespełna godzinę znaleźli się w Esquibien – miasteczku podobnym do tych, które mijali po drodze. Zjazd do portu znaleźli bez kłopotu, bowiem był porządnie oznaczony. Skręcili więc w lewo i po chwili zobaczyli Atlantyk z bliska.

Trochę to ich wzruszyło. Nie widzieli jeszcze oceanu. Jakoś nie było okazji.

W sporej marinie kiwały się na cumach białe jachty i kilka łodzi rybackich. Kiwały się jednakowoż nie na oceanicznej fali, a raczej w grząskim błotku. Kilka postaci w wysokich kaloszach krążyło między nimi, nachylając się co chwila i wydobywając coś z mułu.

– Odpływ – skonstatowali jednocześnie obaj bracia i pokiwali głowami.

– Ostrygi zbierają – dodał Egon. – Albo jakieś inne żyjątka spożywcze.

– Za nic na świecie nie wezmę tego do ust – prychnął Erwin. – A ty?

– A ja tak. Chodź do tej kasy, dowiemy się czegoś konkretnego.

Po chwili dowiedzieli się, że konkretnie to dzisiaj nie będzie nic płynąć na wyspę, ale jutro o dziewiątej rano proszę bardzo, jest statek. Panowie wrócą tego samego dnia? Pobyt trwa sześć godzin.

Dziewczyna w okienku miała przypięty kartonik z imieniem „Julie", była bardzo ładna i doskonale mówiła po angielsku. Obaj bracia rozmaślili się nieco na jej widok i poinformowali ją, że jak popłyną, to tak zaraz nie wrócą, oraz że mają zarezerwowany pokój w pensjonacie na wyspie.

– Doskonale – powiedziała śliczna Julie. – A macie gdzie spać dzisiaj?

– Nie mamy – odrzekli chórem.

– Jesteście bliźniakami? – zainteresowała się. – Chyba nie. Jednak nie. Mogę pomóc załatwić hotel. Chcecie, żeby był bardzo tani?

Bracia spojrzeli po sobie i jak na komendę zaprzeczyli. Za ładna była ta cała Julie, żeby jej kazali załatwiać tanie noclegi.

– Tutaj już nic nie dostaniecie – poinformowała ich dziewczyna. – Wiem, bo szukałam noclegu dla kogoś. Jeśli nie musi być bardzo tanio, to moja ciocia ma pensjonat w Roscoff. Wiecie, gdzie to jest? Pokażę wam na mapie. Zdążycie jeszcze dzisiaj skoczyć na Pointe du Raz.

– Koniec świata? – mruknął Erwin.

Julie pokiwała głową.

– Finistère. Koniec świata. Długo tu będziecie?

– Tylko kilka dni – odparł Egon. – Mamy coś do załatwienia na wyspie i będziemy wracać.

– Szkoda. Stara dobra Breizh jest warta dłuższego pobytu. Może następnym razem wpadniecie chociaż na tydzień?

– A ty jesteś bretońską patriotką – uśmiechnął się Erwin.

Julia wydęła usteczka.

– Jasne. Breizh jest w porządku! A wy skąd jesteście?

– Z Polski. *La Pologne.*

– Ach, oczywiście!

– Dlaczego oczywiście? – zainteresował się Egon.

– Bo Polacy to zwykle przystojniaki – oświadczyła Julie, przewracając oczyma. – No, skoro nie jesteście po prostu turystami, to ja chyba wiem, do kogo przyjechaliście. Do Autretów? Tam są w rodzinie Polacy.

– Przystojniaki?

– Akurat same kobiety. – Julie znowu roześmiała się ślicznie. – Madame Ana, madame Ewa i dwie córki Ewy, to już na pół Bretonki, Claire i Marianne. Z Marianne chodziłam kiedyś do jednej klasy. Dobrze je znam. To wasze krewne?

– Nie, ale mamy im coś do przekazania. Rozumiesz. Coś od kogoś.

– Specjalna misja?

Obu braciom znowu przyszło do głowy określenie *mission impossible.* Cóż, nie będą przecież opowiadać o rodzinnych sprawach nawet najładniejszej bretońskiej kasjerce...

Bretońska kasjerka sama się połapała.

– Przepraszam, oczywiście nie powinnam była pytać. Życzę wam w każdym razie powodzenia. A teraz zadzwonię do cioci.

Wybrała numer i powiedziała coś po francusku. Jej francuszczyzna wydała się braciom jakby nietypowa.

– Rozmawiałaś po bretońsku? – zaciekawił się Erwin.

– Tak. My rozmawiamy głównie po bretońsku. Słuchajcie. W Roscoff przy głównej drodze jest hotel. Ciocia ma dla was pokój, akurat się zwolnił na jedną noc, tylko czy możecie spać w jednym łóżku? To jest duże łóżko, małżeńskie...

– Nie ma sprawy. Powołamy się na ciebie, dobrze?

Pożegnali dziewczynę z nadzieją, że ciocia okaże się równie sympatyczna.

Owszem, ciocia była równie miła jak siostrzenica i równie dobrze znała angielski. Dość elegancki pensjonat nazywał się *Kermoor* i stał na brzegu średnio urodziwej zatoczki, gdzie łodzie również taplały się w rzadkim błotku. Za to pokój był rewelacyjny, urządzono go bowiem bretońskimi ciężkawymi, ale pięknymi meblami, a wspomniane małżeńskie łoże znajdowało się wewnątrz czegoś w rodzaju szafy. Można się było w niej zamknąć i na przykład przeczekać zimę – jak zauważyli bracia. Okno wychodziło na zatokę.

– Jeśli chcecie jechać na Pointe du Raz, to proponuję teraz – powiedziała Madame Ciocia, jak ją od razu nazwali. Z akcentem na ostatniej sylabie. CioCIA. – Jedźcie tą drogą prosto, a dojedziecie. Jak wrócicie, to was nakarmimy czymś smacznym. Mamy pyszne ryby. Sola po młynarsku. Mule po marynarsku. Ostrygi! Lubicie ostrygi?

– Jeszcze nie wiemy – uśmiechnęli się i zwiali gościnnej Madame Cioci.

Droga poprowadziła ich środkiem małego miasteczka, zwanego nie wiedzieć czemu z rosyjska Plogoff. Z lewej strony przez zarośla i budynki prześwitywała tu i ówdzie błękitna woda Atlantyku. Bracia zastanawiali się przez chwilę akademicko, co by było, gdyby jakiś stuknięty architekt spróbował postawić tu wieżowce. Takie jak te, które spokojnie psują większość polskich miejscowości wakacyjnych. Tutaj nikt nie miał podobnych pomysłów. Domki były niewielkie, choć niekoniecznie stare, przeważnie białe z niebieskimi okiennicami albo innym niebieskim akcentem. Przy drodze rosły kwiaty – zwykłe, polne i wiejskie w charakterze. Jakieś drogi i dróżki odchodziły w prawo i znikały w zabudowaniach.

Nagle droga skończyła się, a wśród gęstych żywopłotów pojawiła się bramka ze szlabanem. Wyglądało to trochę tak, jakby już miało nie być nic więcej, jednak kawałek dalej objawił się olbrzymi parking, prawie całkiem zapchany samochodami i autobusami. Skąd to wszystko się wzięło, było dla braci niewiadomą. Owszem, mijało ich kilka pojazdów, ale żeby aż tyle? I to przed sezonem! W sezonie musi tu być istne piekło.

No i gdzie się podziało całe towarzystwo, które przyjechało tymi autami?

Kiedy Egon i Erwin zaparkowali cytrynkę i wychynęli zza żywopłotu, zrozumieli wszystko. Przed nimi dosłownie znikąd pojawiły się ustawione w rządku niezliczone stoiska i sklepiki z pamiątkami, ubraniami, zabawkami, pocztówkami i wszystkim, czego dusza turysty może zapragnąć. Kawałek dalej szarzał wielki kompleks informacyjny.

Pointe du Raz okazał się dużo większy, niż myśleli.

Oczywiście. Dowiedzieli się, że stąd do koniuszka Europy jest jeszcze około kilometra i że mogą pójść na piechotę albo pojechać busikiem. Zlekceważyli busik i po kilku minutach mijali zabudowania latarni morskiej. Kawałek dalej stał biały posąg. Madonna z Dzieciątkiem w objęciach i uniesioną dłonią, a przed nimi klęczący w błagalnej pozie mężczyzna.

– Ja wiem, co to za pomnik – oświadczył Erwin. – Podsłuchałem. To Madonna Zatopionych. Rozumiesz. Nie tych, co się utopili w gliniance, jak chcieli popływać, tylko zatopionych razem ze swoimi statkami.

– To ma się kim opiekować – stwierdził filozoficznie Egon. – Tu, o ile mi wiadomo, utonęło mnóstwo statków.

– Zgadza się. I dlatego mają tu mnóstwo latarni morskich. Nie chciałbym ja się wpakować na te skały. Gdybym był żeglarzem, oczywiście. Na szczęście nigdy nie będę.

Istotnie, przed nimi rozciągały się już tylko poszarpane skały, wciąż atakowane przez fale.

– Chciałbym widzieć, jak tu wygląda porządny sztorm – powiedział Egon w zadumie.

– Ja nie. Gdzie jest ta wyspa?

– Moim zdaniem tam, na wprost. Widać ją.

– Nie, to latarnia morska na skale. Wyspa jest dalej.

Z mapy obaj wiedzieli, że Pointe du Raz jest najbardziej na południe wysuniętym cyplem półwyspu Finistère, ograniczającym z kolei od północy wielką i słynną ze sztormów Zatokę Biskajską. Powyżej Pointe du Raz był już otwarty Atlantyk. Na przedłużeniu cypla, osiem kilometrów od jego końca, tkwiła w oceanie maleńka wysepka, Île-de-Sein, do której zamierzali jutro popłynąć, aby znaleźć pewną młodą osobę i – nie da się ukryć – zmienić jej życie.

❧

Życie małej Elżuni Szumacherówny miało zmienić się na etapie o wiele wcześniejszym. W domu właściwie wszystko toczyło się dawnym trybem, a o wizycie wójta jak gdyby zapomniano. Babcie i dziadkowie robili swoje. Mama wzorowo prowadziła dom, a ojciec, zwany przez Elżunię tacimkiem, wciąż chodził do swojej cementowni. Coś niedobrego jednak wisiało w powietrzu.

No i stało się.

Najpierw zniknął tacimek.

Zanim jednak zniknął, pojawił się któregoś dnia po pracy z podłużnym pudełkiem pod pachą. Elżunia szóstym zmysłem kochanej córeczki tatusia wyczuła, że to coś dla niej, ale musiała odczekać, aż tata zje obiad i wypije swoją herbatę. Potem już nie wytrzymała.

Wskoczyła ojcu na kolana i złapała go za oba policzki, rozciągając je zabawnie. Zaklapał i spojrzał na nią groźnie. Nie przejęła się wcale, bo przecież to była ich stała zabawa! Pocałowała go w nos.

– Tacimku, co dla mnie przyniosłeś?

– Ja dla ciebie coś przyniosłem? – Ojciec artystycznie udał zdziwienie.

– PUDEŁKO – powiedziała bardzo wyraźnie Elżunia. – Tatu, nie oszukuj dziecka. To niewy... niewyw... chowace.

– Niewychowawcze.

– No właśnie. Co tam masz?

– Ale powiedz: nie-wy-cho-waw-cze.

Elżunia sprężyła się i podołała zadaniu.

– NIEWYCHO... WAWCZE. Powiedziałam. Dostanę?

Ojciec roześmiał się, chociaż jakoś nie tak, jak zwykle, i sięgnął do szafki po pudełko. Było słodkoróżowe. Wstążeczka na nim też różowa, w tym samym odcieniu.

Elżunia energicznie zdarła wstążkę, zdjęła pokrywkę i wydała okrzyk zachwytu.

W pudełku leżała lalka. Przepiękna. Całkiem dorosła. Nie żaden celuloidowy golasek. Ubrana w elegancką seledynową sukienkę, na głowie miała koronkowy kapelusik budkę w tym samym kolorze. Zielone butki prunelki. Zajmowała jakieś dwie trzecie pudełka. Pozostałą jego część wypełniał kuferek z seledynowym płaszczykiem i takąż parasolką.

Dziewczynka wydała pełen zachwytu pisk i rzuciła się ojcu na szyję. Uściskał ją jak zwykle. A może trochę mocniej.

– Jak ma na imię? – spytała, wyjmując lalkę z różowych bibułek.

– Wymyśl coś – uśmiechnął się.

– Ja mam wymyślić... Dobrze. Coś się wykombinuje. Czekaj, tacimku, czekaj... Ona będzie... ona będzie... Lampucera!

Nieopanowany wybuch śmiechu wszystkich obecnych w pokoju dorosłych (jakimś cudem zebrała się cała rodzina) nie tyle speszył Elżunię, ile dał jej do myślenia.

– Nie może być Lampucera? Dlaczego? Mnie się podoba!

Pierwszy spoważniał ojciec.

– Kochanie, bardzo mi przykro, ale nie może. I proszę cię, nie mów tak nigdy, bo to brzydkie słowo. Gdzieś ty to usłyszała?

– Babcia Hela tak mówiła o pani wójtowej – odrzekło prawdo-
mówne dziecko, powodując kolejny ryk śmiechu rodziny. Babcia
Hela trochę przy tym poczerwieniała, ale też nie mogła powstrzy-
mać chichotu.

Tacimek jakby trochę się nawet spłakał.

Pierwszy oprzytomniał dziadek Józef.

– Kochanie, twojej babci się wyrwało, ale naprawdę nie można
tak mówić. Babcia też już nie będzie, prawda, żono?

– Prawda, mężu...

Elżunia była trochę zmartwiona. Słowo brzmiało godnie i bardzo jej się podobało. Skoro jednak starszyzna nalega, to pewnie
coś w tym jest.

– Ja tylko jeszcze ostatni raz sobie powiem, dobrze? LAMPU-
CERA. Koniec.

Dorośli znowu prychnęli, ale już na krótko.

– No to jak ja mam ją nazwać? Lampu... wam się nie podoba.
To jak?

– Może Matylda?

– Eufrozyna?

– Kunegunda?

– Konferencja?

– Paralaksa?

– Rawalpinda?

Okropna rodzinka znowu zwijała się ze śmiechu. Elżunia znała
to zjawisko od urodzenia i wiedziała, że starszyzna jest niepoważna.
Nie szkodzi. Ona już miała własny pomysł.

– Cicho bądźcie! Dziecko pyta!

Zadziałało. Dorośli przestali chichotać, rżeć i porykiwać. Spojrzeli na dziecko, które chciało o coś spytać.

– Mów, córeczko.

– Elżunia to jest od Elżbiety? Taka mała Elżbieta?

– Tak. To zdrobnienie.

– Ale to to samo? Na pewno?

– To samo.

– To ja już wiem. Ona będzie miała na imię Elżbieta.

– Tak jak ty? – Babcia Jania była trochę zdziwiona, podobnie jak reszta zebranych.

– Bo to czasem będę ja – oświadczyła niedbale Elżunia, nałożyła lalce płaszczyk i zabrała ją na spacer, pokazać jej kury, gęsi i psa Prynca.

∽

Egon i Erwin, wyspawszy się całkiem przyzwoicie w bretońskiej szafie małżeńskiej, wyjrzeli przez okno i zobaczyli łodzie, które już nie telepały się w rzadkim błotku, tylko dumnie kołysały na falach przypływu. Zjedli lekkie śniadanko, pożegnali Madame Ciocię i pojechali do Esquibien, łapać swój statek. Tak naprawdę obaj byli solidnie głodni, bo ani kawa i croissanty z masłem (Egon), ani kawa i bagietka z masłem i serem (Erwin) – cóż z tego, że wszystko bardzo smaczne i świeże – nie stanowiły posiłku godnego mężczyzny.

– Paróweczki, jajka na bekonie, kiełbaska grzana z musztardą, szyneczka, twarożek ze śmietaną, rzodkiewka i szczypiorek na razowym chlebku – mamrotał Erwin zza kierownicy, starając się nie przekraczać przepisów drogowych. – Co to za kraj, ta Francja, jak można ludziom dorosłym dawać ciastka na śniadanie. Boże, ja chcę do mamy!

– Omlet. Z sześciu jajek. Z zielonym groszkiem. Na masełku – rozmarzył się jego brat. – Masz rację, tu jest bardzo ładnie, ale musimy znaleźć jakieś żarcie.

– No, musisz przyznać jednakowoż, że u Madame Cioci... kolacyjka... Smakowały ci ostrygi?

– Jakbym się morza nałykał. I maślaków na surowo. Ale sałatka z krabów była niezła. Sola też okay. Znaczy, trrrre bię.

– Tylko mało. Szczęście, że Ciocia bagietek nie żałowała. Serek dobry. W sam raz śmierdział, a to wcale nie tak łatwo utrafić.

– W co? – nie zrozumiał Egon.

– W stopień siły rażenia bretońskiego serka.

– On był normandzki. Widziałem pudełko.

– Jeden diabeł. Jest Esquibien. Gdzie to się zjeżdżało? Widzę. Mam nadzieję, że nikt nam nie rąbnie tego autka...

– Nasza nowa przyjaciółka mówiła, że jak postawimy tu, koło budynku, to nie rąbną. Jest statek. Mały jakiś. Toto pływa po oceanie?

– Przy takiej pogodzie to i kajakiem można. Dobra. Tu stoję. Zabieramy bety i idziemy.

– Powiemy jeszcze dzień dobry naszej Julci?

Niestety, zamiast powabnej Julie w okienku siedział na oko dwudziestoletni łysy drab z wizytówką „Brendan". Może narzeczony. Może brat. Z pewnością nie warto było zawierać z nim znajomości, więc Egon i Erwin pomaszerowali w stronę niebieskiego stateczku z wymalowaną nazwą *Enez Sun*.

Duży jegomość w kombinezonie zagrodził im drogę. Najpierw ładunek, powiedział po francusku (jakimś cudem go zrozumieli), a dopiero potem pasażerowie.

– Jaki ładunek? – Erwin był niezadowolony. – Co oni tam wożą?

– Moim zdaniem wszystko. Całe zaopatrzenie. Przecież to wyspa. Na oceanie. Same skały. Nic tam nie ma.

– Ludzie są. Hotel jest. Coś ty tam jeszcze wyczytał? Że jaka ona duża?

– Zero przecinek sześć kilometra kwadratowego. Tyle zapamiętałem. Liczba ludności jakieś trzysta pięćdziesiąt sztuk. Circa. Zagęszczenie ludności na kilometr koło pięciuset sztuk. Patrz, jakie to śmieszne, większe zagęszczenie niż liczba ludności. Hehe. Co poza tym? Same kamienie. Ani jednego drzewka. Jakieś krzole. Kilka latarni morskich, ale nie wiem, ile, bo zapomniałem. Cztery? Nie wiem, jak tam można żyć. Patrz, wpuszczają. Chodźmy, ja chcę jechać na wierzchu.

Wyglądało na to, że wszyscy chcą na wierzchu. Kilka doskonałych miejsc pozostawało jednak niezajętych. Bracia z ulgą usiedli i zajęli się obserwacją brzegu, mariny i stacji ratownictwa morskiego.

Chwilę później stateczek uruchomił motory i okazało się, dlaczego miejsca z tak świetnym widokiem były puste. Egon i Erwin przedostali się przez kłęby czarnego dymu i znaleźli jakieś dwa ostatnie niezajęte siedzenia na lewej burcie. Woleliby prawą, bo chcieli robić zdjęcia brzegowi Bretanii, Francji i Europy jednocześnie, ale cóż. Za gapowe się płaci.

W sumie zresztą widzieli całkiem nieźle wysoki, zielony brzeg, tu i ówdzie mariny w zatoczkach, domki na wzgórzach. Potem zieleń ustąpiła szarości, bracia rozpoznali widzianą wczoraj latarnię i górujący nad cyplem posąg Madonny Zatopionych, a potem były już tylko poszarpane skały zalewane falami oceanu. Na dwóch sporawych stały kolejne dwie latarnie morskie. Egon pamiętał, że któraś nazywa się *La Vieille*, ale nie pamiętał, która.

Większość pasażerów też chciała robić zdjęcia, wszyscy zaczęli wstawać i w rezultacie bracia w każdym kadrze mieli fragmenty czyichś głów i ramion. Dali spokój i skoncentrowali się na luźnych obserwacjach.

Majaczącą na horyzoncie Île-de-Sein zauważyli jednocześnie. Przybliżała się dość szybko i niebawem dały się rozróżnić domy, kościół i dwie latarnie morskie. Całość obwarowana była potężnymi murami.

– Co to, fortyfikacje jakieś takie nietypowe? – zagadnął brata Erwin.

– Falochrony, ciołku – objaśnił go uprzejmie Egon. – Ty masz pojęcie, jakie tu fale bywają?

– Nie mam i nie chcę mieć. Co to za atrakcja: fala, która cię zalewa, porywa i w końcu topi? Swoją drogą, ta wysepka wygląda jak z bajki.

– O żelaznym wilku – mruknął Erwin, nie do końca przekonany. – A co to znaczy *Men Brial*, mądralo?

Przybijali właśnie do kei, nad którą wymalowany był właśnie taki napis.

– To po ichniemu, ale nie wiem, co znaczy. Latarnia morska tak się nazywa.

– Skąd wiesz?

– Bo jest podpisana. Dużymi literami. Popatrz sam. Wychodzimy, bracie. Koniec wakacji. Mamy jakąś misję, szlag jej na monogram.

Egon lubił czasem używać malowniczych przekleństw ulubionych przez ojca, który z kolei podsłuchał je u znajomego kapitana jachtowego. W sumie były dość niewinne, zwłaszcza jeśli je porównać ze standardowymi przerywnikami używanymi przez młodzież już od przedszkola.

Misja polegała na odwiedzinach u niejakiej Claire Autret i przekazaniu jej wiadomości. Wiadomość była raczej nietypowa i mogła spowodować u dziewczyny na przykład atak histerii albo jakąś zapaść, a w najlepszym wypadku miała prawo przewrócić jej życie do góry nogami. Najpierw jednak należało ową niczego jeszcze nieświadomą adresatkę odnaleźć. W obliczu znanej już liczby ludności na wyspie nie wydawało się to specjalnie trudne.

– Mogliśmy spytać Julkę – pożałował po niewczasie Egon. – Ona by nam powiedziała, gdzie szukać tej całej mamzeli.

– Spytamy w pierwszej knajpie – zbył go Erwin. – Ty, słuchaj, ta latarnia naprawdę nazywa się *Men Brial*. Łomatko, muszę sfotografować ten kamyk, poczekaj...

Latarnia zbudowana była na potężnej skale, a właściwie wbudowana w nią, jakby z niej wyrastała.

– Patrz, jakie tu wszystko niskie i przysadziste, żadnych smukłości, to na pewno z powodu sztormów... – Erwin pstrykał jak szalony.

– Sam do tego doszedłeś? – spytał zgryźliwie brat. – Zostaw to i chodź, bo ja już zaczynam się denerwować. Zróbmy, co mamy zrobić, i będzie spokój.

– Dopiero wtedy nie będzie. No dobrze. Gdzie idziemy?

– Za ludźmi.

Poszli nadbrzeżnym bulwarem, wzdłuż owych murów obronnych, które okazały się falochronem. W jego bezpośredniej bliskości nie było wody, tylko błoto, a w nim ze dwie łodzie i kilka osób pochylonych i brodzących w mule – bracia już wiedzieli, że tak w Bretanii wygląda odpływ.

– Ciekawe, czy oni zawsze zdążą przed przypływem – zastanowił się Erwin.

Egon pokręcił głową.

– Madame Ciocia mówiła mi wczoraj, że trzy dni temu dwie kobiety gdzieś tu niedaleko utonęły, bo właśnie nie zauważyły przypływu i nie zdążyły uciec.

– Bardzo to okropne. Biedaczki. Wchodzimy tu?

Kolorowa markiza i napis *Chez Brigitte* świadczył, że jest tu jakiś bar względnie kreperia czy coś w tym rodzaju. Wewnątrz było dość ciasno, ale bracia zauważyli, że większość ludzi w ogóle nie miała zamiaru zasiadać do kawy, przekąsek ani cydru (na cydr chyba za wcześnie – stwierdził autorytatywnie Egon, który nie wiedział, że na cydr nigdy nie jest za wcześnie). Przychodzili, zamieniali kilka słów ze starszawą damą za barem, brali ze stojaka gazetę i wychodzili.

– Ach, dostawa świeżej prasy była – zorientował się pierwszy Erwin. – Ta gazetka przypłynęła razem z nami. Chyba musimy przeczekać ten tłok.

– Wprost przeciwnie. Zapytam i dajemy w długą. Za ciasno tu jak dla mnie.

Podeszli obaj do kontuaru i rzeczywiście, w dziesięć sekund później wiedzieli, że Madame Brigitte umie mówić po angielsku, ale nie lubi, oraz że Claire Autret znajdą kawałek dalej, w kreperii *Chez Marianne*, która należy do jej rodziny. Bulwar de Cośtam-Cośtam. Na wiadomość, że bracia przyjechali z Polski, rozpromieniła się, oznajmiła, że w takim razie może i po angielsku, a w ogóle kocha tego z wąsami, no, WAŁĘSA, bo jest podobny do jej tatusia i taki sam weredyk. Jakim cudem bracia zrozumieli, że tatuś Madame był weredykiem, nie wiedzieli nawet oni sami. Pożegnali się w każdym razie bardzo przyjaźnie i obiecali, że jeszcze wpadną.

Niewielka restauracyjka *Chez Marianne* znajdowała się kilkaset metrów dalej, na Bulwarze Wolnych Francuzów (*Boulevard de Français Libres*) i wyglądało na to, że właściciele są patriotami, a nazwa raczej sugeruje symbol Francji, niż jest imieniem jakiejś pani lub panny Autret – na szyldzie bowiem wymalowana była jak żywa rewolucyjna Marianna w czapce frygijskiej na potarganych włosach.

Poniżej patriotycznego szyldu znajdowała się apetyczna reklama, polecająca owoce morza i świeży cydr własnego tłoczenia. Wydało się to braciom nieco podejrzane, bo skoro na wyspie nie było ani jednego drzewa, to skąd jabłonie do pozyskiwania cydru... uznali jednak, że zapewne owe drzewa znajdują się gdzieś niedaleko na stałym lądzie, a boski napój przybywa na wyspę – jak wszystko – statkiem.

– *Bonjour, messieurs* – zaświergotała jakaś młoda, nieco kulkowata osoba, obsługująca właśnie kilkoro klientów zasiadających w ogródku. Dodała coś jeszcze, czyniąc zapraszający gest.

Bracia skorzystali z zaproszenia i zajęli stolik w rogu ogródka. Dziewczyna błyskawicznie podała im kartę i od razu zaczęła coś polecać. Po francusku. Bardzo szybko.

– Chwileczkę – powiedział Egon, lekko spłoszony. – *English, please*.

Dziewczyna zbystrzała i przeszła na ojczysty język braci.

– Panowie z Polski?

Panowie też zbystrzeli.

– Claire?

– Pani Claire Autret?

– Prawdę mówiąc, panna Autret. Mademoiselle. Tutaj się odróżnia takie rzeczy. Panowie mnie znają? Spotkaliśmy się już kiedyś?

– Ależ pani fantastycznie mówi po polsku – zachwycił się Egon.

– Ale to „r" ma pani międzynarodowe, polsko-francuskie – dołożył Erwin.

– Mam nieprawidłowy akcent, wiem, ale powiedzcie, skąd się znamy? I nie mówcie mi „pani".

– To my się najpierw przedstawimy. Pozwól, Claire... ja się nazywam Egon Zacharzewski, a to mój brat Erwin. Nie znamy się, ale...

Z wnętrza kreperii rozległo się wołanie. Damski głos, nieznoszący sprzeciwu, wzywał Claire.

– Proszę, wybierzcie coś z karty, za moment wrócę i powiem, czy dobrze zdecydowaliście.

Pobiegła gdzieś – bardzo lekko, mimo swej kulkowatości, co obaj skonstatowali z uznaniem. Po chwili niosła wielki półmisek z jakimiś gigantycznymi czerwonymi skorupami i stawiała go przed gościem.

– Homar – wyjaśniła braciom. – Robimy świetne owoce morza, a homar jest najlepszy. Trochę drogi, ale lepszego nigdzie nie zjecie. Jeśli jesteście bardzo głodni, weźcie dwa, a jeśli tylko trochę, to starczy wam jeden na połowę. Inne rzeczy też mamy dobre. Krewetki, mule, kraby, ostrygi. Albo ryby. Albo *crêpes,* tutejsze naleśniki, takie ciemne, z gryczanej mąki.

Bracia byli głodni i w dodatku mieli pieniądze – z puli Tajnej Misji.

– Homar – powiedział stanowczo Erwin. – Dwa homary. I nie wiem, co tam uważasz, Claire... znaczy, co do tego pasuje.

– Na razie przyniosę wam cydru, musicie spróbować naszego. Mamy ogród owocowy... jak to się mówi po polsku?

– Sad.

– No właśnie. Sad. Jabłkowy. U wujka, niedaleko Audierne. Już podaję.

Po chwili na stoliku stały dwa kielichy musującego napoju.

– Ja teraz nie mam czasu na to, na co moja babcia mówi „pogaduszki". Statek przypłynął, są turyści. Musicie poczekać na homara, próbujcie *le cidre.* Może potem pogadamy.

– Ale, Claire, to ważne – jęknął Erwin do odfruwającej kuleczki. Nie usłyszała go. Pędziła do kuchni, złożyć zamówienie na dwa homary.

Egon kilkoma łykami wypił połowę swojego cydru.

– Słuchaj, stary, ja nie wiem, jak my to mamy jej powiedzieć. Rozwalamy jej życie. Nie wiadomo, jak ona to przyjmie. Może powinniśmy najpierw pogadać z jej rodzicami, a przynajmniej z matką?

Erwin wypił dwa łyki, skinął głową i opróżnił swój kielich. Pomilczał chwilę i przemówił:

– Dobre. Mam na myśli ten kompot. Ale chyba idziesz w złą stronę, bracie. Ona jest dorosła, ta cała Klarcia. Zdaje się, że w moim wieku. Musi sama się z tym zmierzyć, że się tak wyrażę, górnolotnie odrobinkę. Poza tym proszono nas, żebyśmy wiadomość przekazali jej, a nie jej mamusi ani tatusiowi. *Dura* misja, *sed* misja. Zauważ, że mówię do ciebie po łacinie. Analogicznie do *dura lex, sed lex*. Durne prawo, ale prawo. Matko jedyna, ta oranżada miała jakieś procenty...

– I kielonek był duży – zauważył Egon. – Niemniej masz rację. Misja dotyczy Klarci, a nie jej mamusi. Chłopie, nie będzie nam łatwo.

– Nikt nie mówił, że będzie łatwo. I słowa dotrzymał. Patrz, ona nam niesie dubla.

Claire zbliżała się z tacą, na której stały dwa kolejne kielichy cydru i miseczka małych rybek, usmażonych na chrupko.

– Proszę. Będzie wam się przyjemniej czekało z tymi sardynkami. Na wszelki wypadek nie polałam oliwą, bo nie wiem, czy lubicie. Tu jest oliwa, bardzo dobra, możecie sobie tak chlupać po wierzchu. Nie za dużo. Albo dużo. Zresztą. Tu jest sól, ale nie zwyczajna morska, tylko *fleur de sel*, do sypania na rybki. Widziałam, że wam cydr smakuje. Ten jest od firmy, dla was. Babcia Ana kazała wam dać. To od niej. Potem przyjdzie, a teraz robi dla was homary.

Odleciała.

– Kiedy się spieszy, gorzej mówi po polsku. – Erwin był jakby trochę rozmarzony. – To świetna dziewczyna, ja ci mówię.

– Sam widzę, bracie. Daj no te rybki. Bez oliwy. Mądra dziewczyna, nie spaprała zakąski.

– A ja lubię z oliwą. I sporo soli. I łyczek tego jabcoka. Zdrowie babci Any, kimkolwiek jest.

Kiedy po jakimś czasie Claire pojawiła się z dwoma półmiskami z homarem na olbrzymiej tacy, obaj panowie siedzieli nad miseczką po sardynkach cisi i zamyśleni.

– Coś się stało? – zaniepokoiła się dziewczyna. – Rybki nie smakowały? Cydr zaszkodził? To jak zjecie homara? Tu masło do homara i kilka sosów. Bagietka. Czemu jesteście smutni?

– „Jestem nieszczęśliwym Atlasem" – zacytował Egon Heinego, którego czasem czytywał w oryginale.

– „Cały świat pełen cierpienia muszę dźwigać na mych barkach" – uzupełnił Erwin, który Heinego nie czytywał, ale znał powiedzonka swojego brata. – Nic się nie martw, tak tylko się zamyśliliśmy. Twoje homary przywrócą nam równowagę.

– No, bo już się bałam! Wystraszyliście mnie! *Bon appétit!*

– Czekaj, nie uciekaj. – Egon chwycił ją za ramię, zanim zdążyła się zdematerializować. – My musimy z tobą porozmawiać. Mamy wspólnych znajomych i oni kazali ci coś przekazać. Kiedy będziesz miała dla nas pół godzinki? Ale tylko dla nas. My poczekamy. Albo wrócimy. Obejrzymy twoją wyspę i wrócimy.

Claire pomyślała chwilkę.

– Wracacie statkiem o czwartej?

– Nie, mamy tu nocleg zamówiony.

– A może chcecie nocować u nas? Mamy pokój gościnny.

Erwin spojrzał na brata, który ledwie dostrzegalnie pokręcił głową.

– Jakoś nie wypada nam odwoływać – powiedział. – To jak? Kiedy porozmawiamy? Jak statek odpłynie?

– Tak. Wtedy będzie luz. Ludzie odjadą. Będę na was czekać tutaj. A teraz jedzcie, bo się taki dobry homar zmarnuje!

❧

Elżunia wstała ze swojego łóżeczka, bo uznała, że już jest pora. Nikt jej wprawdzie nie budził, ale słońce stało dość wysoko na niebie, a ona bardzo chciała pobawić się swoją nową lalką, zanim pójdzie z całą rodziną do kościoła. Każdej niedzieli Szumacherowie i Grosowie wspólnie szli do kościoła na górze Dorotce. Jakoś tak się ułożyło od pokoleń. Obie babcie często opowiadały Elżuni, jak to chodziły na niedzielne msze, kiedy same były małymi dziewczynkami.

A lalkę też można zabrać na mszę?

Elżunia nie była pewna. Trzeba spytać mamę. Albo tacimka.

– Chodź, Elżuniu – powiedziała do lalki. – Zejdziemy teraz do kuchni, zjemy śniadanie... na pewno babcie upiekły drożdżowe bułeczki. Jest niedziela. To takie małe święto. Wszystkiego cię nauczę. Dzisiaj dam ci bułeczki i masło, a potem zobaczymy. Może wezmę cię na spacerek. Musisz być grzeczna. Spałaś w płaszczyku? To źle. Poproszę babcię Janię, żeby uszyła ci nocną koszulę.

Lalka nie odpowiedziała, co jej mała pani uznała za entuzjastyczną zgodę. Trzymając się za ręce, dwie Elżunie – jedna w eleganckiej seledynowej sukience i kapeluszu, a druga we flanelowej niebieskiej piżamce – zeszły po skrzypiących, drewnianych schodach do kuchni.

W domu było tak cicho, że Elżunia piżamkowa pomyślała, że pomyliła godziny, wszyscy jeszcze śpią, jest bardzo wcześnie. Albo odwrotnie – jest tak późno, że wszyscy poszli już do kościoła, nie czekając na nią.

Poczuła lekki niepokój. Mocniej ścisnęła rączkę lalki w swojej małej dłoni i niecierpliwie pchnęła drzwi kuchni.

Niech się coś wyjaśni!

W kuchni byli wszyscy. Siedzieli nieruchomo na krzesłach i milczeli. Babcia Jania i babcia Hela, dziadek Józef i dziadek Zenek. Mama.

Stop.

Nie ma taty.

Jakimś cudem dziewczynka wyczuła, że właśnie ta nieobecność jest ważniejsza niż pozostałych pięć obecności.

– Gdzie jest tata?!

Milczenie.

Pierwsza odezwała się mama.

– Tata musiał wyjechać, córeczko. Niespodziewanie, dzisiaj bardzo wcześnie rano.

– Kiedy wróci?!

– Za jakiś czas, nie wiemy tego dokładnie...

Elżunię ogarnął chłód. Była już duża i mądra, i doskonale wiedziała, że jest wojna. A jak jest wojna, to ludzie się zabijają. Zaschło jej w ustach i ledwie zdołała wykrztusić pytanie:

– Czy tatusia zabili?

Chór protestów. Elżunia nie wierzyła w takie protesty. Dzieciom nie mówi się wszystkiego, przed dziećmi się ukrywa różne ważne rzeczy.

– Ja muszę to wiedzieć. Czy tatusia zabili?

Chór ucichł. Odpowiedzi udzielił dziadek Gros, zgodnie uznawany za głowę rodu i najważniejszą osobę:

– Elżuniu, kochanie. Przysięgam ci, że twój tatuś żyje. Ja, twój dziadek, ci to przysięgam. Naprawdę musiał wyjechać.

– Dlaczego?

Znowu chwila ciszy.

Dziadek machnął ręką.

– Trzeba dziecku powiedzieć. Tylko, Eluniu, musisz też coś nam przyrzec...

– Że nikomu nie powiem. Przysięgam.

– Nikomu. Żadnej koleżance ani pani w szkole, ani żadnej cioci, wujkowi, nikomu. Bo gdybyś powiedziała, Bóg jeden wie, co mogłoby się stać.

– Mama też musiałaby wyjechać?

– Tego nie wiemy. Ale nie możemy ryzykować. Rozumiesz mnie dobrze?

– Rozumiem, dziadku. Bo jest wojna?

– Tak. Jest wojna. Dowiedzieliśmy się, że twój tata jest na liście... że twojemu tacie grozi wywózka na roboty. To znaczy że musiałby i tak wyjechać do Niemiec, nie wiadomo gdzie by trafił i nie wiadomo, kiedy by wrócił. Jeśli w ogóle...

Babcia Hela zakryła twarz rękami.

– Matko Boska jedynąca, wybacz mi, już nigdy nie powiem o niej lampucera...

Rozpłakała się. Twarda, nieugięta babcia Hela, która nie płakała nigdy. Zerwała się i wybiegła z kuchni. Po chwili widać ją było, jak idzie szybkim krokiem na górę Dorotkę – najpewniej do kościoła, pomodlić się za życie ukochanego syna. Dziadek Józef również wstał od stołu, coś wymamrotał i poszedł gonić żonę. Uznał, że musi teraz być razem z nią.

– Dokąd tato pojechał?

– Tego nie możemy ci powiedzieć, Elżuniu, bo sami nie wiemy. Twój tato musi się gdzieś ukryć, przeczekać, może nawet do końca wojny.

Dziadek kłamał. Wiedzieli, że Anzelm pojechał w kieleckie, do znajomego leśnictwa, gdzie miał szanse przeczekać zły czas jako gajowy. Lepiej było Elżuni o tym nie mówić. Dzielna jest, ale przecież dziecko... po co ją obciążać?

– Ale tacimek żyje?

– Żyje, promyczku. Nie martw się.

– I wróci...

– Na pewno. Wróci do ciebie, jak tylko skończy się ta przeklęta wojna.

Teraz wreszcie rozpłakała się Elżunia.

Tym razem dziadek Zenek nie miał świadomości, że mówi nieprawdę.

∽

– Ewuniu, wiesz, że mieliśmy polskich gości?

Ewa i Vincent odbierali ze statku zamówione towary i dopiero teraz pojawili się oboje w *Chez Marianne*, czyli we własnej zatłoczonej restauracyjce. Zazwyczaj przed sezonem nie było tu aż tak wielu turystów, ale po dwudniowym sztormie chyba przypłynęli wszyscy, którym wcześniej się to nie udało. Babcia Ana szalała w kuchni, Marianne obsługiwała gości wewnątrz lokalu, a Claire w ogródku.

– A w ogóle dobrze, że już jesteście, bo za chwilę ludzie zaczną naprawdę jeść, do tej pory głównie pili, tylko ci dwaj młodzi ludzie zamówili homary. Wyobrażacie sobie? Po homarze na drugie śniadanie. Byli okropnie głodni, ale bardzo sympatyczni. Szukali Claire, wyobraźcie sobie...

– Chwila, mamo. Kto zamówił homary? Jacy polscy goście? Kto był sympatyczny?

Babcia Ana podniosła ku górze oczy i ręce – te ostatnie całe w gryczanej mące.

– Przecież mówię! Dwaj młodzi Polacy zjedli homary i pochwalili. Czekaj, mówmy po francusku, żeby Vincent wiedział...

Uśmiechnęła się do zięcia, którego bardzo lubiła (w przeciwieństwie do własnej córki, która za nim nie przepadała), i średnio poprawną francuszczyzną opowiedziała mu, co i jak.

Vincent też lubił swoją teściową i z uwagą wysłuchał opowieści. Tak naprawdę tłumaczenie wcale nie było mu potrzebne, bo w czasie prawie trzydziestu lat małżeństwa nauczył się całkiem nieźle polskiego – z pewnych względów jednak wolał się z tym nie wychylać. Prawdę powiedziawszy, żona traktowała go mocno protekcjonalnie, a czasami jak idiotę.

Poznali się w Polsce, w dziwnych latach stanu wojennego. Ewa, podówczas studentka na uniwersytecie, była wielce zaangażowana w sprawy wrocławskiej Solidarności uczelnianej. Można by powiedzieć, że to zaangażowanie tryskało z niej wszystkimi porami. Działała na wielu polach i narażała się bezprzykładnie. Nie uznawała żadnych kompromisów. Interesował ją wyłącznie tryumf albo zgon. A przynajmniej jakieś więzienie. Czasem nawet odrobinę prowokowała władze reżimu. Ewa Stobiecka miała bowiem jedno marzenie: bardzo, ale to bardzo chciała być represjonowana...

Nie kryjąc się prawie wcale, redagowała więc gazetki, rozklejała plakaty, rozrzucała ulotki, pomagała internowanym... ano właśnie. Inni siedzieli! Tylko jej jakoś nie chciano zamknąć – nawet na jeden dzień! Żeby chociaż parszywa esbecja wzięła ją na przesłuchanie – nic. Jej koledzy „pod celą" albo „w internacie" cierpieli, przechodzili „ścieżki zdrowia" i obrywali pałami. Przez wychodzących na wolność albo przez życzliwych klawiszy więziennych przysyłali wiadomości, co się z nimi dzieje – Ewy Stobieckiej nikt ani palcem nie ruszył.

Nie przyznając się do tego nawet przed samą sobą, Ewa była tym faktem głęboko rozczarowana i rozgoryczona. Przeżywała wszystko niesłychanie głęboko. Jej ulubionym określeniem własnej przypadłości było: „choroba na Polskę".

Chora na Polskę Ewa posunęła się nawet do tego, że pozrywała znajomości z osobami nie czującymi takiego jak ona powołania do walk i protestów. Tym milszą nową znajomością stał się przystojny, choć mrukliwy Bretończyk, Vincent Autret, który wielką ciężarówką woził z Belgii dary dla potrzebujących Polaków. Ewa uczestniczyła w ich rozdziale, przy okazji chętnie opowiadała Vincentowi o martyrologii narodowej i z zainteresowaniem słuchała jego rodzinnych historii – zwłaszcza o dziadku Brendanie, który w czterdziestym roku wraz ze wszystkimi mężczyznami ze swojej wyspy odpowiedział na apel de Gaulle'a z Anglii i popłynął do tej Anglii, bić się z Niemcami za Francję. W przypływie rozpaczy Ewa zwierzyła się kiedyś młodemu Bretończykowi ze swego cierpienia w kraju, który nic już nie czeka, i złożyła szaloną propozycję: wyjdzie za niego, a potem opuści umierającą Ojczyznę, bo nie może już patrzeć na jej mizerię, hańbę i upokorzenie.

Mało wylewny Vincent był propozycją zachwycony. Nie zgadało się dotąd, ale Ewa ogromnie mu się podobała, pociągała go, no i w ogóle, tego, prawda... Wszystko w nim śpiewało, kiedy pozornie powściągliwie zgodził się na jej plan. Przy okazji kolejnego tira z darami przedłużył pobyt w Polsce o kilka dni i wzięli cywilny ślub, za świadków mając dwoje świeżo wypuszczonych z internowania działaczy solidarnościowych.

Co było potem? No cóż: niezupełnie to, co miało być.

Po pierwsze, Ewa na własnym, mniej więcej dziesięcioosobowym weselu nadużyła alkoholu – niewiele, odrobinę, jednak było to o odrobinę za dużo. Małżeństwo, które w jej planach miało być fikcyjne, zostało skonsumowane. Ewa machnęła ręką i postanowiła wytłumaczyć mężowi, o co NAPRAWDĘ szło, dopiero we Francji.

Być może jakiś – ale doprawdy minimalny! – wpływ miał na jej decyzję fakt, że Vincent okazał się wspaniałym, czułym i gorącym kochankiem. Ewa znalazła usprawiedliwienie: musi jakoś ułatwić sobie zapomnienie.

Z choroby na Polskę nie wychodzi się przecież tak łatwo. O ile w ogóle się wychodzi!

We Francji też jakoś nie tak od razu wyszło jej to uświadamianie Vincenta. Przede wszystkim okazało się, że prościutko z Wrocławia pojechali do Quimper, gdzie młody małżonek przygotował dla młodziutkiej żony przytulne gniazdko. Ewy jakoś do tej pory nie interesowało, czym zajmuje się Vincent poza rozwożeniem darów, i była trochę zdziwiona, kiedy stwierdziła, że mąż jest menadżerem w hotelu *Mercure*, a z wykształcenia specem od turystyki. Do tej pory miała go za prostego kierowcę. Uczciwie powiedzmy od razu – nigdy nie udało jej się odzwyczaić od tej myśli.

Niemniej chwilowo zrezygnowała z informowania go o tym, że źle zrozumiał jej propozycję. Pomijając sprawy ambicjonalne, dziecko było w drodze, a Ewa musiała wykazać odpowiedzialność. Gdyby teraz opuściła Vincenta, postawiłaby się w bardzo trudnej sytuacji. Nie należało tego robić. Jeszcze nie należało. Kiedy stanie na nogi, to co innego. Wtedy powie mu wszystko i wyjedzie z wilgotnego bretońskiego Quimper do Paryża.

Claire urodziła się więc w Quimper. Ewa była dobrą matką, staranną, aczkolwiek raczej chłodną. Większość uciech dzieciństwa mała Claire zawdzięczała ojcu, który kochał córeczkę bardzo i z prawdziwą radością uczył ją świata. Najbardziej lubiła jeździć z nim nad ocean, gdzie wędrowali po skałach, chlapali się w wodzie i podczas odpływu zbierali z mulistego dna różne skorupiaki. Niektóre potem zjadali, przyrządzone przez ojca w dużej kuchni. Ojciec i córka przepadali również za niezapowiedzianymi wizytami u dziadków na Île-de-Sein: babcia Pierrette i dziadek Charles rozpieszczali wnuczkę, jak tylko potrafili. Vincent śmiał się, że gdyby Claire miała słabszy charakter, rozbestwiłaby się tak, że trzeba by ją było oddać na wychowanie zakonnicom.

Ale charakter Claire był najwyższej jakości. Ojciec o tym doskonale wiedział – sam jej go końcu kształtował.

Naturalnym biegiem rzeczy po trzech latach dziewczynka zyskała siostrzyczkę. Przez jakiś czas jednak Marianne była za mała, żeby uczestniczyć w zabawach z ojcem, Claire miała go więc na własność mniej więcej do piątego roku życia.

Wtedy właśnie starsi państwo Autret poczuli wolę bożą do impresjonizmu i postanowili wyjechać do słonecznej Prowansji, rodzinny interes pozostawiając w odpowiedzialnych dłoniach syna i synowej.

Myśl o zamieszkaniu na miniaturowej skalistej wysepce oblewanej falami oceanu przyprawiła Ewę niemal o zawał, a w każdym razie o mdłości.

Uciekać! Uciekać, gdzie oczy poniosą! Do Paryża!

Chwileczkę.

A za co będzie żyć? Ma dwie córki! Przecież Vincent, który kocha obydwie jak wariat, nigdy nie da jej rozwodu! A żaden sąd nie przyzna jej alimentów, jeśli to ona ucieknie z dziećmi od kochającego męża i ojca...

Szach i mat.

Musi nadal pozostać z tym cholernym kierowcą ciężarówek, który teraz zmieni się we wsiowego restauratora i hotelarza. Boże, co za pułapka!

W pułapce, którą sama na siebie zastawiła, Ewa żyła tak do tej pory. Dwadzieścia osiem lat. Nie dopuszczała do siebie myśli, że jej plan od początku obarczony był poważnymi wadami. Nie uważała, żeby w jakikolwiek sposób oszukała albo skrzywdziła swojego męża. Przeciwnie, to jego obciążała winą za wszystkie swoje frustracje – a było ich niemało.

Największa wina Vincenta Autret polegała na tym, że Ewa nie dałaby sobie bez niego rady we Francji.

Prawie go za to znienawidziła.

Wzorowa i doskonale się zapowiadająca studentka fizyki teoretycznej, wschodząca gwiazda polskiej nauki, zmarnowała sobie życie przez francuskiego kierowcę tirów, który ją uwiódł i oszukał.

I co, miała go jeszcze kochać?

Jedynym usprawiedliwieniem jego istnienia było to, że utrzymywał ją i ich dwie córki, które owszem, trzeba mu przyznać, uwielbiał.

Była to miłość odwzajemniona. Zarówno Claire, jak i młodsza, Marianne, szalały za swoim tatusiem. Jako dzieci i obecnie.

Prawdziwe uczucia żony po jakimś czasie stały się dla niego jasne. Nie było to jakieś jednorazowe olśnienie, błysk – raczej powolne dochodzenie do prawdy. Kiedy już Vincent do niej doszedł, był pełen goryczy. Ale nauczył się z tym żyć. Miał swoje dwie córeczki, które temu życiu nadawały sens. Talenty artystyczne Claire były przedmiotem jego wielkiej dumy. Sukcesy Marianne na studiach (zamierzała, naśladując ojca, wejść w branżę turystyczną) cieszyły go tak, jakby to on sam miał wyłącznie najwyższe noty we wszystkich dyscyplinach.

– Do końca życia będziecie dla mnie małymi córeczkami. Nawet wtedy, kiedy przekroczycie siedemdziesiątkę, a ja dojdę do setki.

Kiedy składał tę deklarację, jego dorosłe córki wzdychały i załamywały ręce. Na szczęście ojciec od dawna już traktował je jak dorosłe, a tylko kochał jak dzieci.

W obecności córek matka starała się hamować swoją niechęć do ich ojca, kiedy jednak byli we dwoje, najczęściej traktowała go jak powietrze. Może nawet lekko zepsute.

Wszystko to widziała jej matka, babcia Ana (wymówienie „H” dla Francuza jest rzeczą niemożliwą), i niejednokrotnie złościła się na Ewę – była jednak bezradna. Swoją energię zużywała na doskonalenie znajomości języka polskiego u dziewcząt oraz na pracę w knajpce, z czego miała wiele przyjemności. Czasem na życzenie gości przyrządzała polskie dania – jakieś gołąbki, kotlety, pierożki, a nawet bigos. Była z tego sławna w okolicy i wśród odwiedzających wyspę turystów. Bretońską kuchnię bardzo polubiła i stała się prawdziwą jej znawczynią oraz wielką mistrzynią w przyrządzaniu owoców morza. Naleśniki z gryczanej mąki, powszechnie tu spożywane, nieco ją nudziły. Twierdziła, że uzdolnienia artystyczne

Claire ma właśnie po niej i z przygotowanego przez siebie homara potrafiła zrobić wspaniałą martwą naturę.

Wiadomość o dwóch młodych Polakach trochę zdenerwowała Ewę Autret.

Dlaczego szukali Claire?

∽

– Elżuniu, nie możesz płakać. Tatusiowi wcale by się to nie podobało. Martwiłby się o ciebie. Przecież wiesz, że nic mu się nie stało. Wcale go nie zabili. Wczoraj nawet telefonował od jakiegoś wujka. Prosił, żebyś była dzielna, tak? Pamiętasz to? No więc nie możesz zrobić tacimkowi przykrości. Obetrę ci oczka, dobrze? Nie masz żadnej chusteczki? Poproszę babcię Janię, żeby ci ładnie wyszydełkowała taką specjalną... do łzów. Czy do łez? Nie wiesz, jak się mówi? Spytamy kogoś, bo ja też akurat tego nie pamiętam. A wiesz, że pani Klocowa mówi „Mimce"? Nie mów tak. Mówi się „Niemcy". Tacimek ucieka przed Niemcami. A pana Kloca oni zabili. Tacimka nie zabiją, bo uciekł. Nie płacz, dziouszka. Dziadek Józef mówi „dziouszka", wiesz? Będę na ciebie mówiła „dziouszka", żebyś nie płakała...

Tu Elżunia Szumacher jednak nie wytrzymała i popłakała się, lejąc łzy prosto na wytworną sukienkę swojej lalki, do której wygłosiła przed chwilą owo imponujące przemówienie.

∽

Statek odpłynął.

Bracia Egon i Erwin Zacharzewscy zdążyli do tej pory obejść całą wysepkę, pozaglądać we wszystkie zaułki i znaleźć swój malutki pensjonacik (ze śniadaniem, jak dumnie zaznaczyła właścicielka, starszawa, ale bardzo elegancka Madame Cousteau – ale nie z tej samej rodziny, co słynny podróżnik, dodała). Rozpakowali swoje niewielkie bagaże, przespali się godzinkę i znowu wyszli na spacer, tym razem obchodząc wyspę w odwrotnym kierunku. Ponieważ jednak wszystkie drogi prowadzą do Rzymu, niebawem natknęli się na znaną już sobie latarnię *Men Brial* strzegącą wiernie wejścia do portu. Statek właśnie oddalał się z godnością, pozostawiając za sobą kłęby czarnego dymu. Bracia jak na komendę zrobili zwrot i pomaszerowali na Bulwar Wolnych Francuzów.

Claire czekała na nich w pustawym ogródku restauracji. Bez kelnerskiego fartuszka i czepeczka wyglądała o wiele mniej kulkowato, niemniej ze swego wdzięku nic a nic nie straciła. Ba. Tak jakby jeszcze jej go przybyło. Miała na sobie dżinsy i wielobarwny sweterek w odcieniach morza. Siedziała w kącie ogródka i zajadała lody.

– Czy możemy?

Claire podniosła oczy znad talerzyka i zobaczyła braci stojących w grzecznej pozie obok foteli.

– Proszę, proszę. Chcecie coś zjeść? Może jakiś deser, lody? Nasze własne sorbety, pyszne! Cydru?

Bracia usiedli. Pierwszy odezwał się – po starszeństwie – Egon.

– Na razie dziękujemy, może potem. Claire, posłuchaj, my mamy naprawdę ważną sprawę do ciebie. Czy na pewno nikt nam tu nie przeszkodzi? Nie będziesz potrzebna do jakiejś roboty?

Claire zastanowiła się przez moment.

– Już się boję, co to za tajemnica... nie możecie po prostu powiedzieć?

– Eeee... chyba lepiej, żeby nikt nam nie przeszkadzał, dopóki nie skończymy rozmowy.

– Mogę szoku dostać? To chyba lepiej nie na widoku publicznym... Dobrze, chodźcie do mnie.

Zaniosła do kuchni talerzyk po lodach i zaprowadziła braci na pięterko, do swojej pracowni.

– O, to ty nie tylko homary gościom podajesz! – Erwin z uznaniem pochylił się nad srebrnym krabem o złotych oczach zrobionych z żółtych topazów.

– Jeszcze dużo rzeczy umiem robić – zaśmiała się, ale już z nutką niecierpliwości. – Który z was będzie mówił? Obaj?

– On – odrzekł Egon. – Rzucaliśmy monetą i wygrałem.

– Mów, tylko krótko, bo zaraz z wami zwariuję!

Erwin chrząknął.

– Czy znasz nazwisko Jerzy Dzierzbowski?

Claire pokręciła głową.

– Pierwszy raz słyszę.

– Jerzy Dzierzbowski jest lekarzem w Polsce... Matka nigdy ci o nim nie mówiła?

– Nie denerwuj mnie.

– Przepraszam. My go znamy dość luźno, ale on jest dobrym znajomym naszej cioci, pracują razem i przez ciocię prosił nas, żebyśmy cię znaleźli. Adres miał od jakichś znajomych, to znaczy tylko nazwę tej twojej wyspy. Sytuacja wygląda nieciekawie, bo pan Jerzy jest ciężko chory i najprawdopodobniej niedługo umrze. On mówi, że wie, co mówi, bo jest lekarzem.

– Bardzo mi przykro, a co ja mam z tym wspólnego?

Erwin chrząknął znowu.

– On mówi, że jest twoim ojcem, Claire.

– Bzdura! Znam swojego ojca!

– Przepraszam cię, ja po prostu przekazuję to, co obiecaliśmy przekazać. To on nam dał forsę na podróż... łącznie z tymi homarami. Mamy też list do ciebie. Proszę, przeczytaj go. Ze względu na umierającego człowieka. On naprawdę odchodzi, nasza ciocia to potwierdza. Co potem zrobisz, to już twoja sprawa, ale przynajmniej przeczytaj ten list, dobrze? Jeśli zechcesz go potem wyrzucić do kosza, nikt ci nie będzie przeszkadzał. My teraz pójdziemy, a jutro wrócimy i powiesz nam, co postanowiłaś.

– Przepraszamy cię, Claire. Rozumiemy, że rozwalamy ci życie... skoro mówisz, że nic nie wiedziałaś... Ale reszta należy tylko do ciebie.

Claire już częściowo zdążyła się pozbierać.

– Dobrze. Dajcie ten list i wróćcie jutro. Traficie do wyjścia?

Podała im obu rękę. Uścisk drobnej dłoni był zdecydowany i rzeczowy.

Wyszli.

Na stole pełniącym funkcję warsztatu leżała koperta.

Claire sięgnęła do podręcznej chłodziarki i napiła się lodowatej wody.

Otworzyła kopertę.

Pierwsze zdania napisane były odręcznie.

Droga Claire! Wybacz, że zakłócam Ci spokój. Kiedyś myślałem, że nie będę Ci się nigdy narzucał, ale wydarzenia ostatnich miesięcy odmieniły mi poglądy. Mnie samego chyba zresztą też.

Claire uważała, że po charakterze pisma da się poznać człowieka. Autor listu musiał być człowiekiem stanowczym, zdecydowanym, może nawet trochę dyktatorskim, a jednocześnie widać było, że stara się swoją bazgraninę jakoś złagodzić, uczynić czytelniejszą, wyraźniejszą – jakby prosił o to, by go nie odrzucać.

Dalej było czcionką Times New Roman, dwunastką. Zdaniem Claire wybór najpopularniejszego chyba kroju liter świadczył o prostolinijności, rzeczowości, niechęci do kręcenia. No cóż, to chyba dobrze...

Nie wiem, czy Twoja Matka mówiła Ci kiedykolwiek o moim istnieniu, czy pominęła ten drobiazg milczeniem. Jeśli nie mówiła i jeśli tym listem rozbijam Twoje ustabilizowane życie, to proszę, wybacz. Przez całe życie udało mi się unikać porywów egoizmu, ale teraz, kiedy śmierć jest dość bliska, nie mogę się oprzeć pokusie. Egon i Erwin powiedzieli Ci, że umieram, prawda? Nie będę Cię zanudzał szczegółami. Miałem nadzieję, że moi koledzy lekarze się mylą, ale w końcu musiałem im przyznać rację. Nie piszę tego po to, żeby wywrzeć na Tobie wrażenie. Tak po prostu jest.

Moim celem jest skłonienie Cię, żebyś przyjechała na kilka dni do Polski (jeśli chcesz, to oczywiście na dowolnie długo) i pozwoliła mi pod koniec życia (to jednak brzmi nieprzyzwoicie melodramatycznie!) poznać swoją córkę. Zależy mi na tym między innymi dlatego, że przez te wszystkie lata nie założyłem rodziny, a więc jedyną moją rodziną jesteś Ty.

Nie będę Cię zanudzał szczegółami, ale uwierz mi, naprawdę jestem Twoim ojcem. Jeśli ten, kogo całe życie uważałaś za ojca, też o tym nie wie, proszę i jego o wybaczenie.

Trochę wbrew swojej woli stałem się ostatnio morfinistą i czuję, że za chwilę będę musiał Cię porzucić dla tej mojej nowej przyjaciółki. Myślę tak: jeżeli zechcesz mnie poznać, tak jak ja pragnę poznać Ciebie, jeśli chcesz dowiedzieć się czegoś więcej o tym, skąd się wzięłaś – przyjedziesz, a wtedy wszystko Ci opowiem. Jeżeli nie – to i tak nie ma sensu pisać dalej.

Końcówka listu była również odręczna, ale pismo bardziej splątane niż na początku.

Jeszcze raz proszę: przyjedź do mnie. Jeszcze raz proszę: wybacz. I podpis: Jerzy Dzierzbowski.

Czytelny, chociaż jakby zmęczony.

Do listu dopięte były tłumaczenie na angielski oraz niepozorny druczek. Karta informacyjna ze szpitala. Data była sprzed miesiąca. Jerzy Dzierzbowski, lat pięćdziesiąt dwa. Diagnoza po łacinie, ale słowo *cancer* znają wszyscy.

Dziewczyna przez jakiś czas siedziała nieruchomo, wpatrując się w okno i Atlantyk, który przybrał niewinny odcień lazuru. Nie brakowało nawet małych puchatych kumulusików, podkreślających łagodność oceanu. Claire wiedziała jednak, jak bardzo zwodnicze jest to wrażenie. Nie wiadomo skąd nadpłyną ciemne chmury i w każdej chwili może rozpętać się piekło. A potem znowu będzie ślicznie i milutko.

Do niej ciemne chmury właśnie nadpłynęły. Będzie burza, ale czy po niej znowu zrobi się miło? Z pewnością nic nie będzie już takie jak dawniej.

Claire uważała kiedyś frazę: „Nic nie będzie już takie jak dawniej" za wyjątkowo idiotyczną. Wystarczył jeden list przywieziony przez dwóch sympatycznych facetów, żeby zmieniła pogląd.

Ten cały Dzierzbowski też coś pisał o zmianie poglądów. Tylko że jemu się odwróciło, bo zobaczył przed sobą widmo śmierci.

No, ona jeszcze żyje i żyć będzie długo!

Trzeba to wszystko uporządkować.

Wstała energicznie, z nowymi siłami i wolą walki, ale w tym samym momencie usłyszała kroki na schodach. To mama, ona tak stuka obcasikami balerinek. Babcia zwykle nosi jakieś tenisówki, a Marianne tupie jak młody słoń. Ojciec chodzi jeszcze inaczej, ciężkimi krokami, zwłaszcza odkąd zaczęły mu wysiadać stawy.

Ojciec. Albo nie ojciec.

– Claire, kochanie, gdzieś ty się podziała? Źle się czujesz? Coś się stało? – Ewa Autret weszła do pracowni i starannie zamknęła za sobą drzwi.

Była wyraźnie zaniepokojona.

– Mamo, kto to jest Jerzy Dzierzbowski?

Claire chciała spytać jakoś delikatniej, może najpierw przygotować matkę na trudną rozmowę, ale to pytanie samo jej się wyrwało.

Matka poczerwieniała i zbladła z powrotem.

– To mój dawny znajomy z czasów studiów. Był na medycynie. Straciliśmy kontakt.

Chciała coś jeszcze dodać, ale córka bez zbędnych słów podsunęła jej list z załącznikiem. Ewa przeczytała i zbladła jeszcze bardziej.

– To jakaś niedorzeczność – powiedziała nieswoim głosem. – Coś mu się od tej morfiny w głowie porobiło. Biedny człowiek, swoją drogą, chyba ma raka trzustki albo może wątroby, nie znam łaciny...

– Mamo. Proszę cię. Tato wie?

– Dziecko, o czym ma wiedzieć? Chyba nie chcesz mu głowy zawracać tymi bredniami!

– Nie jestem dzieckiem. Pan Dzierzbowski napisał prawdę?

– Oczywiście, że nie! I proszę cię bardzo, nie rób niepotrzebnej afery! Ja chcę mieć spokój w domu, a i ojcu on się należy!

Przyrzeknij mi, że zapomnisz o całej sprawie. Nie mam pojęcia, co Jerzemu strzeliło do głowy. Jeśli to rzeczywiście on napisał.

– A kto miałby napisać?...

– Miałam swego czasu wielu wrogów! Wyrzucę tego śmiecia!

Zanim Claire zdążyła się zorientować, matka zmięła oba papiery i cisnęła je z impetem przez okno. Natychmiast porwał je wiatr i poniósł w stronę oceanu.

– Mamo!

– Nie waż się denerwować ojca!

Matka odwróciła się i po chwili dał się słyszeć pospieszny stukot jej pantofli na schodach.

Claire została sama z pustą kopertą w dłoni.

✎

– Elżuniu, czy ty wiesz, dziouszka, że niedługo pójdziesz do szkoły? Ale nie martw się, to nie jest nic strasznego. Mama i babcia mówią, że w szkole jest bardzo ciekawie. Gdyby był tacimek, to by nas zaprowadził, ale tacimek jeszcze nie może wrócić. No więc pójdzie tylko mama. Muszę ci zapleść warkoczyki, bo do szkoły nie chodzi się w takich lokach, babcia powiedziała. Babcia Jania. Babcia Jania będzie teraz naszą panią. Myślisz, że będziemy do niej musiały mówić „proszę pani"? Bo jak ja się babci pytam, to ona tylko się śmieje i mówi, że zobaczymy.

Tak naprawdę to ja wcale nie wiem, czy ty będziesz mogła ze mną chodzić, czy w szkole nie pozwalają być lalkom. Trudne życie mają lalki. Czasami. Ale nic się nie martw, ja cię będę uczyła w domu. Czytać to ja już właściwie umiem, to już możemy zacząć. Babcia Jania mówi, że bardzo ładnie mówię po polsku, bo trzeba ładnie mówić po polsku. A babcia Hela mówi, że owszem, ładnie, tylko za dużo. I się śmieją obie. A babcia Hela czasem mówi po polsku, a czasem po śląsku. Jak chce, tak mówi. No, już. Bardzo ładnie wyglądasz w tych warkoczykach, ale ci je na razie rozplotę, bo mnie się bardziej podobasz, jak masz loczki. Zawiążę ci kokardę. A do szkoły i tak pójdziemy dopiero we wrześniu. To za trzy miesiące. Babcia Jania będzie teraz miała wakacje i nie będzie mogła nas uczyć. Rachować też mogę cię trochę nauczyć sama, bo trochę potrafię. Przecież robię codziennie zakupy w piekarni u pana Bzdaka. Ale on się śmiesznie nazywa, co nie, Elżuniu? Babcia Jania nie pozwala mówić „co nie". Nie mów tak. Ja tylko chciałam ci pokazać, że nie wolno. A dziadek Józik się z babci śmieje i mówi: *w antreju na befeju stoi szklonka teju*. I babcia się wtedy złości, i krzyczy na dziadka, że uczy dziecko źle mówić. A dziadek też się śmieje i mówi, że to nie źle, tylko po tutejszemu. Wszyscy dookoła tak mówią. A ty pamiętasz, że babcia Jania jest od dziadka Zenka, a babcia Hela od dziadka Józika. To jak babcia Jania krzyczy na dziadka Józika, to dziadek mówi, że ona nie może na niego krzyczeć, bo on jest od innej żony. To znaczy od innej babci. Kiedyś wszystko ci wytłumaczę.

No, już ładnie wyglądasz, tylko włóż płaszczyk i kapelusik, pójdziemy z mamusią na zakupy. Powiedziała, że nas obie zabierze.

~

Vincent Autret właśnie uznał, że dzień pracy już się skończył, bowiem po dzikim tłoku panującym cały dzień turyści poznikali, jakby ich nigdy tu nie było. Większość odpłynęła przedwieczornym statkiem do Esquibien, pozostali rozeszli się do swoich domów i pensjonatów (było ich kilka na tej miniaturowej wysepce). Może jeszcze ktoś przyszedłby na kolację, ale chyba skórka nie była warta wyprawki – a Vincent i wszystkie jego kobiety czuli się kompletnie wyprani z sił. W kasie był całkiem znaczący utarg. Można więc machnąć ręką na dodatkowe kilka euro.

Każdy musi odpoczywać!

Podczas kiedy Ana i Marianne robiły porządek w kuchni i sali restauracyjnej (Ewa i Claire gdzieś się podziały!), gospodarz nalał sobie sporą szklanicę cydru i usiadł we własnym ogródku, na którego zamkniętej furtce wywiesił tabliczkę z napisem: „Serdecznie zapraszamy jutro".

Lśniące w niskim słońcu fale przypływu zakrywały już litościwie bure połacie rzadkiego błotka, a dwie rybackie łodzie, które Vincent miał w polu widzenia, powoli zaczynały podnosić się do pionu.

Był zadowolony z życia. Uśmiał się kiedyś serdecznie, kiedy Ewa zabawnie sparodiowała jakiegoś polskiego piosenkarza, który twierdził, że on „to się cieszy byle czym... byle co go cieszy"! Dochodził właśnie do wniosku, że jemu też niewiele potrzeba. A wiele od życia dostał. Chociaż w zasadniczym życiowym momencie okazał się piramidalnym wprost idiotą. Aczkolwiek Ewa nigdy nie powiedziała mu otwarcie, o co jej właściwie chodzi. Mogła po prostu zaproponować mu układ, on by ją zrozumiał i z pewnością wyraziłby zgodę. Inna sprawa, że własne uczucia musiałby schować do kieszeni.

Ależ on ją wtedy kochał... Chyba naprawdę tak jest, że miłość zaślepia. Była wspaniałą dziewczyną, podobnie jak on zaangażowaną w walkę o demokrację... Chryste! To dopiero idiotycznie brzmi!

On zresztą nie musiał się specjalnie nawalczyć, tyle że pomagał wozić dary z Belgii do Polski. Robił to trochę w ramach buntu wobec ojca, który był szczerym pacyfistą. Za to dziadek Brendan, duma rodziny, uczestniczył w drugiej wojnie światowej, u boku de Gaulle'a...

U boku – też strasznie wyświechtany zwrot. O tych sprawach nie da się już mówić – ani myśleć – normalnym językiem.

Normalnie to jest teraz. Słońce grzecznie maszeruje tam, gdzie zwykle o tej porze, przypływ szumi, jest ciepło, dzień się udał, turyści zostawili całkiem niezłą kasę, córki krzątają się gdzieś po domu – obie wspaniałe dziewczyny – urocza teściowa pewnie właśnie myśli o jakiejś smakowitej rodzinnej kolacji. A że przy tym wszystkim żona go nie kocha – toż to nader częsta przypadłość w małżeństwach...

Vincent starał się nie myśleć o tym, że „nie kocha" nie jest określeniem całkowicie adekwatnym. Żona nim gardziła, odpychała go każdym gestem, może nawet nienawidziła. Doskonale wiedział, że nie odeszła od niego tylko dlatego, że potrzebowała jego wsparcia, a przede wszystkim pieniędzy. On z kolei, gdyby nie dwie ukochane córki, dawno zostawiłby ją własnemu losowi. Jego miłość bowiem już nie istniała. Jakiś gest Ewy to sprawił – tak pełen odrazy, że Vincent poczuł się głęboko wstrząśnięty, oszukany, skrzywdzony. W jednej chwili dotarło do niego to, co nie mogło dotrzeć kilka lat.

No i trudno. Liczą się tylko dziewczynki. Obie mają dorzecznych i zakochanych narzeczonych, a jeśli dobrze pójdzie, to kiedy wyjdą za mąż, połączy się rodzinne interesy w mały, ale sprytny kompleksik usług turystycznych. Claire weźmie *Chez Marianne*, a Marianne ze swoim chłopakiem Ronanem Bothorelem przejmą hotelik jego rodziców w Audierne. On sam będzie się zajmował dostarczaniem świeżych ryb i owoców morza. Hervé może wozić turystów jachtem albo czymkolwiek innym, to się jeszcze ustali. Byle pływało. Teściowa (dlaczego, do diabła, nie ożenił się z teściową?!) pomoże Claire w prowadzeniu restauracji, bo przecież utalentowana dziewczynka musi nadal dłubać te swoje malutkie arcydzieła. Ostatnio chyba polubiła korrigany, rzeźbi ich całe tabuny. Wszystkie mają mikroskopijne serduszka z czerwonej emalii. Idą jak woda w Internecie i doskonale się sprzedają w okolicznych sklepach i kioskach z pamiątkami.

Aha – na pewno trzeba będzie zatrudnić jakiś personel.

A Ewa?

A Ewa niech sobie robi, co chce.

Przy matce albo przy obcych potrafi być miła jak najlepsza z żon. To już nie ma znaczenia.

Vincent Autret westchnął i nagle skonstatował, że coś mu przeszkadza w snuciu planów na przyszłość. Podniósł głowę i w drzwiach restauracji zobaczył żonę, a w drugich, prowadzących do mieszkania – starszą córkę. Ewa była zaczerwieniona, Claire śmiertelnie blada.

Obie podeszły do stolika, przy którym siedział. Ewa miała zaciśnięte pięści, jakby chciała kogoś uderzyć.

– Zabraniam ci rozmawiać o tym z ojcem!

Powiedziała to po polsku, ale jak się rzekło, Vincent o wiele więcej rozumiał w tym języku, niż się przyznawał.

Claire tylko wzruszyła ramionami i usiadła w trzcinowym foteliku naprzeciw ojca.

– Claire! Ostatni raz do ciebie mówię! To jakieś bzdury wyssane z palca! Nie mówiliśmy ci, ale ojciec ma ostatnio wielkie kłopoty z sercem. Nie zawracaj mu głowy, jeśli nie chcesz, żeby dostał zawału!

Dziewczyna zbladła jeszcze bardziej i widać było, że się waha. Vincent jednak już poczuł się zaniepokojony, chciał wiedzieć, z czym dziecko przyszło, a poza tym miał wielką ochotę na trzepnięcie żony po łapach... skoro już się nadarza okazja.

Nie miał pewności, czy potrafi wysłowić się po polsku odpowiednio sarkastycznie, więc powiedział po francusku, przybierając pozę niewinnego zdziwienia:

– Ewo, proszę, nie martw naszej córeczki. Poza tym bardzo nieładnie jest kłamać. Claire, kotku, przykro mi, ale mama nie mówi prawdy. Jestem w zasadzie zdrów, a szczególnie zdrowe mam serce. Co innego wątroba, to przez ten cydr. No i skaleczyłem się w palec. Nie martw się o mnie, malutka. Powiedz, co się stało.

Policzki Ewy osiągnęły kolor purpury. Prychnęła coś wzgardliwie, odwróciła się na pięcie i szybkim krokiem poszła w głąb restauracji.

Ojciec i córka patrzeli na siebie. Claire nie wiedziała, jak zacząć, a Vincent czuł rosnący ciężar. Stało się coś złego. Wstał ze swego fotela.

– Nie będziemy tu rozmawiać, kochanie. Przespacerujemy się, popatrzymy na ocean, będzie nam łatwiej. Bo widzę, że masz coś ważnego do mnie... Powiedz tylko szybko, nie chodzi czasem o twoje zdrowie?

Kilkoro znajomych Vincenta zmarło ostatnio na raka, co spowodowało u niego niemal psychozę. Bał się o córki do obłędu, choć nikomu o tym nie mówił.

– Nie, tato. Jestem tak samo zdrowa, jak ty. A wątrobę mam zdrowszą – zaśmiała się Claire z przymusem. – Masz rację, chodźmy popatrzeć na słońce, jak się topi. Będzie ładny zachód. Może zobaczymy zielony promień?

– Nie na tych szerokościach, już ci kiedyś tłumaczyłem. Bliżej równika. Ale i tak może być ładnie.

❧

Elżunia przyzwyczaiła się do tłumaczenia lalce wszystkiego, co się wokół nich działo. Może sama dzięki temu lepiej rozumiała świat? Tylko jak tu rozumieć świat, w którym znikają ojcowie i sąsiedzi, kobiety płaczą, ludzie zabijają ludzi, a ciotka Ślusarkowa podpisuje jakąś listę, przez którą nikt już z nią nie chce rozmawiać? Mama i dziadkowie tłumaczą, jak mogą, ale siedmioletni umysł nie chwyta wszystkiego. Zresztą, tak po prawdzie, to rodzinna starszyzna starała się ze wszystkich sił, żeby Elżunia jak najmniej wiedziała o strasznym obliczu wojny.

Przeznaczenie przyszło pewnego sobotniego popołudnia wraz z urzędniczką z ratusza, którą Elżunia znała z widzenia, panią Gajcową. Miało postać eleganckiej, umundurowanej Niemki (takiego munduru Elżunia jeszcze nie widziała), bardzo dobrze mówiącej po polsku. Niemka powiedziała, że nazywa się Katschorek. Z domu, bo po mężu Schultz. Ale jej dziadkowie byli po prostu Kaczorkami z Sosnowca.

Ona i pani Gajcowa przyniosły nowinę – władza organizuje kolonie dla dzieci z Zagłębia, bo tu jest pełno dymów i pyłów, więc niech sobie przynajmniej przez miesiąc w roku pooddychają czystym powietrzem. A gdzie jest czyste powietrze? W górach albo nad morzem. Albo gdzie jeszcze? Dobrze, Elżuniu, nad jeziorem w lesie. Organizuje się właśnie grupę dzieci na wyjazd do ośrodka w Bad Polzin, na Pomorzu. Na cały miesiąc. No, bez trzech dni. Cztery tygodnie. Może pani Szumacherowa chciałaby skorzystać, na pewno ciężko pani bez męża, przecież wszyscy wiedzą, że panią porzucił z dzieckiem.

Tu Elżunia chciała gorąco zaprotestować, bo przecież tata wcale mamy nie rzucił, tylko musiał wyjechać z powodu tych robót w Niemczech – w tym momencie jednak babcia Hela uznała za konieczne wytrzeć jej nos, a przy okazji szepnęła do ucha, żeby była cicho.

Obie panie pokazały jeszcze zdjęcia pięknego białego domu wśród drzew, jakichś jezior i placów zabaw. Powiedziały, że są dwa dni na podjęcie decyzji i poszły. Aha, dodały jeszcze, że z dziećmi jako jedna z opiekunek pojedzie pani Gienia Ślusarkowa, to zdaje się, jakaś rodzina Szumacherów?...

Po wyjściu pani Gajcowej i pani Schultz z domu Katschorek babcie, dziadkowie i mama odbyli naradę rodzinną.

Ciotka Ślusarkowa wprawdzie głupia baba, nieszczera i folksdojczka, ale rzeczywiście, z rodziny, i chyba nie dałaby skrzywdzić dziecka własnego kuzyna. A taki wyjazd przydałby się Elżuni, bo dziecko ostatnio strasznie zmarniało. Tęskni za ojcem, wiadomo. A tam będzie miała dużo koleżanek, będzie się bawić, oddychać prawdziwym leśno-jeziornym powietrzem...

Elżunia początkowo miała wątpliwości, jednak w końcu argumenty starszyzny do niej trafiły. Najbardziej ten o jedzeniu lodów nad jeziorem (jedno ze zdjęć przedstawiało grupę dzieci w kwietnych wiankach na głowach – dzieci siedziały nad brzegiem na kocykach i zajadały lody). Oczywiście, będzie tęskniła za mamusią, babciami i dziadkami, ale już przecież tęskni za tacimkiem i trochę się do tego przyzwyczaiła. Wie, jak to jest. Wytrzyma. Ale ma jeden warunek: lalka Elżunia pojedzie z nią razem.

Postanowiono zgłosić Elżunię na wyjazd do Bad Polzin.

∾

Vincent i Claire wyszli z ogródka restauracji *Chez Marianne* i skierowali się w stronę przeciwną do portu i latarni *Men Brial*. Mieli swoje ulubione miejsce do rozmów i medytacji – koronę falochronu, gdzie można się było wspiąć po stromych schodkach.

Na końcu tego falochronu była kolejna latarnia morska, niezbędna na tak skalistej i niebezpiecznej wysepce.

Claire przestała już być tak przeraźliwie blada. Obecność Vincenta wpływała na nią kojąco. Ojciec czy nie – co to za różnica? Przecież nie przestanie jej od tego kochać ani ona jego. Z jednej strony na szali mamy plemnik, a z drugiej dwadzieścia osiem lat miłości, ojcowskiej czułości, troski, wspólnych zabaw, poznawania świata, zmagania się z nim. Tego nie da się wymazać jednym zdaniem: TO JA JESTEM TWOIM OJCEM.

Swoją drogą, facet jest bezczelny.

Podobno odchodzi, to też trzeba wziąć pod uwagę. Ona jeszcze nic nie wie o umieraniu, nie wie, co umieranie robi z człowiekiem, kiedy jest uświadomione i bezwzględne.

Najważniejsze teraz: czy ojciec wie? Jeśli nie, przeżyje to strasznie...

Usiedli na falochronie, a Atlantyk rozsypał przed nimi miliardy słonecznych iskierek na wodzie. Oboje kochali ocean. Claire bała się go tylko w sztormie, a poza tym darzyła szacunkiem i miłością. Miłość Vincenta była bezwzględna. I ojciec, i córka uważali Bretanię za najpiękniejszy kawałek świata. Nigdzie nie ma tak zielonej, soczystej trawy, tak zmiennego w swej urodzie nieba, skał, zatoczek, urwisk i plaż. Nigdzie nie ma tylu tęcz zakwitających w wilgotnym, morskim powietrzu. No i te elfy, korrigany, wróżki, duchy dawnej Kornwalii, w której król Artur miał swój zamek i Okrągły Stół; gdzie w lesie Brocéliande ponoć ukryto świętego Graala...

– No to mów, kochanie, bo nie ukrywam, że trochę się niepokoję.

Claire spojrzała na ojca. Przystojny z niego facet, nie da się ukryć. I ma charakter wypisany na twarzy: prostolinijny, wesoły, mądry. To widać w ciemnoniebieskich oczach. Czarne proste włosy. Wydatny nos. Lekko zaciśnięte usta. Zmarszczki mu się porobiły!

– Fajny z ciebie tata.

– Dziękuję, kotku. Córki też mam nie najgorsze. To mi chciałaś powiedzieć?

– To też. Słuchaj, dostałam list. Ci dwaj z Polski mi przywieźli, widziałeś ich.

– Widziałem w przelocie. Robili sympatyczne wrażenie. Spodobali się twojej babci.

– No właśnie. Mnie też. Kontaktowi, a nienachalni. Ten list...

Chwila milczenia. Vincent zaczekał, aż córka odzyska głos.

– To od jednego gościa...

Znów zawieszenie.

– Przeczytaj mi i przetłumacz.

Claire westchnęła ciężko.

– Nie mogę. Nie ma listu, mama go wyrzuciła. Napisał w nim niejaki Jerzy Dzierzbowski... Tato, słyszałeś kiedy to nazwisko?

Vincent poczuł się w tym momencie jak ktoś, kogo niespodziewanie uderzono w twarz.

– Słyszałem. W dawnych czasach. Miałem nadzieję, że już nigdy go nie usłyszę. I tutaj sprawdza się moja żelazna zasada: każda tajemnica to bomba z opóźnionym zapłonem. Nie powinno być tajemnic wśród ludzi, którzy się kochają.

Wiedział!

– Wiesz, o czym mówię?

– Domyślam się. Uporządkujmy to. Najpierw ty. Opowiedz mi o tym, co napisał do ciebie pan... jak mu tam...

– Nawet nie próbuj, tatku. Z tym nazwiskiem nie poradzisz. Dzierzbowski. Nie napisał dużo. Tylko że jestem jego córką, że całe życie radził sobie z własnym egoizmem, czy jakoś tak... rozumiesz, że się nie ujawniał. Pewnie mama go prosiła. A teraz jest chory na raka i umiera, a że nie ma żadnej rodziny, to chciałby jednak poznać córkę. Wiesz, tato, on to jakoś tak napisał... prosił o wybaczenie. Ciebie też...

– Mnie?

– No wiesz, gdybyś myślał, że ja jestem twoja... *Merde*! Przecież jestem twoja!

– Oczywiście, że jesteś moja. Między nami nic się nie zmieniło i nie zmieni. Ale rozumiem, o co chodzi. Ten pan... bowski nie wiedział, czy twoja mama mnie wtajemniczyła. Owszem. Wiedziałem, że Ewa była w ciąży, kiedy się pobieraliśmy. Zresztą już nie dałoby się tego ukryć. Uważałem, że kiedyś trzeba będzie wszystko ci opowiedzieć, bo tak jest najuczciwiej, ale twoja mama bardzo stanowczo oponowała. Wiesz, jak ona potrafi oponować...

Zrobił tak zabawną minę, że Claire roześmiała się mimo woli.

– Tak, wiem. W oponowaniu mama jest mistrzynią świata. Tato... czy ty ją jeszcze kochasz?

– Zadajesz straszne pytania, kochanie.

– Przed chwilą sam powiedziałeś, że rodzina nie powinna mieć tajemnic!

– Nie słuchałaś uważnie. Powiedziałem, że nie powinno być tajemnic wśród ludzi, którzy się kochają. Bardzo cię kocham, córeczko, więc ci odpowiem. Już nie kocham twojej matki. I tak myślę, że ona mnie nie kochała nigdy, a ja miałem złudzenia jak ostatni kretyn.

– Od początku? – Głos Claire brzmiał dość żałośnie.

Vincent ponuro kiwnął głową.

– Ewa chciała wyjechać z Polski, a to były takie czasy, że po prostu jechać nie pozwalano. To wiesz. I wiesz, że można było wyjechać, jeśli miało się męża obcokrajowca...

– Tatku, zawieszasz się jak stary komputer!

– Bo to nie jest dla mnie łatwe, tak ci opowiedzieć, żebyś miała jasność i żeby nie było ci przykro.

– Mama cię wykorzystała?

– Teraz to wiem. Wtedy wyobrażałem sobie, że uczucia są... tego... obopólne. Ja byłem strasznie zakochany. Nie wyobrażasz sobie, Claire, jak ona mi się wtedy podobała. Stary osioł, a właściwie wtedy młody osioł, myślałem, że ja jej też.

– Boże jedyny... A kiedy mama ci powiedziała? Że byłeś jej potrzebny tylko do wyjazdu?

– Nigdy nie powiedziała mi tego wprost. Ja chyba nie tylko do wyjazdu byłem jej potrzebny. Nie miałaby łatwo w obcym kraju, w ciąży, potem z małym dzieckiem, samotnie. Ja bym jej, oczywiście, dał rozwód, bo dziecko ewidentnie nie mogło być moje...

– Tato! – Claire aż jęknęła.

– Cicho bądź i słuchaj tatusia. Już w zasadzie wszystko wiesz, dalej to by już tylko było niepotrzebne mielenie ozorem. Popatrz teraz na sytuację z innej strony. Ja nie mogę Ewy na przykład znienawidzić ani nic w tym rodzaju, bo mi dała was, ciebie i Marianne. I w dodatku babcię Anę! Twoja polska babcia, czyli moja teściowa, jest cudowna, a ja ją uwielbiam...

– Ona ciebie też.

– Właśnie. Jesteśmy razem już tyle lat. Tyle dobrego za nami. Dlaczego nie ma być jeszcze więcej dobrego przed nami? Claire, kwiatuszku mój najmilszy. Moja rada jest taka: jedź do Polski, poznaj swojego ojca, może przecież się okazać, że to jakiś wspaniały człowiek...

– A może łajdak i hochsztapler...

– Wtedy rzucisz w niego butem i natychmiast wrócisz do domu. Bo twój dom jest tutaj. Cokolwiek by się miało wydarzyć, nigdy nie przestaniesz być moją córką, moim kochanym dzieckiem.

Claire wzięła głęboki oddech.

– Tato, czy ty chcesz powiedzieć, że przy dobrych układach będę miała dwóch ojców?

Vincent roześmiał się i przytulił ją mocno.

– A dlaczego nie? Kto mówi o zamianie, jeśli możemy dostać coś ekstra? W tym wypadku kogoś. Może kogoś ważnego. Słuchaj, kochanie, po tych dwóch młodzieńcach sądząc, pan... bowski nie może być łajdakiem i hochsztaplerem. Oni potwierdzili ci, że jest chory?

– Tak. Ich ciocia jest przełożoną pielęgniarek w tym szpitalu, gdzie on pracuje. Zresztą on załączył normalne zaświadczenie lekarskie ze szpitala...

– To się nie zastanawiaj. Źle jest odmawiać umierającym.

– Tato, ale ja też ci muszę jedną rzecz powiedzieć...

– Mów, nie denerwuj starego ojca.

– Tato, niezależnie od tego, kim się okaże pan Dzierzbowski, zawsze będziesz dla mnie najważniejszy i najkochańszy na świecie...

– W kategoriach tatusiostwa, oczywiście. Gdyby miało być inaczej, sprawiłbym ci lanie. Koniec łzawych rozpamiętywań, moja panno. Babcia Ana robi dziś jakieś prapolskie danie z kapusty i mięsa. Zapowietrzyła całą wyspę. Idziemy na kolacyjkę.

∽

To, co nastąpiło w Bad Polzin, Elżunia pamięta jak przez mgłę, jak sen. Kiedyś nie miewała takich snów. Potem już tak. Nawet dużo.

Na początku było nawet bardzo przyjemnie, chociaż trochę tęskno za mamą, babciami i dziadkami, którzy zostali w Grodźcu. Dzieci – a była ich dwudziestka, z okolic Będzina, były badane przez sympatycznego starego doktora z siwymi wąsami. Pomagały mu różne panie. Niestety, nikt z nich nie mówił po polsku. Doktor znał kilka słów, tyle żeby wydawać dzieciom polecenia: „stań tutaj", „usiądź", „otwórz buzię". Ważono je i mierzono na różne sposoby. Ciotka Ślusarkowa tłumaczyła, że trzeba sprawdzić, czy wszyscy są zdrowi. Byli. Zdrowi, dorodni, przeważnie jasnowłosi i z niebieskimi oczami. Zabaw nad jeziorem i lodów na razie nie przewidziano. Ale dzieci dostawały dobre jedzenie, a raz kucharki napiekły ciasteczek pachnących Bożym Narodzeniem. Pani Schultz z domu Kaczorek wytłumaczyła, że to takie niemieckie ciasteczka, nazywają się *spekulatiusy*, a pachną korzeniami. Jedna dziewczynka myślała, że chodzi o takie korzenie jak od trawy albo drzewa, ale pani Schultz się roześmiała i powiedziała, że korzenie to są przyprawy. Pieprz, cynamon, imbir, goździki i jeszcze inne, których Elżunia nie znała. A tamte to i babcia Hela dawała do pierniczków na Gwiazdkę. Jeśli miała.

Wszyscy byli dla dzieci bardzo mili i sympatyczni.

Ciotka Ślusarkowa mówiła tak:

– No i co? W domu wam mówią, że Niemcy to źli ludzie, ale nigdy wam Niemców nie pokazywali, nie? A teraz sami widzicie, że Niemcy wcale nie są źli, tylko u nich zawsze musi być porządek. A dzieci bardzo kochają. No.

Jak bardzo Niemcy kochają dzieci, Elżunia miała się niebawem przekonać.

Przy kolacji, na którą babcia Ana podała klasyczne polskie gołąbki (zapach kapusty snuł się po całym domu), Claire zapowiedziała, że ma coś do zakomunikowania rodzinie.

– Ale dopiero jak wszyscy zjedzą – zażądała babcia Ana. – Masz strasznie zasadniczą minę. I ja nie wiem, czy od tego, co chcesz nam powiedzieć, nie stracimy apetytu. A zrobiłam tych gołąbków jak dla pułku wojska. No nic, najwyżej zamrożę. Mów, dziecko, bo mnie ciekawość żre.

Aby więc ciekawość nie zeżarła babci ani Marianne (matka nie zeszła na kolację), Claire wzięła oddech, po czym krótko i zasadniczo przedstawiła sprawę.

– Mam zamiar jechać tam jak najszybciej – powiedziała na koniec. – Może nawet z tymi dwoma z Polski. Sytuację trzeba wyczyścić.

– Jadę z tobą!

Deklaracja ta zabrzmiała w dwugłosie. Jednoczesny okrzyk wydały bowiem babcia, która cały czas miała minę dość ponurą i zaciętą, oraz Marianne, której gołąbek stanął w gardle. Podniosła więc ręce i zaczęła kaszleć. Claire bezlitośnie walnęła ją w plecy aż zadudniło. Marianne wykasłała się i powtórzyła:

– Jadę!

– Nigdzie nie jedziesz, dziecko – fuknęła z oburzeniem babcia. – Twojej siostrze jest potrzebne oparcie w kimś dorosłym, kto zna polskie realia. Chryste Panie, swoją drogą, Wicek, ty wiedziałeś i nic nie powiedziałeś?

– Skąd mama wie, że wiedziałem?

– Przecież widzę. Wcale się nie zdziwiłeś, że Claire nie twoja!

– Bo moja.

Babcia chciała coś powiedzieć, ale zastanowiła się, chrząknęła i powiedziała coś innego.

– No tak. Masz rację. Rozumiem. A ty to akceptujesz?

– A co mam zrobić, mamy zdaniem?

– No tak. A ona taka spokojna! Claire, znaczy...

– A co mam robić, babci zdaniem? Wrzeszczeć?

– No tak. To znaczy nie. Boże, wy jesteście do siebie podobni jak dwie krople wody! Nie mówię o urodzie, bo Claire jest ładniejsza od ciebie, zięciu, ale charakterki macie identyczne...

– Kurczę, dlaczego nikt mnie nie chce posłuchać! – Marianne pozbyła się ostatecznie resztek gołąbka z krtani i trzasnęła pięścią w stół, stwarzając realne niebezpieczeństwo dla kieliszków z bardzo dobrym burgundzkim Laforet rocznik 2003. – Czy to wszystko, do diabła, znaczy, że ja mam tylko pół siostry?!

– Głupia jesteś – odezwały się tym razem unisono Claire i jej babcia.

– Masz całą siostrę – wyjaśniła Claire. – Liczą się uczucia. Wciąż jestem twoją całą siostrą, wariatko. Ale może się okazać, a właściwie chyba już się okazało, że ja mam o jednego ojca więcej niż ty, znaczy razem dwóch...

– Istna córka pułku – mruknął ojciec Vincent, a rodzinka zalała się łzami śmiechu, może troszeczkę nerwowego.

– Wszyscy jesteście stuknięci – zawiadomiła obecnych babcia Ana. – To jest zresztą waszą największą zaletą. Ale zero poczucia odpowiedzialności. Dlatego po prostu na nic się nie zdadzą twoje dramatyczne okrzyki, dziecko. Ktoś poważny musi jechać z tobą. Idę się pakować. Na długo jedziemy?

– O nie, babciu! – Marianne była oburzona. – Babcia jest sędziwą staruszką, a Claire potrzebuje silnego oparcia! Prawdziwe oparcie może mieć tylko w swojej kochającej młodszej siostrze. Kulka, na długo jedziemy? Bo się chcę spakować!

– Coś ty powiedziała?! Sędziwa staruszka? Że niby ja? Tego już za wiele. Wicek, twoja młodsza córka za wiele sobie pozwala!

– Przeproś babcię – rozkazał Vincent. – I rzucajcie monetą. Która wygra, ta pojedzie.

– Czy wyście wszyscy powariowali? – jęknęła bezradnie Claire, ale Marianne już brzęczała portmonetką.

– Babciu! Awers czy rewers?!

Mijał miesiąc, a o powrocie do domu z ośrodka w Bad Polzin jakoś nie było mowy. Panie opiekunki wciąż odnosiły się do dzieci przyjaźnie, posiłki smakowały, spacery do pięknego lasu cieszyły, odbyła się też obiecana wyprawa nad jezioro połączona z jedzeniem lodów – Elżunia mimo to coraz bardziej tęskniła za domem. Dla zabawy uczyła się od pani Schultz z domu Kaczorek najprostszych zwrotów w języku niemieckim. Trochę już znała, a teraz umiała się przywitać, poprosić o chleb, nazwać części ubrania, a także śpiewać dziecinną piosenkę o jodełce-choince, *Tannenbaum*. Właściwie nie lubiła tej piosenki, bo od razu myślała o Bożym Narodzeniu i bardziej tęskniła za domem.

W Bad Polzin było jakoś dziwnie. Część wielkiego białego pałacu zajmowały dzieci z opiekunami. Mniejszą. W większej mieszkali dorośli. Młode panie. Wysokie, ładnie ubrane blondynki. Przyjeżdżali też panowie. Niemieccy oficerowie, to Elżunia wiedziała, bo potrafiła rozpoznać niemieckie mundury. Chodzili ze sobą po parku i do lasu, potem panowie wyjeżdżali, zawsze sami. Panie też wyjeżdżały, ale rzadziej. Elżunia chciała dowiedzieć się od pani Schultz z domu Kaczorek, kim oni są, ale zazwyczaj zbywano ją byle jaką odpowiedzią.

Z pozostałymi dziećmi trudno się było zaprzyjaźnić. Zawsze kiedy próbowała, nadchodziła któraś z opiekunek i zabierała ją lub tamto dziecko na badanie albo do posprzątania czegoś w pokoju. Sypialnie były wspólne, ale opiekunowie jakoś zawsze byli obok i nigdy z nikim nie dało się spokojnie porozmawiać.

Z grupy Elżuni w ciągu tego miesiąca ubyło kilkoro dzieci. Opiekunki mówiły, że pojechały do domów. Elżunia też chciała, ale wciąż słyszała, że jeszcze nie czas.

Którejś soboty rano pani Schultz z domu Kaczorek powiedziała jej, że chce z nią porozmawiać Sam Pan Dyrektor. Samego Pana Dyrektora nigdy żadne dziecko nie widziało, nawet trochę myślano, że on nie istnieje. A tu proszę.

– Pan Dyrektor – oznajmiła pani Schultz z domu Kaczorek – musi ci coś powiedzieć. Staraj się go dobrze zrozumieć, bo on nie mówi po polsku.

– Ale pani mi pomoże jak nie zrozumiem?

– Pomogę ci, dziecko, naturalnie.

– To znaczy, że wracam do domu?

– Pan Dyrektor wszystko ci powie. Bądź grzeczna.

Elżunia była grzeczna.

A Pan Dyrektor powiedział, że na dom Elżuni w Grodźcu spadła bomba i że cała jej rodzina zginęła. Wszyscy.

∽

Ewa Autret siedziała samotnie w swoim pokoju (dawno nie dzieliła sypialni z Vincentem) i myślała. Niespecjalnie jej to myślenie wychodziło. Claire powiedziałaby, że zawiesza się jak przeciążony komputer. Tak naprawdę po prostu patrzyła w okno, nie zauważając, co za nim jest. Był, oczywiście, ocean, gdyż wszystkie okna domu Autretów wychodziły na ocean.

Wszystko już zostało przemyślane. Wszystkie decyzje podjęte i zrealizowane. I co mamy na plusie?

Ewa nie zdążyła odpowiedzieć sobie na to pytanie, bo do pokoju bez pukania weszła Claire.

– Nie przyszłaś na kolację, mamo. Babcia zrobiła cudne gołąbki. Naprawdę super. Źle się czujesz?

Ewa spojrzała na córkę ciężkim wzrokiem.

– Twoim zdaniem jak się powinnam czuć?

Claire wzruszyła ramionami.

– Nie mam pojęcia. Mamo, czemu mi nie powiedziałaś prawdy?

– Jakiej prawdy?

– Że tato nie jest moim ojcem.

– Kiedy ci miałam powiedzieć? I po co? Bardzo dobrze ci się żyło bez tej świadomości. Miałaś przynajmniej normalną rodzinę, normalne dzieciństwo i normalną młodość.

– Ale już od pewnego czasu jestem dorosła, nie zauważyłaś? Nie wydaje ci się, że miałam prawo do tej wiedzy?

– Nie, nie wydaje mi się. Matka lepiej wie, co jest dobre dla jej dziecka. Ten idiota wszystko zepsuł.

– Mamo, on podobno umiera...

– Każdy kiedyś umrze. Ty chcesz do niego pojechać?

– Tak. Mamo, powiedz mi jeszcze parę rzeczy, dobrze?

– Nie.

– Mamo, ty go kochałaś?

– Kogo, Jurka? Jerzego? Jakie to może mieć dzisiaj znaczenie? Kochałam, kochałam! Ale on był tak beznadziejnie nijaki, tak strasznie ślamazarny, nic go nie obchodziło oprócz tego, że ma zostać panem doktorem! Wiesz, co to były za czasy? Zaczynała się Solidarność, potem przyszedł stan wojenny, a on nic tylko choroby gardła, choroby płuc, diabeł wie, co jeszcze! Wiesz, co mi powiedział? Że jest pacyfistą, nienawidzi szarpaniny pod żadną postacią, a lekarzem może być w każdym ustroju, bo ludzie chorują niezależnie od poglądów politycznych. A poza tym i tak zazwyczaj do władzy dochodzą ci, co chcą, a nie ci, co powinni. Tchórz cholerny. Ludzie pracowali, redagowaliśmy gazetę, drukowaliśmy ulotki, robiliśmy tysiąc rzeczy, oni nas zamykali, ludzie szli do więzienia, do internatu, a on nic! Wiedział, co się dzieje, bo u niego w mieszkaniu był istny magazyn księgarski: bibuły, paryska „Kultura", książki, gazety, wszystko. I tyłka nie ruszył, żeby pomóc!

– E, coś to chyba nie tak, skoro u niego był ten magazyn, to chyba się nieźle narażał...

– Palcem o palec nie puknął! Nawet mu się tego pochować porządnie nie chciało, pod łóżkami upychał... inna rzecz, że za dużo miejsca to u niego nie było. Ale żeby się włączyć, pomóc, zaprotestować...

– Może nie miał w sobie takiego ducha rewolucyjnego jak ty, mamo...

– Może nie miał. Przestańmy już o tym człowieku, bo dostanę szału. Jedziesz do niego? Zmącił cię? Wziął na chorobę, biedny, nieszczęśliwy?

– Jadę. Chcę go poznać. Mamo...

– Co znowu?

– Mamo... a tatę... no, tatę Wicka kochałaś, kiedy za niego wychodziłaś?

– Dziewczyno, co ty za pytania zadajesz? Wtedy dla mnie było ważne, żeby wyjechać z tego kraju, nie patrzeć już więcej na to wszystko, na tę beznadzieję! Polacy jak się do czegoś zabierają, to muszą spaprać, po prostu muszą! Patrz, teraz mają wolność i co? Co im z tego przyszło? Żrą się bez przerwy. Nawet dróg porządnych nie umieją wybudować. Bieda, bylejactwo, zero perspektyw dla młodych ludzi!

– Mamo, nie przesadzasz czasem?

– A co, ty wierzysz w to, co zobaczysz w telewizji? Powiedzą, że w Polsce jest zielona wyspa, a ty już w podskokach? Zobaczysz, jak im się przewróci ta zielona wyspa. Oni umieją tylko gadać. Niedługo wykupią ich Chińczycy. Idź już, nie denerwuj mnie. Jedź do tego gamonia, pewnie zastaniesz go w najlepszym zdrowiu, a on ci powie, że sorry, ale się pomylił, to nie był rak tylko grypa. Córeczkę chciał zobaczyć, coś takiego! Ciekawe, skąd wiedział, jak cię znaleźć. Może wyleczył z parcha jakąś fiszę ze służb specjalnych...

– Mamo, ty słyszysz, co mówisz?

– Wyście mnie do tego doprowadzili. Zostaw mnie!

Claire zrozumiała, że z matką w takim stanie rozmowy nie będzie. Wyszła, lekko przerażona tym, co usłyszała. Nie tyle treścią jednak, ile ogromem zapiekłego żalu, jaki się z matki wylał. Nikt w rodzinie nie zdawał sobie sprawy, że ona ma w sobie tak potężny ładunek goryczy i nienawiści.

∽

To, co powiedział Pan Dyrektor, nie od razu trafiło do Elżuni. Bo co to znaczy – bomba spadła? Na ich dom? Bomba? I nie ma już mamy, babci Jani, babci Heli i obydwu dziadków, Józka i Zenka?

Pani Schultz cierpliwie tłumaczyła: owszem, bomba. Wielki pocisk. Wielka bomba. Spadła. Na dom. Wszyscy byli w domu, więc wszyscy zginęli. Sąsiedzi? A, sąsiedzi też, oczywiście. Babcie. Dziadkowie. Mama.

MAMA.

Wokół Elżuni otwarła się pustka.

Nie ma taty. Nie ma mamy. Nie ma nikogo.

Nie ma Elżuni.

Obudziła się jakiś czas później, wciąż w gabinecie Pana Dyrektora, ale jego samego już tam nie było. Był doktor, były też ciotka Ślusarkowa i pani Schultz. I jakiś pan w mundurze SS. Elżunia rozróżniała niemieckie mundury, ale nie wiedziała, jaka właściwie jest różnica między tymi, którzy je nosili. W domu mówiono, że SS jest najgorsze.

W domu.

Nie ma domu...

Zanim zdążyła się rozpłakać, ciotka Ślusarkowa potrząsnęła nią energicznie.

– Lieschen, dziecko, dobrze, że się obudziłaś! No już, kochanie, tylko mi tu nie płacz, proszę. Nie pozwolimy, żebyś została sama na świecie. Będziesz miała nową mamusię i nowego tatusia, będziesz mieszkała w pięknym domu i dostaniesz tyle nowych lalek, ile zechcesz...

– Ale nie oddam Elżuni...

– Pewnie, że nie oddasz. Patrz, ten pan będzie teraz twoim tatusiem.

Elżunia zasłoniła oczy i wyszeptała dramatycznie:

– Ale ja nie chcę tego pana, ja chcę mojego tacimka...

– Ale nie ma już tacimka, dziecko, dawno nie ma. I niestety, on też nie żyje. Twój nowy tatuś kiedyś ci opowie, co się stało z tacimkiem. Mówi po polsku, wiesz? Był w Krakowie kilka lat i się nauczył. Ale ty będziesz musiała nauczyć się lepiej niemieckiego, bo mamusia, znaczy twoja nowa mamusia, mówi tylko po niemiecku. I już nie będziesz się nazywała Elżunia, tylko Elisabeth. Lieschen.

W tym momencie oficer SS podszedł do nich. W ręce trzymał pudełko.

– Lieschen – powiedział ciepłym głosem. – Będziesz nasza kochana córeczka. Mama już na ciebie czeka w domu. Kupiłem dla ciebie lalkę w prezencie. To tak na początek. Zobacz, podoba ci się?

To mówiąc, rozwinął bibułki i wyjął z nich lalkę o złotych włosach i niebieskich oczach.

– Patrz, Lieschen, ona jest taka jak ty. Nikogo nie ma. Ona prosi, żebyś ją kochała.

Lalka spojrzała na Elżunię porcelanowym błękitem.

– Ona jest sama – wyszeptała dziewczynka na pół pytająco, na pół twierdząco. – Tak jak ja. Będę ją kochała. Będzie miała siostrzyczkę Elżunię.

– My będziemy ciebie kochali – zapewnił Niemiec. Jego polski był trochę chropawy, ale poprawny. – Pani Schultz już cię spakowała. Zabieram cię do domu.

❧

– Babciu, babciu kochana! Ja wiem, że wygrałaś, ale proszę, nie utrudniaj mi sytuacji. Nie możesz ze mną jechać...

– Mogę, mogę. Mam swoje pieniądze i stać mnie na samolot! Tylko ty nie chcesz, żebym z tobą jechała, dziecko! Przyznaj się wreszcie!

Claire trzymała się za głowę, a twarda starsza pani stała nad nią z determinacją wypisaną na obliczu.

– Babciu...

– No co?!

– Babciu, ty zawsze masz rację. Bardzo cię przepraszam, bardzo, naprawdę, ale chciałabym jechać sama. Zrozum, to mój ojciec i muszę się z tą całą historią uporać. Poza tym...

– No co poza tym?

– Tylko nie myśl, babciu, że dorabiam tu jakieś ideologie. Martwię się o tatę Wicka. Już rozmawiałam z Marianne...

– Chciała mnie wycwancykować z mojej wygranej, co?

– Wy... co?

– Wycwancykować. Wykiszkować. Wykolegować. Wysiudać. Ucz się polskiego, dziecko. Chciała chyłkiem wcisnąć się na moje miejsce, chociaż przegrała?

– Chciała, chciała, ale to z dobrego serca, babciu. Ona się o mnie martwi. A ja wam mówię, że to nie o mnie trzeba się martwić, tylko o tatę i o mamę. Zajmijcie się jakoś nimi oboma...

– Obojgiem.

– Obojgiem. Oni teraz są strasznie nieszczęśliwi, ja to widzę.

Babcia Ana wzruszyła ramionami z wyraźną irytacją.

– Twoja matka jest wściekła, bo wyszły na jaw jej podchody! Słowo daję, nawet ja myślałam, że ona go kocha naprawdę, a ona tylko szukała sposobu, żeby wyjechać. On jest nieszczęśliwy, w to mogę uwierzyć bez zastrzeżeń. Może ty i masz rację, Klaruniu kochana... mądre dziecko z ciebie było zawsze i mądra kobieta wyrosła. To po mnie...

Claire wyściskała babkę z całych sił.

– Babciu, kocham cię nad życie. Nie bądź zła na mamę, teraz to już wszystko jedno, stało się...

– A ty nie jesteś na nią zła? Wcale? – Babcia Ana przyjrzała się wnuczce z niedowierzaniem.

– Jakoś nie, chociaż sama nie wiem dlaczego. Wiesz, babciu, to wszystko stało się właściwie poza mną. Gdybym się dowiedziała wcześniej, powiedzmy jako nastolatka, to może bym jakieś wybuchy robiła...

– Chcesz powiedzieć, że wybuchłabyś.

– Może. Babciu, za dwa lata kończę trzydzieści. Już jestem dorosła. Taty Wicka nie przestanę kochać nigdy i możesz mu to powtarzać co dwie godziny, jak wyjadę, bo on się gryzie. Nie wiem, nie wierzy mi czy co? Mama z kolei chyba zapłaciła za to swoje kłamstwo... nie, to się inaczej nazywa...

– Przemilczenie.

– No tak. Powinna była powiedzieć.

– Tobie czy jemu?

– A, czekaj, sprecyzuję. Najpierw tacie Wicku...

– Wickowi.

– Przepraszam. Jasne. No więc najpierw jemu, że go nie kocha, tylko potrzebuje paszport. Potem mnie, że mam innego tatę w Polsce. Och, babciu, to strasznie trudne. Muszę to sobie poukładać.

– I liczysz na to, że poukładasz, jeśli ci nikt z rodzinki nie będzie sterczał nad głową?

– Właśnie.

– A tych dwóch przystojniaczków? Egon i Erwin „Zapisz to, Kisch"?

– Babciu, o czym ty znowu mówisz?

– Nie złapałaś – zachichotała babcia. – Nie miałaś szans. Ale możesz się nie wstydzić – przyzwoliła łaskawie. – Za młoda jesteś, żeby wiedzieć. Był taki reporter Egon Erwin Kisch. Czytałam kiedyś jego książkę. Oni musieli mieć w rodzinie jakiegoś dziennikarza albo wielbiciela reportażu. Ci młodzi. Pojedziecie razem? Kiedy?

– Jak najszybciej, babciu. Jak tylko dostanę bilety na samolot.

– Klarciu... Hervé... wie o twojej podróży?

– Jeszcze nie zdążyłam mu powiedzieć. To wszystko dzieje się tak strasznie szybko!

❧

Sześćdziesiąt siedem lat wcześniej również w życiu Elżuni Szumacherówny – a właściwie już teraz Elisabeth Schumacher – wydarzenia potoczyły się bardzo szybko. I też okazało się nagle, że już nie ma dawnego ojca. Ma teraz zupełnie nowego, którego wcale nie zna...

Ba, w przypadku Elżuni cała rodzina miała być teraz nowa.

Nowy niemiecki tata wziął jej tekturową walizeczkę otoczoną tacimkowym paskiem od spodni (żeby się przypadkiem samoczynnie nie otworzyła), pożegnał krótko obie panie, ujął dziewczynkę za rękę i oboje wyszli na oblany słońcem podjazd. Młode ładne damy przechadzały się jak zwykle, same lub z przystojnymi niemieckimi oficerami pod rękę. Z dolnego tarasu obsadzonego kolorowymi kwiatami dobiegały głosy dzieci śpiewających niemiecką piosenkę-wyliczankę.

– *Ein, zwei, drei, Polizei,*
Vier, fünf, sechs, Tintenkleks,
Sieben, acht, Tag und Nacht,
Neun, zehn, schlafen geh'n...

Elżunia – Lieschen nie otrząsnęła się jeszcze z szoku i nie uroniła ani jednej łzy. Od chwili kiedy dowiedziała się, że nie ma już taty, mamy, dziadków ani babć, nie minęło nawet pół godziny, a tu już wsiada do eleganckiego czarnego wozu, z nieodłączną lalką na kolanach, nową lalkę sadza obok, samochód rusza i jadą gdzieś wyboistą drogą wśród złocistych pól i zielonych drzew. Okazało się, że nowy tato nie prowadzi auta, bo ma do tego kierowcę. Sam zaś siedzi z Elżunią i lalkami na tylnym siedzeniu i nawet się wiele nie odzywa, tylko czasem pokazuje na drodze coś ciekawego: krowy albo duże, pokręcone drzewo. Słowo „wierzba" wymawia z trudem i niezupełnie poprawnie. Tak w ogóle to on jest całkiem przyjemny, chociaż nigdy nie będzie tacimkiem. Ma jasne włosy i jasnoniebieskie oczy, tak samo jak Elżunia, może nawet jest do niej trochę podobny. Jest dla niej dobry, więc chyba nie powinna przy nim płakać, przecież on się nią zaopiekował. Wszystko to jest jakieś dziwne i przerażające. Przerażające i dziwne jest też, że Elżuni wcale się płakać nie chce. Jakby zamieniła się w kamień. Na wszelki wypadek dziewczynka podnosi rękę. Jednak nie zamieniła się w kamień. Może tylko w środku.

Nowy tata pracował w Krakowie.

„Warszawa i Kraków – stolica Polaków, a Niemce w Berlinie zamknięte jak świnie". Taki wierszyk wykrzykiwali chłopcy z sąsiedztwa.

Nowy tato nie mieszka w Berlinie, tylko w Dreźnie.

Ciekawe, co robił w Krakowie?

Od tych wszystkich rozmyślań Elżunia w końcu zasypia. SS-Sturmbannführer Otto Widmann obejmuje ją ramieniem z czułością i mości wygodnie. Miał kiedyś podobną córeczkę i też Lieschen. Dwa lata temu umarła na zapalenie płuc. Herta nigdy się z tym nie pogodziła. Tę małą na pewno pokocha.

Claire i Hervé żyli tak jak wiele nowoczesnych par. Nie tylko na kocią łapę, ale i nie do końca razem. Czasem ona zostawała u niego kilka dni, czasem on u niej, ze ślubem jednak postanowili poczekać. Na co, Bóg jeden wie, wyrzekała babcia Ana, a wtórowała jej babcia Pierrette, kiedy wraz z mężem wpadali na wyspę albo kiedy młodzi odwiedzali dziadków w Prowansji. Vincent, który ożenił się swego czasu pod wpływem impulsu i tak zwanej szalonej miłości, kibicował młodym życzliwie i nie nalegał na nic. Ewa ogłosiła *desinteressement*.

Oczywiście, kiedy Claire po rodzinnej kolacji poszła z wieściami do narzeczonego (babcia Ana wolała nazywać go GRUCHANTEM...), ten natychmiast zaofiarował się z moralnym wsparciem i oświadczył, że jedzie do Polski. Ale dziewczyna i jemu podziękowała, tłumacząc, że musi sama uporać się z nowymi aspektami swojego życia. Czyżby jej się wydawało, że Hervé odetchnął z ulgą?

Ach, i tak bilans wypadał na plus. Po jednej stronie matka i Hervé, po drugiej kochająca trójka: ojciec, babcia Ana i Marianne, okropnie zresztą obrażona, że musi zostać.

Ciekawe, dlaczego odruchowo umieściła gruchanta po tej stronie? Może to bez sensu.

Najbardziej przeżywa ojciec, to widać. Udaje, że nic podobnego, ale twarz ma ściągniętą niepokojem. Kiedy myśli, że Claire nie widzi, wpatruje się w nią z miłością w oczach.

Claire, oczywiście, widziała wszystko i ciepło ogarniało jej serce.

Siedziała teraz przy otwartym oknie swojej pracowni i wpatrywała się w ocean jaśniejący od resztek promieni zachodzącego słońca.

Właściwie nie ma o czym rozmyślać. Było, co było. Będzie, co będzie. Jakaś zmiana, ale czy naprawdę znacząca? Dość cyniczna to myśl, ale skoro ten prawdziwy ojciec niedługo umrze – zanim Claire zdąży go pokochać czy choćby polubić – nic się tak naprawdę nie zmieni. Wróci na Île-de-Sein, poślubi wreszcie wiekuistego narzeczonego, przejmą *Chez Marianne*, zatrudni ludzi do pracy, a ona będzie dłubać to, co naprawdę lubi. Srebrne korrigany, rybki i liście, dziergane krajobrazy i impresje.

Pod oknem stanęło dwóch facetów. Claire skrzywiła się, niezadowolona. Niech no oni sobie lepiej idą gdzie indziej. Psują jej czystość widoku! I po co machają tymi łapami?

– Claire, śpisz?

Wołanie było naprawdę niegłośne, ale obudziło dziewczynę z zamyślenia. Na Bulwarze Wolnych Francuzów stali Egon z Erwinem i dawali jej znaki.

Wychyliła się przez okno.

– Idę do was, poczekajcie.

Po drodze zaopatrzyła się w dwie butelki cydru i trzy szklanki.

– Nie zapraszam was tym razem do naszego ogródka – powiedziała, wręczając cydr i szklanice młodym ludziom. – Pokażę wam lepsze miejsce. To niedaleko.

Poszli wzdłuż falochronu i po kilkuset metrach znaleźli schodki, po których wspięli się na jego koronę. Rozsiedli się wygodnie. Nieodległa latarnia morska wysyłała już swoje błyski w ciemnoniebieską przestrzeń. Bracia aż westchnęli.

– Ależ ty masz pięknie tutaj – odezwał się pierwszy Erwin.

– Nieprawdopodobnie – dodał rozmaślony Egon i zabrał się do rozlewania cydru.

– Będzie jeszcze lepiej – oznajmiła dumnie Claire, czując się już nie tylko mieszkanką, ale wręcz właścicielką wysepki. – Powinniśmy dzisiaj mieć pełnię. *À votre santé!*

– Zdrówko – odrzekli chórem.

– Ślicznie wyglądasz w tym świetle – dodał Erwin. – Jak jakaś wróżka. Macie tu wróżki, w tej dziwnej krainie?

– Pewnie, że mamy – zaśmiała się Claire i zrobiła im naprędce mały wykładzik o bretońskich wróżkach, elfach i korriganach, a także o królu Arturze i świętym Graalu.

– Muszę tu przyjechać kiedyś na dłużej – oświadczył Erwin, kiedy skończyła. – Podoba mi się to, co widzę, i podobało mi się to, co widziałem po drodze. Egon, a ty co?

– Ja to samo. Byliśmy wczoraj na Pointe du Raz, Claire. Fascynujące miejsce. Chciałbym zobaczyć więcej.

– Bardzo się cieszę. Przyjedźcie, tylko wcześniej... dajcie zapowiedzi, to będę na was czekała i pokażę wszystko ciekawe.

– Zapowiedzi... – Egon spojrzał na nią spod oka. – Bardzo chętnie.

– Claire, na zapowiedzi to się daje w kościele, jak się człowiek żeni. A my się mamy tobie zapowiedzieć. No to na pewno się zapowiemy, skoro obiecujesz być naszą przewodniczką.

– Obiecuję. Najlepiej przyjedźcie... koniec sierpnia, początek września. Wtedy nie ma tyle ludzi. A teraz słuchajcie, bo ja się zdecydowałam. Chcę jak najszybciej jechać do Polski. A potem jak najszybciej wrócić, bo sezon jest, to mamy bardzo dużo roboty. Kiedy wy planowaliście wracać?

– Kiedy tylko się zdecydujesz – odrzekł Egon w imieniu obydwu.

– Możemy zaraz jutro rano załatwiać bilety.

Claire machnęła ręką.

– Bilety nam załatwi moja przyjaciółka, Louisette, ona ma biuro turystyczne w Audierne. Właściwie bardziej ona jest przyjaciółką mojej siostry, Marianne, ale moją też. Zadzwonię do niej, a jakby były kłopoty, to po prostu możemy tam jechać i jej powiedzieć. Ona na pewno coś szybko znajdzie. U mojego wujka Henry'ego, takiego trochę nieprawdziwego...

– Przyszywanego, tak się u nas mówi.

– Przyszywanego, ładnie. To jest kuzyn taty, ale daleki. U niego są teraz turyści i może on ich będzie zawoził na ląd motorowym jachtem, on ma taki dla gości. To będziemy niezależni od statku. Jeszcze do niego zajrzę. On nas może zawieźć do Audierne, nie musimy do Esquibien.

Erwin pokręcił głową.

– Musimy. Zostawiliśmy tam samochód.

– A, rozumiem. Wiecie co, chodźmy do niego od razu, to wszyscy będziemy wiedzieli... jak to się u was mówi?

– Na czym stoimy – odpowiedzieli jednocześnie obaj bracia.

Droga do Drezna była bardzo długa. Elżunia zdążyła się kilka razy przespać, dwa razy zrobiono przystanek w przydrożnych zajazdach i ostatecznie czarny samochód dotarł na miejsce koło północy.

Okazało się, że „miejsce" jest wielką kamienicą w środku miasta, ozdobioną rzeźbami, stiukami i licznymi ornamentami. Na Elżuni, mieszkance grodzieckiego domku pod górą Dorotką, wielkomiejski przepych zrobił duże wrażenie.

SS-Sturmbannführer Otto Widmann odesłał kierowcę i sam wziął walizkę Elżuni oraz jej nową lalkę. Starszą dziewczynka niosła w objęciach. Niewysoko, na pierwsze piętro, czyli tam, gdzie mieszkania były najwyższe, najbardziej zdobione i w ogóle najwspanialsze, o czym jeszcze nie wiedziała.

Zanim nowy niemiecki tato zdążył pociągnąć rzeźbioną rączkę dzwonka, drzwi otworzyły się same i stanęła w nich najpiękniejsza pani, jaką Elżunia kiedykolwiek widziała. Wysoka i szczupła, miała złociste włosy (tajemnicy fryzjerskiej koloryzacji dziecko jeszcze wtedy nie znało), ogromne oczy i śliczne usta. Nosiła długą domową suknię w odcieniu seledynowym – zupełnie takim samym jak na sukience starszej lalki. Wyglądała jak księżniczka, królowa, dobra wróżka, czarodziejka – takie określenia przyszły natychmiast do głowy oszołomionej dziewczynce.

Przez dwie sekundy stali i patrzyli na siebie nawzajem: oficer SS, jego nowa córka, której opiekuńczo położył dłonie na ramionach, i jego żona Herta.

Po dwóch sekundach Herta osunęła się na kolana i wyciągnęła dłonie.

– Lieschen – powiedziała przez zaciśnięte gardło. – *Meine kleine Tochter... Lieschen, komm...*

Elżunia niezupełnie zrozumiała, ale nowy tato podprowadził ją do żony i lekko popchnął w jej ramiona. Ta objęła ją i przytuliła mocno. Elżunia poczuła przepiękny zapach perfum nowej mamy i coś mokrego na buzi. Nowa mama chyba płakała, ale dlaczego? Może Elżunia jej się nie podoba. Ale gdyby tak było, to by jej nie tuliła tak mocno. Ostatecznie nowa mama rozpłakała się na dobre, nowy tata podniósł ją z kolan i zaprowadził do mieszkania, a Elżunią zajęła się kolejna osoba, która pojawiła się nie wiadomo skąd. Nieduża, niestara i niemłoda, niepachnąca aż tak pięknie jak nowa mama. Choć też ładnie, ale raczej mydłem niż francuskimi perfumami.

– Chodź, dziecko – odezwała się czystą polszczyzną. – Zaprowadzę cię do twojej sypialni i położę do łóżeczka. Na pewno jesteś zmęczona.

Oszołomienie Elżuni wzrosło. Pozwoliła się wziąć za rękę, a służąca Hedwig – całkiem niedawno jeszcze numer 10255, przedtem Jadwiga Bogacka, polska krawcowa – zaprowadziła ją do słodkiego różowego pokoju pełnego poduszek, falbanek i zabawek.

– Damy sobie spokój z myciem – mruknęła. – Jutro będzie czas na wszystko. Teraz musisz się wyspać, malutka. Dzieciom powinno się dawać spokój, a nie tak...

Nie dokończyła, ale Elżunia nie była ciekawa, co to znaczy „a nie tak". Zmęczenie i napięcie sprawiły, że przelewała się przez ręce. Hedwig sprawnie zdjęła z niej sukienkę oraz bieliznę, a potem ubrała ją w śliczną różową koszulkę nocną z mnóstwem falbanek i haftów. Na dole koszulki biegł ornament z fantazyjnie wypisanego imienia *Lieschen*.

Tę koszulkę Hedwig uszyła i wyhaftowała sama.

Potrafiła robić lepsze rzeczy, była bowiem krawcową niezwykle utalentowaną, prawdziwą artystką. Nie przepadała za szyciem „zwykłych" sukienek i nudnych garsonek. Kochała natomiast wyzwania. Na przykład kiedyś, kilka lat przed wojną, spytano ją, czy potrafiłaby uszyć suknię dla panny młodej w – niestety! – ósmym miesiącu ciąży, tak aby tę ciążę zamaskować. Hedwig – wtedy Jadwiga – tylko prychnęła i uszyła arcydzieło: suknię z prostym stanem, ale za to szeroką spódnicą i rękawami, których falbaniaste wyloty sięgały ziemi. Osobiście zaprojektowała ślubny bukiet tonący w pianie koronek i wstążeczek oraz poinstruowała pannę młodą, w jaki sposób ma go trzymać przed sobą, aby ukryć mocno zaokrąglony brzuszek. Dodatkowo uwagę od rzeczonego brzuszka miało odwracać dwieście pięćdziesiąt różyczek z tiulu (każda z perełką w środku!) osobiście przez Jadwigę zrobionych i naszytych na spódnicy. Wszystko udało się znakomicie, nikt z obecnych w kościele niczego nie podejrzewał, niestety – już w połowie weselnej uczty panna młoda zmarnowała wysiłki genialnej krawcowej, w natłoku wrażeń rodząc przedwcześnie pokaźnego synala.

Sława Jadwigi w jej rodzinnym Sosnowcu rozeszła się szeroką falą, a klientki zaczęły ją zasypywać zamówieniami. Mogła przebierać: proste spódnice i szmizjerki zostawiała konkurentkom, a sama z rozkoszą szyła pracochłonne suknie balowe, ślubne, popołudniowe... Pławiła się w różyczkach, falbankach, piórach, sztrasach, tiulach, koronkach, lamowaniach, jedwabiach i etaminach. Uwielbiała własną pracę: do pewnego stopnia miała duszę dziecka, małej dziewczynki bawiącej się prawdziwymi dużymi lalkami, z których wyczarowywała królowe jednej nocy lub wieczoru.

Talent być może uratował jej życie.

Podobnie jak ojciec Elżuni, i ona pewnego dnia zniknęła z domu. Nie udało jej się w porę uciec i znalazła się w KL Ravensbrück. Nigdy potem nie wspominała obozu, nie chciała z nikim rozmawiać na temat tego, co widziała i przeżyła.

Któregoś zimowego dnia pojawiła się w obozie pani mecenasowa Gulbińska, dawna klientka Jadwigi z Sosnowca, odziana w pięknie wykrojony i odszyty płaszcz z bielskiej wełny, z fikuśnym kołnierzem z karakułów... Bardzo prędko płaszcz stał się własnością jednej z niemieckich funkcyjnych, a mecenasowa wytrzymała w obozie dwa miesiące, po czym umarła na dyzenterię. Zanim jeszcze zdążyła pożegnać się z życiem, jej płaszcz przeszedł w ręce wysokiego oficera z komendantury obozu, który postanowił sprawić przyjemność swojej młodej żonie. Rozeszła się jednak wieść – obóz był kobiecy, a kobiecość jest wieczna, *das ewig Weibliche*, jak powiedział Goethe – że twórczyni tego wspaniałego okrycia jest w obozie.

Po niedługim czasie Jadwigę Bogacką formalnie przeniesiono do pracy w kuchni, a tak naprawdę została krawcową niemieckich funkcyjnych. Znowu miała wyzwania: tym razem szyła piękne stroje z byle czego, a czasem przerabiała ubrania zdarte z nowo przybyłych więźniarek. Niemieckie funkcyjne same pilnowały, żeby polskiej krawcowej nic złego się nie stało. Udawały nawet, że nie wiedzą o wynoszeniu przez nią z kuchni jedzenia, którym podkarmiała bardziej wycieńczone współwięźniarki. Któregoś dnia ten sam zastępca komendanta obozu, który kiedyś podarował żonie płaszcz mecenasowej Gulbińskiej, dodał dwa do dwóch i pomyślał, że mógłby zrobić znakomity prezent swemu staremu przyjacielowi, który swego czasu wyświadczył mu wielką przysługę, zatajając pewne fakty z życia obozowego, poznane zresztą przypadkowo. Otóż zastępcę komendanta doszły wieści, że Otto szuka godnej zaufania służącej, której, rzecz jasna, nie zamierzał płacić. No to miałby jednocześnie służącą i krawcową dla pięknej Herty (zastępca komendanta też się w niej kiedyś podkochiwał i gdyby nie to, że wyszła za Otta, sam by się z nią ożenił... uczucia niezupełnie mu jeszcze wygasły).

W ten sposób Jadwiga Bogacka, która przez dwa ostatnie lata była po prostu obozowym numerem, nie odzyskała wprawdzie imienia i nazwiska, ale otrzymała nowe imię, niemieckie, więc lepsze: Hedwig. Już pierwsza uszyta suknia sprawiła, że pani Herta była bardzo zadowolona i postanowiła zatrzymać nową polską służącą tak długo, jak to tylko będzie możliwe. Najlepiej na całe życie.

Hedwig podeszła do zmiany losu filozoficznie. Wszystko było lepsze niż życie w obozie, w którym łaska funkcyjnych na pstrym koniu jeździła. Nadal miała mnóstwo roboty, ale była to praca, którą lubiła; w domu, gdzie śmierć nie groziła w każdym momencie, było ciepło i pod dostatkiem jedzenia. I to jedzenie nie było brukwią w postaci ohydnej zupy. Hedwig zawsze mawiała, że: „Krawcowa jest jak anioł boży, jednemu ujmie, drugiemu dołoży". Kiedyś stosowała ową zasadę w dziedzinie krawieckiej, a polegało to na genialnej umiejętności kroju, która pozwalała zaoszczędzić sporo materiału, niby dokładnie wyliczonego. U Widmannów zaadaptowała maksymę do rzeczywistości kuchennej – i nigdy nie chodziła głodna. Ba, jadała równie dobre rzeczy jak państwo. Dodajmy, że również w dziedzinie kuchennej obdarzona była wielkimi zdolnościami, więc i pani ją doceniała, i pan, kiedy przyjeżdżał z Krakowa na urlopy.

Teraz do jej obowiązków miała dojść opieka nad polską dziewczynką, którą Widmannom obiecała organizacja Lebensborn. No i najwyraźniej obietnicy dotrzymała.

∽

Szybka decyzja Claire, prawdę mówiąc, trochę zmartwiła braci Zacharzewskich, którym Bretania dopiero zaczynała się naprawdę podobać. Chętnie pojeździliby czerwoną cytrynką po okolicznych miastach i miasteczkach, z nadzieją że uda im się posłuchać jakiejś tutejszej muzyki, spróbować lokalnych specjałów i tak dalej. Cóż – jedyne co mogli zrobić, to przyrzec sobie, że jeszcze tu wrócą. Chwilowo „misja" była najważniejsza.

Swoją drogą, ta dziewczyna ma charakter...

Wszystko poszło zgodnie z jej planem: wujek Henry podrzucił ich mocno wypasioną motorówką do Esquibien, gdzie przesiedli się do samochodu, grzecznie czekającego na parkingu. Potem pojechali do Audierne, a tam przyjaciółka panien Autret imieniem Louisette zajęła się nimi nad podziw kompetentnie. Nie tylko znalazła bardzo dobre połączenie z Quimper via Paryż i Warszawa do Wrocławia, ale kupiła im bilety, nawiasem mówiąc, na samoloty trzech różnych linii. Nie najtańsze, ale mieli upoważnienie pana Dzierzbowskiego do wydawania jego pieniędzy zgodnie z potrzebami, a uznali, że najważniejszy w tej chwili jest czas. Ledwie zdążyli dojechać do Quimper i oddać czerwoną cytrynkę, a już siedzieli w pierwszym z trzech samolotów i słuchali narastającego ryku silników.

– Jak się czujesz? – spytał Erwin Claire, kiedy już maszyna uniosła się w powietrze.

– W sensie fizycznym? Bardzo dobrze. A psychicznie... sama nie wiem, jak to określić. Jakbym zostawiała za sobą wszystko, całe życie. A przecież to nie jest prawda. Niczego nie zostawiam. Za kilka dni wrócę.

Obrzuciła obydwu spojrzeniem jasnych oczu.

– Cieszę się, że ze mną lecicie. Myślę, że jesteście moimi przyjaciółmi.

Bracia zarumienili się jak na komendę.

– Jesteśmy – zapewnili.

Roześmiała się.

– Mówicie chórem jak bliźniaki. Jesteście bliźniakami? Z dwóch jaj, tak?

Teraz oni się roześmieli.

– Erwin jest młodszy o dwa lata. A poza tym nie mówi się „bliźniaki z dwóch jaj", tylko... właściwie to nie wiem, jak. Dwujajowe? Niejednojajowe?

– Nie rozmawiajmy o jajkach, bo ja się peszę – zażądał Erwin. – Jednojajowy był nasz pies Hektor, drugie stracił w walce o damę. A bliźniaki poznasz, owszem. Wnuczki naszej cioci Bogusi. Małe potworki, Kinia i Minio.

– Czemu potworki?

– Potworki. Po prostu. Nie, w sumie fajne dzieciaki.

– Claire, może ty się prześpij? Dobrze spałaś w nocy, przyznaj się?

Przyznała się.

– Nie spałam wcale. Teraz też mi się nie chce.

– Zaśpiewamy ci kołysankę – zaproponował Erwin.

– Jak ty zaczniesz śpiewać, to ona nie uśnie już nigdy. Opuszczę ci oparcie tego fotela, dobrze?

Tu Erwin stwierdził, że starszy brat jest cwańszy od niego, opuszczanie fotela łączyło się bowiem z momentem pewnej bliskości... Cholera, gdyby tu był jakiś kocyk do okrywania... nie, na lokalnych trasach nie dają kocyków. No, zgapił się i tyle.

Hej, jest jeszcze jedna szansa...

Niestety, znowu Egon miał szybszy refleks, a Erwin mógł tylko z zazdrością patrzeć, jak brat troskliwie otula dziewczynę własnym, przed chwilą zdjętym swetrem, tłumacząc jej przy tym, że spanie bez przykrycia jest niezdrowe.

Erwin pocieszał się, że odbije sobie na trasie Paryż – Warszawa, ale na lotnisku de Gaulle'a Claire oświadczyła, że już się wyspała, poszła do jednego ze sklepików w hali odlotów i kupiła dwie talie kart.

– Wolicie w pokera czy w kanastę? Babcia mnie nauczyła w kanastę, a tato w pokera. Muszę się czymś zająć, bo zwariuję z tego myślenia.

Bracia w kanastę grać nie umieli, więc do samej Warszawy cała trójka zapamiętale rżnęła w pokera na pieniądze. Ponieważ wszyscy mieli otwarte i szczere oblicza, po wszystkich jednakowo dobrze było widać, kiedy komu przyszła dobra karta. To wprawdzie czyniło niemożliwym porządne blefowanie, za to nadawało grze całkiem nową jakość. Na warszawskim lotnisku Claire wyjaśniła braciom zasady kanasty i kolejny etap podróży jakoś im przeleciał – dosłownie i w przenośni. Im bliżej byli Wrocławia, tym bardziej roztargniona stawała się Claire, tym więcej błędów popełniała i tym bardziej bez sensu wyrzucała karty. Kiedy stewardesa poprosiła o zapięcie pasów przed lądowaniem, wszyscy troje odetchnęli.

Czekał ich jeszcze etap samochodowy, jakoś się bowiem nie zgadało do tej pory, ale pan Dzierzbowski nie mieszkał we Wrocławiu ani w Jeleniej Górze, tylko w Zachełmiu. Gdzie miałoby być owo Zachełmie, Claire nie miała pojęcia. W Karkonoszach, wyjaśnili bracia. No to dobrze, niech sobie będzie w Karkonoszach. One też stanowiły dla Claire pojęcie abstrakcyjne.

Lekko zdezelowany łazik Egona nie lubił zbyt szybko jeździć, więc gdy podróżnicy osiągnęli Kotlinę Jeleniogórską, dawno zapadła już noc. Pogoda była doskonała, a księżyc – tak samo jak w Bretanii – w pełni. Wyjechali z Jeleniej Góry od strony Cieplic, a wtedy przed oczami Claire roztoczył się widok całego pasma Karkonoszy na tle rozgwieżdżonego nieba.

– Ładne – pochwaliła. – I duże. Moja mama mówiła, że nie są duże.

– Są, są – mruknął Egon zza kierownicy. – Kiedyś nawet nazywały się Riesengebirge, Góry Olbrzymie.

– I ładne, masz rację – dodał Erwin. – Może uda nam się pokazać ci parę przyjemnych miejsc, jeśli zostaniesz kilka dni.

– Nie wiem, czy zostanę. W ogóle nic nie wiem. O, jeziora też tu są...

– Stawy – poprawił Erwin. – Podgórzyńskie Stawy. Zapraszamy na rybki. Przecież tak od razu nie wyjedziesz, skoro już tu jesteś. Tam u ciebie nie ma jeszcze sezonu, poradzą sobie bez ciebie.

– Czemu powiedziałeś podgórzyńskie a nie podgórskie? Tak się mówi po polsku?

– Tu jest taka wieś, Podgórzyn. Po lewej, właśnie ją mijamy. Zachełmie jest wyżej.

Łazik skręcił ostro w lewo i zaczął zakosami podjeżdżać pod górę. Dość zdezelowana i wąska droga prowadziła przez las. Nagle Egon zahamował, starając się zrobić to szybko i zarazem delikatnie. Subtelności jednak łazikowi trochę brakło i wszyscy powpadali na siebie wzajemnie.

Na środku szosy, w świetle reflektorów, stał potężny zwierz i patrzył na nich odrobinę jakby gapiowato.

– Jeleń!

Jeleń rozejrzał się nienerwowo, jakby rozmyślał, w którą stronę się udać.

– Egon, umiesz poznać, ile on ma lat?

– Nie mam pojęcia, ja jestem od mniejszych żyjątek. Claire, znasz się może na jeleniach? Te rogi coś mówią, ale ja nie wiem, co.

– Ja też nie. Olbrzymie są, to pewnie jakiś bardzo dorosły zwierzak...

Bardzo dorosły zwierzak odwrócił się majestatycznie białym zadkiem do łazika i bez pośpiechu pomaszerował szosą do góry. Egon powoli ruszył za nim. Jeleń wykonał kilka nieskoordynowanych ruchów, jakby nie mógł się zdecydować, czy wejść w las z prawej, czy z lewej strony. Na razie dreptał spokojnie środkiem drogi. Dopiero pokonawszy trzy czy cztery zakosy, skręcił w lewo i po chwili zniknął w ciemnościach.

– No to miałaś królewskie powitanie – zaśmiał się Erwin. – Nie widziałem tu nigdy aż tak wielkiego jelenia. Za następnym zakrętem już Zachełmie.

– Pojedziemy od razu do mojego ojca? – W głosie Claire brzmiało tłumione zdenerwowanie.

– Nie. Egon dzwonił do cioci i ona prosiła, żeby jechać do niej. Twój ojciec o tej porze już prawdopodobnie śpi, a na pewno jest na prochach.

– Mów do niej po ludzku. Na środkach nasennych i przeciwbólowych.

– Moja babcia mówi: „na prochach".

– Masz bardzo sympatyczną babcię.

– Ona mówi, że wy jesteście sympatyczni. Ma nadzieję, że wrócicie do nas i ona sobie będzie mogła z wami pogadać.

Jechali teraz środkiem wsi – po prawej mając górę, a po lewej otoczoną górami dolinkę. W dolince i na zboczach lśniły pojedyncze okna domostw. Światło księżyca odbijało się w strumieniu czy może małej rzeczce. Wysoko nad tym wszystkim stał Mały Szyszak i wyglądał jak stróż pilnujący spokoju tej krainy. Claire przez moment pomyślała, że jadą do któregoś z domów nad rzeczką, ale nie, samochód znowu zaczął się wspinać. Minął jakiś duży pensjonat i przystanek autobusowy, droga zwęziła się do szerokości jednego auta, potem rozszerzyła i wyglądało na to, że są na jakimś szczycie. Pokazał się zamknięty z obu stron zboczami widok miasta w dole. Claire wydawało się, że droga się skończyła, a wtedy Egon skierował łazik w lewo, najwyraźniej w krzaki, za którymi znów pojawiły się pojedyncze wille. Agroturystyka, jakiś spory hotel i znowu w krzaki.

I to już były krzaki ostatnie. Wyjechali na obszerną polanę, której kraniec stanowił las porastający zbocze. Dalej widniały kolejne góry, otoczone ciemniejącą na tle nieba ścianą głównego grzbietu Karkonoszy, z górującą Śnieżką.

Egon zatrzymał samochód przed niezbyt okazałą willą stojącą pod wielkim dębem. Jasna noc pozwoliła dostrzec jej proporcjonalne kształty, kamienną podmurówkę, taras, drewniane balkoniki. Musiał z nich być fantastyczny widok. Tylko w jednym oknie paliło się światło, niezbyt mocne zresztą. Claire wydało się, że widzi za firanką postać kobiecą, która pojawiła się i znikła.

– To możliwe – przyznał Egon. – Twój ojciec ma sublokatorkę, starszą panią...

– On nie chce powiedzieć „starą wiedźmę", bo jej się boi – zaśmiał się Erwin. – Jest trochę dziwna, ale niegroźna. Tylko kiedyś pogoniła mojego braciszka, bo usiadł na ławeczce, na której ona posadziła swoją lalkę.

– Lalkę?

– Kolekcjonuje lalki. Ma ich całą furę. Na pewno chętnie ci je pokaże. Erwin, jedź do ciotki, nie ma co tu stać, bo niepotrzebnie zdenerwujemy kobiecinę.

Egon posłusznie ruszył, ale nie pojechał zbyt daleko. Dopiero teraz Claire zauważyła domek na przeciwległym skraju polany. W tej chwili zapaliło się światło na ganku i wyszła nań młoda, szczupła osoba w dżinsach i swetrze. Miała jasne włosy ściągnięte z tyłu gumką.

– No, jesteście. Bardzo się cieszę. A więc to pani jest Claire? A możemy do pani mówić Klara, po polsku? Bo mówi pani po polsku, prawda?

– Mówię, babcia mnie pilnuje całe życie. Klara może być, jasne. Babcia też przeważnie tak mnie nazywa.

– Ja jestem ciotką tych dwóch. Bogumiła Januszewicz. To już pani na pewno wie. Wejdźmy do domu, proszę.

W jasno oświetlonym przedpokoju Claire zauważyła, że gospodyni wcale nie jest przesadnie młoda, przekroczyła czterdziestkę dość dawno, ale ma świetną, trochę chłopięcą figurę i miłą, opaloną twarz. Mówiła też miłym, raczej cichym głosem. Samą swoją obecnością stwarzała atmosferę spokoju i bezpieczeństwa.

– Chłopcy, zanieście pani rzeczy do pokoju gościnnego, pani na pewno chętnie umyje ręce i odświeży się, a ja szybciutko podam kolację, bo coś tam dla was zrobiłam.

Claire spróbowała troszkę się pokrygować, ale nagle, wbrew sobie, poczuła, że jest głodna jak wilk. Jedzenie samolotowe i lotniskowe nie do końca zasługuje na miano jedzenia. Egon i Erwin w ogóle nie mieli zamiaru protestować.

Kwadrans później cała trójka siedziała przy stole, a pani Bogusia podawała jakąś pięknie pachnącą zapiekankę. Nie zadając zbędnych pytań, nałożyła gościowi porcję, która zaspokoiłaby głód średnio wymagającego górnika dołowego.

Claire była głodna jak górnik dołowy. Bracia jak cała brygada górnicza.

W zapiekance niby nie było niczego specjalnego – pokrajane ziemniaki, cebula, małe pomidorki, trochę fenkułu, selera naciowego, jakaś kiełbasa, jajka na twardo, ser i ziółka. Rozmaryn – rozpoznawała Claire, tymianek, odrobina majeranku...

– Wspaniałe – oświadczyła, rozprawiwszy się z wielką porcją ku uciesze pani Bogusi. – Będę takie robiła.

– Lubi pani gotować, pani Klaro?

– Proszę mi mówić Klara, bez pani...

– Klara, właź do gara!

– Klara, daj dolara!

Klara aż podskoczyła, słysząc jednocześnie dwa głosiki, wydobywające się nie wiadomo skąd. Pozostali zebrani tylko westchnęli, a Erwin wstał od stołu, podszedł do dużego kufra stojącego przy schodach na górę i podniósł pokrywę.

– Ty głupi – dało się jeszcze słyszeć ze środka skrzyni. – Oni tam mają euro, nie dolary!

– Klara, kiecka ci się jara!

– Wyłazić! – zakomenderował Erwin, a kiedy w kufrze nagle ucichło, sięgnął do środka i wydobył na świat dwa nieduże stworzonka, na pierwszy rzut oka jednakowe. Miały identyczne lniane czuprynki, pucołowate buzie i niebiesko-różowe piżamki, z tym że jedna piżamka składała się z niebieskich spodenek i różowej góry, a druga odwrotnie.

– Znowu zamieniliście się piżamami – zauważyła potępiającym tonem pani Bogusia. – Które jest które?

– Ja jestem Minia – zameldowało jedno stworzonko.

– A ja Kinio – zachichotało drugie.

– Potworki – westchnęła pani Bogusia i zwróciła się do Klary. – To moje wnuki, Kinia i Minio. Kinga i Michał. Dałam ich rodzicom dwa miesiące wolnego, więc czym prędzej wyjechali. Podobno na jakiś obóz naukowy, oni wykładają na Uniwersytecie. Ale ja im nie wierzę. Rozumiesz, dlaczego.

Klara w zasadzie zrozumiała.

– A dlaczego siedzieliście w kufrze? – spytała pokojowo. – Lubicie tak?

– Klara, stara fujara, Klara, stara Putyfara...

– W kufrze mamy tajny domek, Klaro ofiaro...

– A wiecie, jak się rymuje Minio?

– Świnio – odparły jednym głosem słodkie dzieciątka, niwecząc chytry plan Klary. – Jacek idzie!

Pomknęły jak dwie jednakowe strzały do drzwi wejściowych, witać nieznanego Jacka.

Jacek okazał się średniego wzrostu niepozornym szatynem w wieku pomiędzy trzydziestką a czterdziestką. Miał zmęczone oczy i sympatyczny uśmiech. Otrząsnął z siebie dzieciaki i ruszył do powitań.

– Pozwól, Klaro, to jest Jacek Brudzyński, z naszego szpitala. Zastępca ordynatora na internie, a ostatnio właściwie ordynator, bo twój ojciec od jakiegoś czasu jest w domu. Siadaj, Jacku, mamy zapiekankę, zrobię ci herbaty, chcesz? Nie kręć głową, musisz coś zjeść. Siadaj.

Jacek usiadł posłusznie. Jak się zdaje, z autorytetem pani Bogusi liczyli się wszyscy oprócz strasznych bliźniaków. Te zaś najwyraźniej liczyły się z autorytetem Jacka, który poszeptał coś do nich na stronie, zagarnął oboje ramieniem i wysłał na górę.

– Dobranoc, pchły na noc – zdążyły jeszcze powiedzieć i znikły, jakby ich nigdy nie było.

– Jak się czuje Jerzy? – spytała pani Bogusia, obstawiwszy najpierw nowo przybyłego licznymi talerzykami i dzbankami.

Doktor Brudzyński skrzywił się lekko i wzruszył ramionami.

– Bez zmian, Bogusiu. W każdym razie zasnął. Liza go pilnuje. Śpi w pokoju obok i budzi się na każdy szmerek. Tak w każdym razie mówi. Pani Klaro...

– Klaro...

– Dobrze, Klaro. Ja jestem Jacek. Słuchaj, co ja ci będę bajki opowiadał. Twój ojciec, jak na moje wykształcenie, a właściwie nasze, bo i kolegów onkologów... przede wszystkim ich... no, niewiele już możemy mu pomóc. W sensie leczenia. Zostaje opieka paliatywna. Znasz to pojęcie?

Klara kiwnęła głową. Czuła się dziwnie. Czwórka zebranych tu osób, które dopiero co poznała, martwi się losem jej ojca bardziej niż ona sama.

– Dobrze. No więc Jerzy, twój ojciec...

Co on tak z tym ojcem i ojcem...

– Jerzy dostaje w tej chwili spore dawki morfiny, które pozwalają mu przetrwać bez bólu. Słuchaj, jeśli chcesz, to ja ci opowiem dokładnie, na co choruje twój ojciec, co mu nowotwór zaatakował i tak dalej, ale na razie chcę, żebyś wiedziała, że naprawdę... naprawdę zrobiliśmy wszystko, co w ludzkiej mocy, żeby go z tego wyciągnąć. Czasami wola walki pozwala choremu zwyciężyć, ale twój ojciec... on nie ma woli walki. W którymś momencie się poddał, a my nie wiemy, kiedy to nastąpiło.

– To jest dla was ważne – skonstatowała Klara jakby ze zdziwieniem.

– Dziewczyno, to jest dla nas niezwykle ważne. I wcale nie tylko ze względów zawodowych. Twój ojciec jest moim najlepszym przyjacielem i mistrzem, odkąd tu przyjechałem. Niby niedawno, trzy lata temu, ale uwierz mi, od początku traktował mnie jak syna.

Uśmiechnęła się blado.

– To tak jakbyśmy byli bratem i siostrą. Tylko że ty znasz naszego ojca o trzy lata dłużej ode mnie.

Jacek machnął ręką.

– To też jest temat na dłuższą pogawędkę. Ale najpierw musisz z nim pogadać. Dobrze, że przyjechałaś...

– Myślisz... wy myślicie, że gdybym przyjechała wcześniej, to on by miał tę wolę walki?

Zbiorowe psyknięcie. Jego sens wyjaśniła pani Bogusia.

– Przestań, dziewczyno! Jak mogłaś przyjechać wcześniej, skoro nic nie wiedziałaś! Bardzo dobrze, że teraz jesteś. Słuchajcie, na zasadnicze rozmowy przyjdzie czas jutro i pojutrze, i kiedy chcecie, ale bezwzględne pierwszeństwo ma Jerzy. Klaro, ty już wiesz, gdzie śpisz, łazienka dla gości jest obok twojego pokoju, ręczniki i całą resztę masz przygotowaną. Chłopcy, wam pościeliłam na poddaszu. Jacek, zostaniesz?

– Nie, Bogusiu, pędzę do domu. Nie zapominaj, że ja nie jestem na urlopie.

– Powinieneś go w końcu wziąć, bo się wykończysz. Będę musiała zrobić ci nieduże pranie mózgu, bo sam nigdy się nie zdecydujesz! Tylko dzisiaj już mi się nie chce. Może jednak zostaniesz? Kanapa w stołowym!

Jacek objął ją serdecznie i pocałował w czubek głowy.

– Patrz, Klaro, taka jest nasza ciocia Bogusia. Wszystkich kocha, wszystkimi by się zaopiekowała. Nie, Bogusiu droga, teraz jeszcze mam odrobinę silnej woli, pojadę. Rano byłoby gorzej. Trzymajcie się. Będę u was wieczorkiem. Albo popołudniem nawet. Pa.

Klara poszła do swojego pokoju na piętrze i z przyjemnością stwierdziła, że posiada on balkon wychodzący na południowy wschód, czyli na stronę z widokiem. Stanęła na balkonie i poczuła świeży powiew od lasu. Góry stały jak poprzednio, tylko księżyc się przesunął.

Trudno w to uwierzyć, ale jeszcze wczoraj rano nie miała pojęcia o istnieniu tych wszystkich ludzi – z umierającym ojcem na czele.

Lieschen Schumacher obudziła się z dziwnym uczuciem, że coś się stało, ale ona tak do końca nie wie, co. Nie otwierając oczu, zaczęła myśleć. Leżała w miękkiej pościeli pachnącej lawendą. Tak nie pachniała ani pościel w domu, ani w Bad Polzin. Dokoła panowała cisza, więc na pewno nie była w Bad Polzin, bo tam zawsze gdzieś w tle słychać było harmider dziecięcych głosów, postukiwanie wiader, które nosiły z sobą sprzątaczki, albo szczekanie psów trzymanych w wartowni u wjazdu do ośrodka.

Dom?

Lieschen usiadła gwałtownie na łóżeczku i na chwilę aż straciła oddech.

Nie ma domu. Bomba na niego spadła. Nie ma domu i nie ma nikogo.

Dziewczynka poczuła oszołomienie, tak jak wczoraj, kiedy dowiedziała się wszystkiego. Rozejrzała się i zobaczyła różowy dziecięcy pokoik pełen zabawek. Lalka Elżunia leżała przy niej na poduszce, a lalka Lieschen siedziała na krzesełku obok i uśmiechała się.

Prawda. Wysoki oficer przywiózł ją samochodem. To znaczy, że tu będzie teraz mieszkać, z tymi obcymi ludźmi? Że naprawdę nie będzie mamy ani dziadków...

Chciała się rozpłakać, ale nie mogła. Coś dławiło ją w gardle. Chciała zawołać, ale i to jej się nie udało.

Na szczęście otworzyły się drzwi i weszła przez nie kobieta, która wczoraj się nią opiekowała. Zobaczyła, co się dzieje, podbiegła do łóżeczka i mocno potrząsnęła dziewczynką.

Lieschen odzyskała oddech, wciąż jednak nie mogła mówić.

– Nie bój się, kruszyno – powiedziała kobieta ciepło. – Nic ci się złego nie stanie. Popatrz na mnie. Ja jestem Hedwig. Tak będziesz do mnie mówiła. Teraz cię wykąpię, ubiorę, dam ci śniadanko... Pomału, pomału, przyjdzie dziad do dzieci.

– Jaki dziad? – wychrypiała Lieschen gotowa znów popaść w przerażenie.

– To tylko takie powiedzonko z mojego domu. Nie bój się. Nie ma żadnego dziada. Pomału, pomału, wszystko będzie jak należy.

Wzięła dziewczynkę pod paszki i postawiła na podłodze. Chciała ją przy okazji przytulić, ale mała była kompletnie sztywna. Mądra Hedwig postanowiła poczekać. Pomału, pomału...

Łazienka przy pokoju dziecięcym okazała się niewielka, ale wygodna, była w niej wanna z prysznicem, umywalka, mała toaletka z kilkoma szczotkami i grzebieniami (w szufladzie znajdowało się mnóstwo wstążek i kokard), kilka miękkich taboretów, wieszak na koszulę nocną i różowy szlafroczek dla małej dziewczynki. Na półkach leżały stosiki porządnie złożonych ręczników.

– Tu ktoś mieszka?

– Ty tu mieszkasz, kochaneczko. To twoja łazienka, twoje wszystko. Zrzuć tę koszulkę i wskakuj do wanny. Dzisiaj zrobimy tylko prysznic. A potem będziesz mogła kąpać się, ile dusza zapragnie. Podoba ci się tutaj?

Lieschen niepewnie skinęła głową. Tak, tu wszystko było zachwycające. Tylko co z tymi Niemcami, naprawdę teraz oni będą jej mamusią i tatusiem?

Hedwig najchętniej powiedziałaby jej całą prawdę i przy okazji dodała kilka komentarzy na temat, co ona sama myśli o Niemcach – jednak jako mądra kobieta, a przy tym obdarzona sercem, rozumiała, że tak małego dziecka nie ma co uświadamiać, a jeszcze w momencie, kiedy straciło dom i wszystkich, których kochało. Teraz trzeba dziecko ochronić, pomóc mu jakoś przejść przez to wszystko.

Zrobią z niej Niemkę, cholera. Cholera, na cholerę, zacholerowana!

W rodzinnym domu Hedwig nie używano nigdy żadnych „brzydkich wyrazów". Ta potrójna cholera była wyrazem naprawdę wielkich emocji.

No i trudno. Może tak jej było pisane. Tej małej.

Lieschen czyściutka, wykąpana, wypachniona i słodka, ze świeżo umytymi i uczesanymi w loki włosami, wyglądała jak mały aniołek z obrazka. Hedwig ubrała ją w popielatą bawełnianą sukieneczkę ozdobioną falbankami i naszytymi obficie różowymi kwiatkami. Trzeba będzie odrobinę zwęzić, zanotowała w pamięci. Szyła sukienki dla przyszłej córeczki państwa Widmannów „na dumajkę", jak to sama określała, bo przecież nie było wiadomo, jaka dziewczynka przyjedzie. No, łatwiej zwęzić, niż poszerzyć. Swoją drogą będzie teraz sporo zabawy z szyciem małych arcydzieł. Przy sukienkach dla dziewczynek można sobie poszaleć.

Przypięła do złotych loków kokardę z popielatej satyny z różowymi brzegami i postawiła Lieschen przed lustrem. Wieczna kobiecość, obecna nawet w tak młodej istocie, dała o sobie znać natychmiast. Mała rozpoznała siebie w złotowłosej królewnie w lustrze i aż zakryła rączkami buzię z zachwytu.

– Podoba ci się? To Hedwig uszyła, specjalnie dla ciebie. – Hedwig czasem mówiła o sobie w trzeciej osobie.

– Bardzo – szepnęło dziecko. – Moja babcia też umiała szyć.

Hedwig spostrzegła, że rozmowa wkracza na niebezpieczny grunt.

– A jaką sukienkę byś chciała dostać?

– Taką – Lieschen bez wahania wskazała na seledynową suknię lalki Elżuni. – Uszyjesz mi taką? I kapelusik?

– Takich kapelusików już dziś się nie nosi, ale podobną sukienkę ci uszyję, jeśli tylko mama pozwoli. Twoja nowa mama. Ale mama jest dobra i pozwoli na pewno.

Hedwig miała przykazane jak najczęściej mówić dziewczynce o nowych rodzicach, podkreślając, że są dobrzy, chcą dla niej dobrze, więc będzie jej dobrze i tak dalej. Robiła to z najwyższym obrzydzeniem, ale kontestowanie pańskich rozkazów byłoby kompletnie bez sensu. Dziecko nic by na tym nie zyskało, a ona sama mogłaby wiele stracić.

– Poczekaj tu na mnie chwileczkę, a ja zobaczę, czy już możemy iść do mamy i taty.

Hedwig wyszła z pokoju.

Lieschen postała jeszcze moment przed lustrem, a potem odwróciła się do swoich lalek.

– Elżunia, Lieschen, musicie być dzisiaj bardzo grzeczne. Ty, Lieschen, poznasz swoich rodziców. Mamusię i tatusia. Mamusia jest bardzo ładna, ale lubi płakać, więc musisz uważać, żeby jej nie zdenerwować. Elżuniu, ty niestety, będziesz od dzisiaj musiała zdjąć ten kapelusik. Takich się już nie nosi. Poza tym chyba jeszcze nie wiesz, ale już nie masz taty ani mamy, a jak się nie ma taty i mamy, to się jest sierotą. I nosi się żałobę. Nie mam dla ciebie żadnych czarnych rzeczy, ale jak wróci Hedwig, to ją poproszę, żeby ci coś uszyła, jak najprędzej. Powoli, powoli, przyjdzie dziad do dzieci.

❧

Wbrew własnym przewidywaniom Klarze nie tylko udało się zasnąć, ale spała mocno i smacznie. Obudziły ją szmery za drzwiami.

– Hej, kto tam chodzi? – zapytała, znając z góry odpowiedź.

– Klaro, poczwaro, chodź na śniadanie, bo dostaniesz lanie – zabrzmiało śpiewnie w dwugłosie i dał się słyszeć tupot nóg na schodach. Bliźniaki zbiegły z miejsca przestępstwa.

Klara mimo woli roześmiała się. Ciekawe, czy one zawsze mówią tylko wierszem? I czy wiedzą, co mówią, kiedy rymują „Klara-Putyfara"?

Wzięła szybki prysznic i zbiegła na dół. Przy stole w kuchni siedzieli już bracia EE (tak ich nazywała na własne potrzeby), ich ciotka, bliźniaki i sympatyczny mężczyzna wyglądający nie wiadomo dlaczego jak komplet do cioci Bogusi. Przedstawił się i rzeczywiście, okazało się, że jest jej mężem. Wczoraj źle się czuł i poszedł szybciej spać. Dziś o poranku jest jak młody bóg, oświadczył. Jak na młodego boga był jednak zadziwiająco małomówny.

Bliźniaki jadły grzeczniutko swoje jajka na miękko, trochę tylko paprząc żółtkiem po stole.

Minia i Kinio.

Nie, Kinio i Minia.

Nie, do diabła. Kinia i Minio.

Bogusia natychmiast zarzuciła Klarę mnóstwem propozycji, specjalnie polecając jajka od znajomych kur.

– Ty stara dętko, zjedz jajko na miętko – zamruczało któreś z bliźniąt.

– Bogusiu, jeśli uważasz, że to się na coś przyda, mogę im sprawić wciry – zaproponował mąż trochę bez przekonania.

– Zanim sprawisz wciry, umyj sobie giry – zamamrotał bliźniak od kompletu.

Znowu nie można ich było odróżnić, miały bowiem na sobie jednakowe kombinezoniki w szkocką kratkę.

– Nie, Kaziu, nie warto. Tylko się zasapiesz.

– My ich możemy stłuc – zaofiarował się w imieniu swoim i brata Egon. – Będzie jeden na jednego. A my na pewno się nie zasapiemy...

Bliźniaki nie wyglądały na przestraszone.

– Dziękuję za dobre chęci. Jak już nie będzie innego wyjścia, to was poproszę o pomoc. Klaro, one ci bardzo dokuczyły?

– Jeszcze wytrzymuję – uśmiechnęła się Klara. – Bogusiu, jak wy je odróżniacie?

– W kąpieli – zaśmiała się z kolei zapytana. – Uparły się na jednakowe ubrania, a Kinia za nic w świecie nie chce nosić sukienek. Twoje jajka. Czterominutowe. Jedz na zdrowie. Chleb upiekł się w automacie, ale jest całkiem dobry. I świeży. Masło też sama robiłam. Tylko żebyś nie myślała, że ja tak codziennie. To było na twoją cześć. Może jeszcze parę razy się poświęcę, jeśli zostaniesz dłużej. Na co gorąco cię namawiam...

Klara już chciała powiedzieć, że raczej tego nie przewiduje, ale w tym momencie ktoś zadzwonił do drzwi wejściowych, a dwie sekundy potem zapukał do kuchennych i nie czekając na zaproszenie, wszedł.

Niezbyt wysoki, ewidentnie po pięćdziesiątce, bardzo szczupły, z ostrymi rysami. Kształtną czaszkę miał ogoloną do zera, przez co jeszcze bardziej uwydatniały się bystre szare oczy okolone mimicznymi zmarszczkami. Mimo ciepłego poranka miał na sobie ciepły sweter.

Jego przybycie wywołało wśród obecnych coś jakby ledwie zauważalny impuls elektryczny, po którym błyskawicznie wszystko zrobiło się jak przedtem. Szczęśliwa rodzinka przy śniadaniu z miłym gościem.

– Dzień dobry – powiedział nowo przybyły. – Wiem, że powinienem grzecznie poczekać, ale nie wytrzymałem. Dacie mi jakiejś herbaty?

– A śniadanie jadłeś? – Niezawodna Bogusia zareagowała odruchowo. – Wszystkiego ci dam. Jajka są na tapecie. Siadaj.

– Bogusia, nasza kochana mała mateczka. Wszystkich nakarmi, o każdego zadba. Dawaj te jajka. Liza coś mi tam wpychała do gęby, ale się oparłem. Czy ta piękna dziewczyna to właśnie Claire?

Udawał swobodę, ale oczy mu spoważniały, a kącik ust drgał ledwie dostrzegalnie.

– Klara – poprawiła go Bogusia. – W Polsce nazywamy ją Klarą. Klaro, to jest pan Jerzy Dzierzbowski...

– Znaczy, mój ojciec – skonstatowała spokojnie Klara.

– Zaimponowałaś mi kolejny raz. Pierwszy raz, kiedy usłyszałem, jak szybko zdecydowałaś się przyjechać, a drugi raz w tej chwili. Masz charakter, dziewczyno.

– Dziękuję. I co zrobimy z tym moim charakterem?

– Damy mu kwadrans wolnego, dobrze? Zjadłbym te Bogusine jajka. A potem zaproszę cię na kawę do mojego domu i odbędziemy zasadniczą rozmowę. Nie boję się ciebie ani twojego charakteru. Co ty na to?

– Bardzo dobrze. Wcale nie trzeba mnie się bać. Proszę spokojnie zjeść śniadanie.

Kolejne jajka wjechały na stół, bliźniaki zostały delikatnie, acz stanowczo usunięte na podwórko i przy stole potoczyła się rozmowa na temat urody Bretanii. Egon i Erwin jako neofici chwalili tę krainę „na końcu świata" z wielkim zapałem. Klara wtrącała czasem jakieś informacje i precyzowała szczegóły.

Kiedy ostatecznie uznano posiłek za zakończony, wszyscy obecni dyskretnie odetchnęli z ulgą.

– Pozwólcie, że nie będziemy z Klarą odsiadywać tego pysznego śniadania – powiedział Jerzy Dzierzbowski, ocierając usta serwetką. – Bogusiu, Kaziu, wybaczycie nam. Nie macie innego wyjścia. Zabieram Klarę. Na razie bez bagaży, bo nie wiem, czy zechce pomieszkać ze mną. Chłopcy, nie podziękowałem jeszcze, ale wiecie, jak bardzo jestem wam wdzięczny. Klaro?

Dziewczyna skinęła głową. Ten jej ojciec też najwyraźniej ma charakterek i jest przyzwyczajony do komenderowania. Proszę bardzo, czemu nie, niech sobie trochę pokomenderuje. Jej to nie przeszkadza.

Wyszli przed ganek i dopiero teraz Klara zobaczyła to, czego w nocy nie widziała wyraźnie. Polana, na której stały oba domy, była w tej chwili zakwitającą łąką. Jej środek przecinała droga, którą przyjechali. Do domu Bogusi i Kazimierza biegło jej małe odgałęzienie, ona zaś zwężała się znacznie, wchodziła w las i prowadziła wyraźnie w dół, stając się kamienistą ścieżką. Klara zauważyła, że na drzewie tuż przy wejściu w ścieżkę namalowany jest czarno-biały pasek, który słusznie odczytała jako oznakowanie dla turystów.

Pośrodku polany stała willa ze sczerniałego drewna, na kamiennej podmurówce. Miała niewielki ganek od południowej strony, za to z boku, na wysokości piętra, najwyraźniej nad garażem wpasowanym w parter, dobudowano piękny drewniany taras. Taras był otwarty na góry, a od strony dojazdu osłaniała go potężna korona starego dębu.

Nad gankiem przymocowana była duża deska z drewna równie starego jak sam dom. Napis na niej głosił: *Villa Klara*.

– To nie ja ją tak nazwałem – odezwał się Jerzy Dzierzbowski, widząc, na co patrzy jego córka. – Przeciwnie, kupiłem ją właśnie dlatego, że tak się nazywała. Uznałem to za dobry omen. Dobrą wróżbę. Ma ze sto pięćdziesiąt lat. Poprzedni właściciele zrobili gruntowny remont, wymienili instalacje, ja też dodałem kilka udogodnień. Podoba ci się?

– Bardzo. Ten taras jest śliczny. Musi być z niego piękny widok, prawda?

– Prawda. Zapraszam cię tam na kawę. Chyba że chcesz najpierw zobaczyć dom. Ale Liza na pewno już przygotowała wszystko i będzie rozczarowana, jeśli kawa nam wystygnie...

– Kto to jest Liza?

– Moja sublokatorka. Starsza pani, trochę, powiedziałbym, nietypowa, ale spokojna i nieszkodliwa. Kolekcjonuje lalki. Nie żadne zabytkowe, tylko takie zwyczajne. Może kiedyś ci je pokaże.

– Ty je widziałeś?

– Tak, widziałem. No i patrz. Pewnie czekała na nas i obserwowała, czy już wracamy.

Na tarasie, z którego roztaczał się widok nadzwyczajnej piękności, stały dwa małe stoliki z wikliny i kilka wiklinowych foteli nakrytych barwnymi kilimkami. Zastawa pochodziła albo od jakichś bardzo dawnych właścicieli, albo z antykwariatu. Delikatne kwieciste filiżanki, podobny dzbanek z parującą kawą i talerzyki. Patera pochodziła wyraźnie z innego kompletu, ale też wydawała się stara. Leżały na niej świeżo upieczone ciasteczka z makiem i marmoladą.

– Nie wiem, jak ona to robi – powiedział Jerzy Dzierzbowski z nutką podziwu. – Sypie tymi ciasteczkami jak z rękawa. Zdaje się, że przygotowuje jakieś wielkie ilości ciasta, a potem je zamraża. Można tak?

– Można. My też tak robimy. To wygodne. I co, będziemy tak cały czas rozmawiać o Lizie i jej ciasteczkach?

Ojciec nalał kawy do dwóch filiżanek, podsunął Klarze cukier i mleko. W jego szarych oczach widniało zakłopotanie i coś jakby lęk.

– Przepraszam cię – mruknął. – Nie potrafię zacząć. Ciągnąłem cię przez pół Europy właściwie tylko dla tej rozmowy, a nie umiem jej zacząć. Może ty spróbuj?

Wydał się Klarze sympatyczny w tym zakłopotaniu. W ogóle wydawał jej się sympatyczny, od początku. Jakiś taki spokojny i zrównoważony, choć jednocześnie pełen wewnętrznego autorytetu – trochę tak jak tata Vincent. Tylko że Vincent jest zdrowy jak ryba, a ten tutaj ciężko chory i podobno wkrótce umrze. Szkoda go.

– Nie przejmuj się – powiedziała. – Rozumiem. Każdy się czasem zawiesza. Ale ja ci dużo nie powiem. Tyle że nie wiedziałam nic o tobie, bo tak postanowiła moja mama. Mój tata, znaczy tata Vincent, wiedział, że jestem nie jego. Dla niego to nie ma wielkiego znaczenia, powiedział, bo mnie i tak kocha. Ja jego też. On jest najlepszym ojcem na świecie. Przepraszam, że ci to mówię...

– Nie szkodzi. Dobrze, że mi to powiedziałaś. Ja się cieszę.

Nie zrozumiała i spojrzała na niego pytająco.

– Cieszę się, że dobrze trafiłaś, że masz kochającego ojca. Rozumiem, że masz w nim oparcie na dobre i na złe, na całe życie. Ojciec powinien być oparciem dla swojego dziecka. Słuchaj, Klaro, przysięgam ci, że chciałem cię kochać i chciałem być dla ciebie oparciem, ale twoja mama nie dała mi szansy. Czy mogę ci opowiedzieć, jak to wygląda z mojej strony?

Kiwnęła głową.

– Kochałem twoją mamę, naprawdę. Oboje byliśmy wtedy studentami, ja już prawie kończyłem, ona zaczynała. To były niespokojne czasy, na pewno wiesz. Solidarność, stan wojenny i tak dalej. Twoja mama bardzo się angażowała w różne akcje, protesty, redagowanie gazetek, ulotki, całą tę rewolucję. Miała bardzo określone poglądy. Nienawidziła czerwonych. A ja, widzisz, nie potrafię nikogo tak do końca nienawidzić. I w ogóle nie nadaję się na rewolucjonistę. Ewa, twoja mama, źle mnie oceniła na początku, bośmy się spotkali na takim ściśle tajnym zebraniu u koleżanki z mojego roku. Jeszcze przed stanem wojennym. Chodziło o przechowanie rozmaitej bibuły. Paryska „Kultura", jakieś książki, druki. Zaproponowałem, że się podejmę. Miałem wtedy stancję u ciotki policjantki, a właściwie milicjantki, ona była psycholożką i zajmowała się dziećmi, które uciekły z domu albo były bite, no wiesz. I ona mieszkała na osiedlu milicyjnym, więc raczej nie było szans, żeby ktoś szukał tam bibuły. Zapchaliśmy ciotce całe mieszkanie nielegalnymi papierami. Gdyby ją ktoś złapał, natychmiast poleciałaby z pracy i nie wiadomo co jeszcze. No i przy tej okazji zakochałem się w Ewie jak wariat. Wyglądało na to, że ona też.

A potem przyszedł stan wojenny. Ja akurat robiłem dyplom. Ewa zaangażowała się jeszcze bardziej, choć wydawało mi się, że bardziej już nie można. Chciała, żebym też walczył. Klaro, przykro mi, ale ja nie jestem waleczny. Ludzie rodzą się wojownikami albo nie. Ja nie. Ja umiem pracować, jestem wytrwały, ale gonić z szabelką do boju, przepraszam, nie. No i okazało się, że dla twojej mamy to jest, niestety, wartością nadrzędną i jeśli ja nie chcę iść z wypiętą piersią na barykady, to znaczy, że nie jestem mężczyzną. Jak miałem jej wytłumaczyć, że dla mnie męskość polega na czymś innym? Ona chciała się bić dla ludzkości, a właściwie dla wolnej Polski, bo tak to rozumiała. Ja chciałem dla tej samej ludzkości pracować. Chciałem mieć rodzinę, dzieci, dbać o nie, kochać, bawić się z nimi w „koci, koci, łapci", a potem pokazać im świat. Chciałem je wychować na dobrych ludzi, niekoniecznie na wojowników. A przede wszystkim chciałem być z Ewą i żebyśmy razem tę rodzinę pielęgnowali i hołubili...

Klara nie wiedziała, co to znaczy „hołubić", ale nie chciała ojcu przerywać.

– Gdyby ktoś uchybił komuś, kogo kocham, pewnie potrafiłbym dać mu w mordę. Ale te wszystkie konspiry, podchody, ściśle tajne spotkania... to nie dla mnie. Czy jestem przez to dużo gorszy? Ewa uważała, że tak.

– A mnie się wydaje... wiesz, to zabawne, ale ty jesteś dość podobny do mojego taty Wicka. On też lubi pracować i lubi rodzinę. Mnie i Marianne bardzo kocha. Mamy na Île-de-Sein, to taka wyspa, bistro i coś w rodzaju pensjonatu, kilka pokoi gościnnych. Tato sobie wymyślił, że kiedyś, jak Marianne wyjdzie za mąż, to założymy wspólną firmę turystyczną, bo jej chłopak, znaczy Marianne, będzie miał po rodzicach hotel w Audierne. Ja też mam chłopaka, Hervé, też z mojej wyspy. Ale ja jeszcze robię swetry na drutach, takie gobelinowe, artystyczne, i mam pracownię jubilerską, malutką. Zrobię dla ciebie korrigana, żeby cię pilnował.

– Korrigana?

– Ze srebra. Korrigany to są takie bretońskie stworki. Duszki. Patrz!

Zdjęła z szyi medalion panów Pourbaix i pokazała ojcu. Wziął go w rękę i przyjrzał się dokładnie.

– To ty robiłaś? Piękne. A serduszka dwa, to twoje i Hervé?

– Nie, to mi podarowali moi nauczyciele, jak odchodziłam. Jubilerzy, ojciec i syn. Bardzo się polubiliśmy. A teraz ja też potrafię takiego zrobić.

– Zdolna dziewczynka.

Uśmiechał się też bardzo sympatycznie. Klara poczuła, że zaczyna lubić tego swojego prawdziwego ojca. Chociaż cóż to znaczy „prawdziwy"? Biologiczny? To brzmi okropnie.

– Jeśli uważasz, że jestem podobny z charakteru do twojego bretońskiego taty, to wybacz, ale mam ponure podejrzenie, że on też twoją mamę rozczarował... Nie powinienem tego mówić.

Klara machnęła ręką.

– Jesteśmy dorośli. Mama w ogóle jest rozczarowana życiem. Ale to moja mama. Czasem myślę, że jest nie bardzo szczęśliwa.

– Przykro mi. Nie chciała się zgodzić na takie szczęście, jakie jej proponowałem, a ja nie umiałem dać jej niczego więcej. A twój tato jest szczęśliwy?

Klara zastanowiła się i odrzekła nieco pokrętnie:

– Mój tato umie być szczęśliwy.

Jej ojciec roześmiał się szczerze.

– Co za dyplomatyczna odpowiedź! Cóż, ja też trochę się tego nauczyłem. Chociaż nigdy nie założyłem rodziny, właściwie to nawet nie wiem dlaczego, bo jakieś tam kobiety kochałem...

– No wiesz! – W Klarze obudziła się feministka. – Jakieś tam kobiety!

– Żadna nie była podobna do twojej matki i z żadną mi się ostatecznie nie ułożyło. Może to ja jestem felerny...

– Jaki?

– Felerny, wadliwy, nie taki, jak trzeba. Czegoś mi tam brak. Nie żałuj mnie, dziecko, nauczyłem się doskonale z tym żyć. Nie umiałbym żyć inaczej.

– A... z mamą?

Potrząsnął głową.

– Daj spokój. Już dawno nie jesteśmy tymi samymi ludźmi co kiedyś. Żałuję tylko jednego. Że moją córkę wychował obcy facet. Pociesza mnie, że jest to miły facet, który ją kocha i którego ona kocha. Więc ma szczęśliwe życie. Klaro, masz mi za złe, że ci to życie zakłóciłem?

Pokręciła głową przecząco.

– Nie myśl o tym w ten sposób. Nie zakłóciłeś. Nic złego się nie stało. To znaczy, ja nie czuję, że mi coś zabrałeś. Nie wiem, czy dobrze mówię po polsku...

– Mówisz doskonale. Masz śliczną wymowę, trochę francuską, i bardzo ładnie zaokrąglasz samogłoski.

– Co robię?

– Nieważne. Rób to dalej. Kto cię ćwiczy w polskim? Mama?

– Raczej babcia. Strasznie krzyczy, kiedy przekręcamy, ja i Marianne.

– No, ja nie będę krzyczał, bo mnie to bawi...

– Nie jestem zabaweczką!

– Oczywiście, że nie. Ale mnie już niewiele rzeczy bawi, więc przekręcaj, ile wlezie...

W tym momencie Kinia i Minio, podsłuchujący pod tarasem, bardzo już chcieli rzucić jakimś wierszykiem (na przykład „Nie przekręcaj, Klaro, francuska poczwaro"), ale pomni straszliwych gróźb padających zewsząd, na wypadek gdyby zakłócili spokój sąsiada – z wielkim żalem dali spokój.

❦

Nowa mama Lieschen Schumacher okazała się bardzo miła. Mówiła wprawdzie po niemiecku, ale jakoś tak, że Lieschen ją rozumiała. Pokazała dziewczynce całe wielkie mieszkanie – miało chyba sześć pokoi, a jeden ładniejszy od drugiego. Lieschen zrozumiała, że pokój dziecinny jest jej, ale może wszędzie chodzić, tylko do sypialni rodziców musi wpierw zapukać. Ogromna kuchnia była królestwem Hedwig i też było w niej mnóstwo interesujących rzeczy. Wielkie miedziane rondle i patelnie, ostre noże (nie wolno dotykać!), jakieś maszynki do mięsa i warzyw, formy do ciast, miski, talerze, dzbanki i tysiąc innych przedmiotów. W kącie stała maszyna do szycia i szafka z materiałami. Hedwig mogła więc jednocześnie szyć i doglądać obiadu. Nie było obawy, że ubrania nabiorą zapachu gotujących się dań, bo nad płytą wisiał duży, nowoczesny wyciąg.

Hedwig stała nad stołem, miała umączone ręce i lepiła pierogi z mięsem.

Ten widok przypomniał Lieschen kuchnię w domu pod górą Dorotką, w Grodźcu. I babcię Janię, i babcię Helę – obydwie umiały robić pierogi równie zgrabnie jak Hedwig. Mama też umiała...

Po raz pierwszy od usłyszenia strasznej wiadomości o bombie i drugiej strasznej, o tacimku, Lieschen się rozpłakała. Przez chwilę była dawną Elżunią, której życie wyrządziło okropną, niezasłużoną krzywdę. Hedwig rzuciła się na pomoc, ale nowa mama odsunęła ją stanowczo i sama przytuliła szlochającą dziewczynkę. Coś do niej długo po niemiecku mówiła, ale mała zrozumiała tylko tyle, że nowa mama też miała kiedyś córeczkę i już jej nie ma, więc teraz one dwie będą zawsze razem i już nigdy nie będzie im źle. Potem mama też się rozpłakała. Potem przyszedł nowy tata i opiekuńczym gestem objął obydwie łkające istoty. A jeszcze trochę potem Elżunia przestała płakać i na dobre stała się Lieschen.

∽

– Przepraszam, że przeszkadzam. – Twarz Egona Zacharzewskiego ukazała się tuż nad podłogą tarasu, pomiędzy tralkami. – Tak się zagadaliście, że nie zauważyliście mnie wcześniej. Szedłem specjalnie hałaśliwie. Ciocia Bogusia prosi na obiad. Po polsku. Rosołek z kury i kura w potrawce. Należy się pospieszyć, bo jak się rosół zagotuje, to mu się coś tam zrobi. Tak powiedziała ciocia. Mówiła jeszcze o domowych kluskach i placku z rabarbarem.

Klara i jej ojciec istotnie zagadali się bardzo porządnie. Ona zdążyła opowiedzieć o wyspie, o rodzinie i knajpce *Chez Marianne*, o swoich studiach, nauce u jubilera i domowym kursie robótek na drutach Madame Marivon. On zrewanżował jej się opowieścią o swoim życiu, które składało się głównie z pracy. Nie narzekał jednak. Z tego, co mówił i jak mówił, wyciągnęła wniosek, że nigdy nie był i nie jest tchórzem ani gamoniem. Jego waleczność jednak polega zupełnie na czymś innym niż to, co ceniła sobie jej matka. No i nie znosił niepotrzebnego gadania o karabinach, bicia piany i ględzenia o Maryni (wszystkie te określenia były dla niej nowe, ale w mig je sobie przyswoiła).

Genetyka przemówiła. Ojciec i córka polubili się w ciągu trzech godzin pierwszej w ich życiu rozmowy. Wyglądało na to, że mają całkiem podobne charaktery.

Okrutnym paradoksem natomiast było to, że ojciec właśnie umierał.

Klara zaczynała odczuwać przykry ucisk w sercu, kiedy o tym pomyślała.

– Ciocia czeka – przypomniał Egon. – I pozwolę sobie zauważyć, ciocia przewidziała, iż pan Jerzy zacznie się wykręcać i powie, że teraz chciałby odpocząć. Ciocia mówi, że odpoczynek jeszcze się nie należy. Po obiedzie, powiedziała. W razie trudności kazała mi pana wziąć na plecy.

– A nie kazała mnie przedtem ogłuszyć? – spytał nieco kwaśno, ale wstał od stolika. – Radzę ci, Klaro, słuchać cioci Bogusi. Ona ma zawsze rację. Może bym się zresztą opierał, ale Egon jest silniejszy i naprawdę mógłby mi dać w łeb.

Rosół z domowym makaronem nie zdążył zmętnieć. Był wspaniały, podobnie jak delikatna potrawka z kury, młode ziemniaki i sałata z ogórkami i śmietaną. Bogusia miała wielką ochotę już przy rosole podpytać, jak idą rozmowy, ale powstrzymała się bohatersko, uznając, że nie wypada. Niech zainteresowani sami wydadzą komunikat.

Przy placku z rabarbarem zlitował się Jerzy.

– No dobrze, widzę, że niedługo popękacie z tej niezdrowej ciekawości. Klaro, powiemy im, co i jak, czy zachowamy daleko idącą dyskrecję?

– Proszę bardzo, możemy powiedzieć. – Klara zgodziła się ochoczo. – Ty mów, a ja będę jadła ten placek. Nigdy nie schudnę. Trudno.

Odkąd bracia Zacharzewscy przywieźli jej wiadomość, czuła na sercu wielki kamień. Wielki. Może nie było to jakoś specjalnie długo, ale kamień ważył swoje. W ciągu pierwszej godziny rozmowy z odzyskanym ojcem (należałoby mu nadać numer jeden czy numer dwa?) ten kamień spadł jej z serca i rozsypał się w proch. Nowy ojciec nie wysuwał żadnych żądań ani pretensji, nie miał do niej żadnego żalu... Wyglądało nawet, że nie ma żalu do matki, chociaż uczciwie trzeba przyznać, że zrobiła mu straszne świństwo. Obu im zrobiła świństwo, a udało jej się przede wszystkim dlatego, że obaj ją naprawdę kochali. Który to ojciec powiedział, że najłatwiej zranić tego, kto cię kocha?

No tego jeszcze brakowało, żeby zaczęła mylić ojców! Oczywiście, że tata Vincent to powiedział.

Tata Jerzy tymczasem krótko podsumował sytuację. Jest dobrze. Rozmowy dały rezultat. Sytuacja jest dynamiczna, jak powiadają nasi politycy, kiedy nie mają nic do powiedzenia. Klara postanowiła zostać tydzień lub nawet dwa, żeby mogli lepiej się poznać, potem wróci do Bretanii, ale niebawem znowu przyjedzie. Może w połowie sierpnia, kiedy w Bretanii właściwie kończy się sezon.

Jest prośba do któregoś z braci, żeby pomógł jej przenieść rzeczy, bo Klara zamieszka w willi noszącej jej imię. Taras jej się spodobał. A jeśli towarzystwo pozwoli, to on, Jerzy Dzierzbowski uda się teraz na małe spanko. Jest bowiem zmęczony życiem i schorowany. A wy sobie róbta, co chceta.

❧

Lieschen Schumacher nazywała się teraz Elisabeth Widmann. Rodzice tak postanowili i załatwili wszystko, co trzeba, w urzędach, żeby mogła pójść do szkoły z nowym nazwiskiem. Mieszkała już rok z niemieckimi rodzicami, nauczyła się nieźle mówić po niemiecku, przyzwyczaiła do wielkiego miasta Drezna. Mama i tata pokazali jej piękne pałace, ogrody i szerokie ulice. Bardzo lubiła, kiedy siadali razem w którymś z kawiarnianych ogródków i zamawiali ciastka i oranżadę. Czasami przygrywały tam małe orkiestry. Grały piękne walce, miłe i wesołe melodie. Kiedy było zimno, życie ogródkowe przenosiło się do wnętrza kawiarni, a tam grywał przeważnie jakiś pianista. Najważniejsze, że była muzyka. Lieschen lubiła muzykę.

Miło było też bawić się z mamą w domu, na przykład klockami. Siadały obie na podłodze, wysypywały z kosza stos drewnianych klocków i budowały zamki, pałace albo całe miasta. Ustaliły sobie taką regułę, że zawsze muszą być wykorzystane wszystkie klocki, co do jednego. Czasem wymagało to zmiany koncepcji już pod koniec budowy. Kiedy tato był w domu, a często wyjeżdżał służbowo, chętnie uczestniczył w budowaniu z klocków.

Lalkami bawiły się jednak bez taty, we dwie. Lieschen miała teraz mnóstwo lalek, którym Hedwig szyła śliczne sukienki na zmianę. Tylko dwie lalki, Elżunia i Lieschen, nie brały udziału w zabawach. Siedziały sztywno na półce i obserwowały sytuację. Lieschen-dziewczynka czasem z nimi rozmawiała, tłumacząc im zawiłości świata, tak jak sama je rozumiała.

A rozumiała je tak, jak jej tłumaczono.

Ostatnio tato przyjeżdżał do domu w gorszym humorze niż zazwyczaj. Martwił się czymś, zamykał z mamą w pokoju i tam długo rozmawiali. Potem mówili Lieschen, że nie jest całkiem dobrze. Jest wojna – to już dawno wiedziała. Ale teraz dowiedziała się, że cała wojna jest przez Polaków. Ludzie giną – przez Polaków. Polacy wcale nie chcą, żeby na świecie było spokojnie i żeby każda mama mogła w spokoju bawić się klockami ze swoją małą córeczką. Polacy napadają na inne narody. Niemcy postanowili zrobić z tym porządek, sama rozumiesz, kochanie, że tak nie może być. Nie mogą Polacy napadać na wszystkich. No tak, ale Polacy też umierają, na dom w Grodźcu spadła bomba i wszyscy zginęli... Ale to była polska bomba, ona miała być zrzucona zupełnie gdzie indziej, na niemiecką fabrykę, tylko przypadkiem spadła na dom w Grodźcu. Nie martw się, kochanie, ty już nie jesteś Polką, jesteś Niemką i tak jest najlepiej na świecie, a my zawsze będziemy cię kochać, bo jesteś naszym słodkim małym skarbem.

Hedwig słuchała tego czasami i zaciskała zęby. Państwo polecili jej, żeby nie mówiła z Lieschen po polsku, ale ona tak bezlitośnie kaleczyła niemiecki, że z niesmakiem zabronili jej używania przy dziecku tego języka. Lieschen nie może nauczyć się takiej wymowy! Niech już sobie Hedwig mówi po polsku, ale jak najmniej. Tylko tyle, ile koniecznie musi, żeby się z małą porozumieć.

Jeśli chodzi o Hedwig, Lieschen odczuwała przedziwne rozdarcie. Z jednej strony to była Polka, więc powinno się jej nie lubić, a nawet nią gardzić. Słowo „pogarda" nie było jeszcze dla Lieschen całkiem zrozumiałe, ale wyczuwała jego znaczenie instynktownie. Z drugiej strony Hedwig była dla niej dobra i szyła takie piękne sukienki dla niej, dla mamy i lalek... Piekła pyszne ciasteczka, pozwalała sobie pomagać (ciasteczka roboty Lieschen zawsze można było rozpoznać po oryginalnym kształcie), a gdy robiła pierogi lub makaron, odcinała z rozwałkowanego ciasta podłużne skrawki, które przypiekała na gorącej blasze i dawała Lieschen. Nazywała je macą. Dziewczynka za nimi przepadała.

Były więc powody, żeby Hedwig lubić nadal.

Ale to przecież Polka, a Polacy są źli...

Czasem Lieschen zupełnie nie wiedziała, co powinna o tym myśleć.

∽

Po deserze, kawie i miłej pogawędce o niczym Egon i Erwin zaproponowali Klarze, że ją obwiozą po okolicy i pokażą różne piękne miejsca, ale podziękowała. Postanowiła resztę dnia spędzić z ojcem, nawet śpiącym, w jego domu. Na okolicę popatrzy dziś tylko z tarasu. Podziękowała Bogusi i wszystkim, wzięła swoją torbę i poszła do willi *Klara*.

Dom robił dziwne wrażenie, jak gdyby był niezamieszkany. Otwarte drzwi wpuszczały do ciemnawego korytarza powiew wiatru i odrobinę światła. Na staroświeckiej konsolce stał bukiet melancholijnych suchych róż przewiązanych spłowiałą wstążką. Lustro było tak zakurzone i stare, że już prawie nie odbijało wiszącego naprzeciwko górskiego pejzażu. Na podłodze leżał smętny szmaciany dywanik.

Z korytarza wchodziło się wprost do niewielkiego salonu, również ciemnawego –głównie z powodu ciężkich firan, którym towarzyszyły zakurzone zielone story. Meble, obrazy i bibeloty wyglądały tak, jakby Jerzy kupił je razem z domem. Zapewne od tamtej pory nie widziały ścierki do kurzu.

Może i dom był remontowany, przemknęło Klarze przez myśl, ale na pewno wymaga gruntownego wysprzątania... Te ciemne szmaty może się dopiorą, a jeśli nie, to tym gorzej dla nich – trzeba wymienić je na nowe, jasne i wesołe.

Czy wypada zaproponować to ojcu? Chyba niekoniecznie... w pierwszym dniu znajomości to tak jakby dać mu do zrozumienia, że jest flejtuchem.

Bzdury. Lekarz nie może być flejtuchem.

Usiadła w zaskakująco wygodnym fotelu w kolorze spranej zieleni i zasłuchała się w domową ciszę. Domowa cisza nigdy nie jest ciszą zupełną, zawsze coś skrzypi, tyka zegar, szumi w instalacjach. Tu było cicho prawie absolutnie. Tylko zza okien dobiegał śpiew jakiegoś ptaka.

Nasz dom jest jak nasza dusza, pomyślała Klara. Pokaż mi swój dom, a powiem ci, kim jesteś. Ten dom jest chory na smutek, a jeśli ojcu nigdy nie przyszło do głowy, żeby go zmienić, to znaczy, że ma chorą duszę.

Ciekawe, gdzie się podziewa tajemnicza Liza? Ojciec dał do zrozumienia, że ona jest lekko nienormalna czy coś w tym rodzaju. Nietypowa. Może się boi obcych. A może ich po prostu nie lubi.

Skrzypnęły cicho drzwi wejściowe. Jednak gdzieś tu jest?

To nie była Liza, tylko Jacek Brudzyński, wczoraj poznany lekarz ze szpitala ojca.

– Dzień dobry – powiedział niegłośno. – Jerzy odpoczywa?

– Dzień dobry. Tak, poszedł do siebie, chciał się przespać. A ja właśnie się przenoszę.

– Wiesz, gdzie jest twój pokój?

– No właśnie nie wiem. Ojciec śpi, Liza się nie pokazała. Ale to nie szkodzi, potem się wprowadzę. Mam tylko tę torbę.

– Nie zakładałaś, że tu dłużej pobędziesz?

– Nie, myślałam, że dwa, trzy dni.

– Pokażę ci twój pokój. Ja tu jestem prawie domownikiem, swój pokój też mam, czasami nocuję u Jerzego, zwłaszcza ostatnio. Ty się rozgościsz, a ja przez ten czas zrobię kawy. Masz ochotę?

Nie czekając na odpowiedź, wziął jej torbę i starając się iść cicho, wszedł na schody. Na piętrze był mały holik, dookoła którego Klara zobaczyła kilkoro drzwi. Jacek otworzył te w rogu i wpuścił ją przed sobą. Stanęła zachwycona, zobaczyła bowiem najmilszy pokój, jaki widziała w życiu.

Przede wszystkim miał aż trzy okna. Jedno na południowy wschód, dwa na południowy zachód, z tych ostatnich jedno to były właściwie drzwi balkonowe, wychodzące na ten wspaniały taras ze Śnieżką i głównym grzbietem Karkonoszy. Pokój był więc jasny, był też przytulny, choć spory, a co najważniejsze – świeżo wysprzątany... Okien nie przysłaniały ciężkie story i firany – wisiały w nich lekkie zasłonki z przezroczystej organdyny w pastelowe kwiatki. Staroświeckie metalowe łóżko z fikuśnymi zdobieniami zostało najwyraźniej odnowione i pociągnięte lakierem w kolorze kremowym. Szafa, stolik, dwa fotele, rozłożyste, wiekowe biurko pod oknem – wszystko było stare, ale pięknie odświeżone. Obicia na fotelach i liczne poduszki na łóżku uszyto również z materiału w tak zwaną łączkę.

Jacek stał i się uśmiechał.

– Inaczej niż reszta domu, co?

– Prześlicznie!

– Kiedy Jerzy zdecydował, że będzie cię szukał, a już był chory, poprosił Bogusię, żeby wyporządziła jeden pokój dla ciebie. Na wypadek gdybyś zgodziła się przyjechać. Dopiero kiedy pokój był gotów, posłał chłopaków do Francji. No dobrze, to za dziesięć minut w salonie.

Klara została sama. Nie ukrywajmy, trochę wzruszona. Ojciec chciał, żeby było jej przyjemnie, kiedy go odwiedzi. Jeśli odwiedzi. Nie miał przecież żadnej pewności. I ta Bogusia, prawdziwa przyjaciółka.

Zadzwonił telefon w torbie rzuconej na łóżko.

Tata!

Ale wstyd, sama powinna zadzwonić pierwsza!

– Halo, tatku!

– Halo, kochanie. Dzwonię, bo się trochę denerwuję. Co u ciebie?

– Tato, jestem świnka, wiem. Powinnam zadzwonić. Ale trochę jestem, no wiesz, oszołomiona. Wczoraj późno byliśmy na miejscu, a dziś na śniadanie przyszedł mój ojciec... o mamo, ale to głupio brzmi! Tatku, on jest w porządku, naprawdę...

– Mam być zazdrosny?

– Ani się waż! Ty jesteś najważniejszy, już ci mówiłam. Ale wiesz, ja się cieszę, że on jest w porządku, to jakoś przyjemniej mieć biologicznego ojca fajnego niż niefajnego...

– Przecież rozumiem. Też tak uważam.

– No właśnie. Wiedziałam. To po co mnie denerwujesz?! Tylko bardzo mi go szkoda, bo on naprawdę jest ciężko chory. Teraz śpi, ale gadaliśmy całe przedpołudnie. Wszystko ci o nim opowiem, jak wrócę.

– A kiedy planujesz powrót? Może posiedź tam trochę, w tej Polsce, my tu sobie jakoś w restauracji poradzimy. Łatwo nie będzie i wyciśniemy z ciebie wszystkie soki, jak wrócisz, ale skoro już tam jesteś...

– Tatku, uwielbiam cię jak wariatka.

– Ja ciebie też. Nie wzięłaś specjalnie dużo rzeczy, widziałem...

– Nie martw się, coś sobie kupię, chociaż mama mówiła, że w Polsce nic porządnego się nie dostanie...

– Podejrzewam, że to nie do końca prawda. Masz pieniądze na koncie, czy może ci trochę przelać?

– Mam, tatku, dzięki. Sprzedałam ostatnio dwa duże płaszcze, one są drogie. Jestem bogata.

– No dobrze, kochanie. Uspokoiłem się. Ale dzwoń do mnie, proszę!

– Tatku, przyrzekam, będę dzwonić codziennie. Zostanę tu jakiś tydzień, może dwa...

– Zostań miesiąc, może dwa. Nie spiesz się. Wykorzystaj ten czas, bo on go, zdaje się, za dużo nie ma.

– Mnie też się tak wydaje i serce mi się ściska. Ale patrz, jak się sprawdziło, co mówiłeś, że nic nie stracę, a mogę zyskać. No i mam... dwóch ojców.

– I bardzo dobrze. Ojców nigdy dość. Z mężami ci ten numer nie przejdzie. Chyba że zostaniesz muzułmanką...

– Tato! U muzułmanów jest odwrotnie!

– A, zapomniałem. No to trzymaj się, moja mała.

– Czekaj, a jak mama? I reszta?

– Reszta okay, a mama przeżywa.

– Ucałuj wszystkich. Tatku, kocham cię strrasznie!

– Pa, słońce moje.

Dwóch ojców!

Przypomniała sobie o czekającym w salonie Jacku i zeszła na dół. Jacek znalazł nie tylko kawę i poranne ciasteczka, ale małe puchate bułeczki i masło. Czyżby wszedł w konszachty ze ściśle tajną Lizą?

Bułeczki wyglądały pysznie, ale przecież Klara była dopiero co po obiedzie – znakomitym, obfitym i zakończonym deserem. Postanowiła zadowolić się kawą. Jacek spojrzał na nią trochę niepewnie i zajął się bułeczkami z dużym zaangażowaniem.

Podobnie jak wiele kobiet, w tym nowo poznana Bogusia, Klara obdarzona była instynktem małej mateczki.

– Jadłeś jakiś obiad?

– Szpitalny. Dawno. Proszę się nie martwić, te bułki wystarczą, żebym się dopchał. Zresztą są genialne. To Liza piecze. Klaro, mam propozycję, ponieważ ja teraz będę miał zapchaną gębę, ty mów, a ja będę milczał. Jak wam poszło?

– No, ty to jesteś bezpośredni – wymknęło się Klarze.

– Przepraszam. Jerzy to przyjaciel. Chcę dla was obojga jak najlepiej, więc ciekawość mnie żre. Dogadaliście się?

Klara kiwnęła głową z przekonaniem.

– Tak. Mnie się wydaje, że on jest w porządku.

– Żebyś ty wiedziała, jak bardzo w porządku! Ale to ty miałaś mówić.

– Co ja ci mogę powiedzieć? Gadaliśmy całe przedpołudnie aż do obiadu u Bogusi. On jest rozsądny i na szczęście nie ma takich pomysłów, żeby na przykład zostać moim jedynym tatusiem. Akceptuje sytuację. Cieszy się, że wreszcie się poznaliśmy. Pewnie też mu żal, że dopiero teraz. Ty skończ tę bułkę i opowiedz mi o nim.

– Będę podgryzał. Co chcesz wiedzieć?

– Dlaczego on nigdy nie założył rodziny? Pytałam, ale kręcił. Myślisz, że cały czas się kochał w mojej mamie?

– To możliwe, chociaż niesłychanie rzadko spotykane. Powiedział ci, że ożenił się z interną?

– Powiedział. Skąd wiesz?

– To jego maksyma życiowa. Kiedy pracuje, jest energicznym, bystrym facetem. Ma mnóstwo doskonałych pomysłów, diagnozy stawia w natchnieniu i prawie w stu procentach mu się sprawdzają, pacjenci go uwielbiają za jego pogodę i miły sposób bycia. Wraca do domu i staje się jak przekłuty balonik. Opowiadał mi kiedyś, że kiedy kupił tę willę, mniej więcej piętnaście lat temu, to miał sporo pomysłów na przyszłość, ale jakoś nic mu z tego nie wyszło. Został samotnym człowiekiem w pustym domu. Parę lat temu zjawiła się Liza i zamieszkała z nim razem. Mówił ci o niej?

– Do Lizy jeszcze nie doszliśmy. Ale czekaj, może on po prostu miał depresję?

– Miał. Nawet ją leczył jakiś czas.

– I co?

– I nic. Przestał, bo to nie dawało rezultatów.

Jacek wziął do ręki ostatnią bułeczkę, potrzymał ją chwilę i odłożył.

– Najadłem się, teraz pęknę. Słuchaj, Klaro, ja ci powiem, co o tym myślę, bo mnie to strasznie gryzie, odkąd go poznałem. Chyba że nie chcesz sobie głowy zawracać...

– Chcę. Mów.

– On by mnie opieprzył, gdyby wiedział, że ci to mówię. No więc po pierwsze, dokopała mu samotność, bo chciał mieć rodzinę i to mu się nie udało. A po drugie, dokopała mu świadomość, że ma gdzieś córkę, której nie widział na oczy. Tylko dlatego nie widział, bo jest, jaki jest. Bo matka tej córki preferuje inne charaktery niż jego. Dam sobie głowę uciąć, że bardzo, ale to bardzo chciał cię odszukać i zrezygnował ze względu na twój spokój. On miał taki swój mały wywiad, bo się od lat koleguje z jedną psiapsiółką twojej mamy, chyba nawet ona u was była kiedyś...

– Ciocia Jola? Miaskowska?

– Chyba tak. Jakaś Jola mu w każdym razie nadaje komunikaty. Dlatego ostatecznie wiedział, gdzie cię szukać. Pewnie by nawet nie próbował, ale zachorował i to mu uświadomiło, że życie go wyłącznie kopie, a on się poddaje...

– Mówił, że nie jest waleczny.

– W swoich sprawach. Dla siebie nie zawalczy o nic, a dla innych jak najbardziej, góry poprzenosi i powstawia w inne miejsca. W każdym razie... A, co ja ci będę bajki opowiadał, przyznam ci się. To ja go namówiłem, żeby cię znalazł. Nie można zawsze się poddawać. Każdemu z nas coś się należy od życia. Masz mi za złe?

Pytał z pewną pokorą, choć po jego oczach widać było, że jakby co, to będzie udowadniał swoje racje.

– Nie mam ci za złe. Bardzo dobrze zrobiłeś.

– No to mi ulżyło.

Niespodziewanie ujął jej rękę i pocałował.

– Dziękuję ci, że przyjechałaś. Nie mogłem już patrzeć, jak on się mota. Miota. A, nie wiem, jak to określić...

– Nie szkodzi, ja rozumiem...

Jacek potrząsnął głową.

– Nie wiesz wszystkiego. On sobie ubzdurał, że jest niepotrzebny nikomu. Ja mu tłumaczę, że pacjenci, że przyjaciele, że mnóstwo ludzi go kocha i potrzebuje, a on nic. Nic do niego nie docierało. Mówił mi o tym. Za każdym razem, jak wracał do pustego domu, to go chwytało za gardło.

– A Liza?

– Liza żyje na uboczu, poza tym ma swój własny świat. Tyle że jedzenie mu przygotowuje, sama się zresztą przy nim pożywi. Dzięki niej zaczął robić zakupy. Nie chciał, ale jak zobaczył, że ona taszczy torby chyba z kilometr, to się złamał. No i wozi. To wszystko. Sama widzisz, że jej tu praktycznie nie ma.

– Wiesz, jak tu weszłam dzisiaj... popatrzyłam, to pomyślałam, że ten dom ma chorą duszę... To głupie, nie?...

– Nie. Dokładnie tak jest.

∽

Nadeszło lato i rodzina Widmannów przeniosła się z wielkiego i gwarnego Drezna na wieś, do dziadków. Oczywiście, tato tylko odwiózł tam mamę i Lieschen (Hedwig też jechała, ale ona się nie liczyła jako rodzina), a sam zaraz wrócił do swojej wojennej pracy. Tak to w domu nazywano: praca.

Wieś Saalberg leżała w górach, na które rodzice mówili Riesengebirge. Kiedy Widmannowie tam zajechali swoim wspaniałym czarnym autem, zmierzchało już i Lieschen niewiele zobaczyła, zwłaszcza że była bardzo zmęczona. Spotkanie z nowymi dziadkami, panią i panem von Trota, okazało się całkiem przyjemne. Dziadkowie ucieszyli się i wyściskali serdecznie swoją nową wnusię.

Rano, kiedy mama z Lieschen wstały, pyszne śniadanie już czekało. Hedwig wstała o wiele wcześniej i upiekła bułeczki. Było też świeże masło, jajka, mleko, a nawet kakao. Była też piękna pogoda, świeciło wspaniałe słońce, a nowo poznany dziadek obiecał po śniadaniu spacer do lasu.

Dziadek miał na imię Hans, a babcia Margarete, więc śmiali się, że są Hansel i Gretel z bajki, tylko w starszym wieku. Babcia Gretel opowiedziała tę bajkę i Lieschen wydało się, że już ją skądś zna, tylko w bajce, którą ona znała, byli Jaś i Małgosia. Ale babcia stanowczo powiedziała, że nie. Jest tylko jedna bajka braci Grimm: „Hansel i Gretel".

Musiało się Lieschen wydawać.

Dom dziadków von Trota nazywał się *Villa Klara*. Zbudowano go na polecenie pradziadka von Trota w latach sześćdziesiątych dziewiętnastego wieku. Lieschen nie wiedziała, co to znaczy, ale wyjaśniono jej, że bardzo dawno, jeszcze przed urodzeniem dziadka. Mama dziadka miała na imię Klara i dlatego pradziadek kazał powiesić nad drzwiami tablicę z tym imieniem.

– Kiedyś bywało tu gwarno – wspominała z westchnieniem babcia Gretel. – My z dziadkiem zamieszkaliśmy tu na stałe po śmierci moich rodziców. To już prawie dwadzieścia lat. Twoja mamusia spędziła tu dzieciństwo, a potem przyjeżdżała na każde wakacje, tak samo jej starsza siostra Helga i dwaj starsi bracia, Klaus i Michael. A teraz Helga pojechała za mężem do Ameryki, Klaus jest na wojnie, a mojego Michaela zabili...

Otarła łzę z oka.

– Kto zabił? – ośmieliła się wyszeptać Lieschen.

– Polacy, dziecko. Polacy. W Warszawie. To straszne miasto. Wielu Niemców tam zginęło.

– Polacy to źli ludzie, babciu?

– Bardzo źli, dziecinko.

∽

Stare schody zaskrzypiały i do salonu zszedł gospodarz willi *Klara*. Nie wyglądał na przesadnie wypoczętego, ale był pełen energii.

– Przespałem się i kogo widzę? Klaro, a już prawie myślałem, że mi się przyśniłaś. Witam cię, Jacku. Piliście kawę? A macie jeszcze?

– Nie mamy – odpowiedział Jacek. – Wypiliśmy. Ale zaraz zrobię. Siedź, Klaro, zdążysz się tego domu nauczyć, kiedy sobie pójdę. Jak się czujesz, Jerzy?

– Całkiem dobrze. Naprawdę. I masz mi uwierzyć na słowo, bo taka jest prawda. Przepraszam cię, Klaro, że tak padłem znienacka, mnie się to czasem zdarza ostatnio. Chciałem pokazać ci twój pokój, ale skoro Jacek tu jest, to już go pewnie widziałaś?

– Widziałam. Jest prześliczny. To bardzo ładnie z twojej strony, że go tak urządziłeś.

– Bogusia go urządzała. Mam dwoje po prostu nadzwyczajnych przyjaciół: ją i tego tam Jacka, który właśnie psuje mój ekspres. Jacek, nie nastawiaj na słabszą! Przy czym Bogusię znam mnóstwo lat, a Jacka dopiero trzy, ale jakoś tak od razu wiedziałem, że to dobry chłopak. Chciałbym, żeby wziął po mnie oddział, tylko nie wiem, czy mu dadzą, bo młody.

– Nie denerwuj mnie głupim gadaniem – warknął Jacek z kuchni. – Nie możesz pić takiej siekiery. Lekarz ci zabrania.

– Jako twój bezpośredni przełożony wydaję ci niniejszym polecenie służbowe: wróć na mocną. Ostatecznie mogę wypić z mlekiem – dodał łaskawym tonem. – Klaro, masz prawo jazdy?

– Mam – odrzekła, trochę zaskoczona.

– A lubisz jeździć?

– Jeśli mam okazję, to bardzo. A bo co?

– A bo naszedł mnie taki kaprys, że może byśmy wyciągnęli jutro z garażu moje auto i pokazałbym ci trochę okolicy. Tylko musiałabyś poprowadzić, ja nie mogę z powodu leków. Jest tu kilka pięknych miejsc, do których da się dojechać. A sam chętnie bym zażył świeżego powietrza...

– Świeżego powietrza masz tu od zarębania – oświadczył Jacek, wchodząc z zastawioną tacą. – Okno sobie otwórz. Albo wyjdź na balkon i inhaluj!

– Po pierwsze nie mówi się „od zarębania" ani „narębany", tylko „narąbany" i „od zarąbania". Bezokolicznik „zarąbać"...

– Mój tatuś tak mówił i ja też będę – powiedział Jacek krnąbrnie. – Tak mi się bardziej podoba.

– Po drugie, potrzebuję świeżego powietrza z odrobiną spalin. Oraz kultury. O właśnie. Ożywczy powiew kultury. Zabiorę ją do Krzeszowa. I do Kutów.

– Raczej ona ciebie zabierze, z tego co słyszę. Może bym z wami pojechał do Kutów, poprawić sobie samopoczucie...

– Nie tym razem. Nie mogę się dzielić Klarą ze wszystkimi. Klaro, zgodzisz się na to, żebym na razie był twoim jedynym towarzyszem wycieczek?

– Egon z Erwinem też ją zapraszali – bąknął Jacek pod nosem.

– Egon z Erwinem też muszą poczekać. Jako ojciec mam pierwszeństwo, zwłaszcza że zainteresowana nie protestuje.

Klara rzeczywiście nie protestowała, bo całkiem przyjemna wydała jej się perspektywa wycieczek z nowym ojcem, który jako taki również był bardzo przyjemny.

– Powiedzcie mi tylko, co to znaczy „kutów", bo nie wiem.

– Nie mów jej, Jacek, niech ma niespodziankę.

Zasiadł do stolika z kawą i podrapał się po łysej głowie jakby z pewnym zakłopotaniem.

– Chyba zaczynam się zachowywać jak stuknięty tatusiek. W dodatku niewyżyty. Proszę, stopujcie mnie, kiedy osiągnę granicę idiotyzmu. Klaro, Kutowie...

– Nie mów! Nie mów, ja chcę mieć niespodziankę! Bardzo przyjemnie jest znowu być małą córeczką tatusia. Mój bretoński tata strasznie nas rozpieszcza. Rozbestwia, mówi babcia Ana. Proszę bardzo, nie żałuj sobie.

Jerzy roześmiał się z pewną ulgą. Rzeczywiście poczuł w sobie coś w rodzaju radości świeżo upieczonego ojca – ale czyż w gruncie rzeczy takim nie był? Cholera jasna, szkoda, że to nie na dłużej. Klara jest urocza. Przypomina jedną ze swoich polskich ciotek, nieznanych jej, oczywiście, bo ze strony Dzierzbowskich. Taka sama jasna, pogodna kuleczka. Ma zresztą całkiem dobrą figurę, wrażenie kuleczkowatości robi okrągła twarz w otoczeniu mnóstwa loczków barwy spłowiałego złota. Pod tymi loczkami, jak się zdaje, ma całkiem przyzwoicie poukładane. Matematyczka! I artystka na dokładkę. Doskonałe zestawienie.

– O czym myślisz?

Powinna powiedzieć: „O czym myślisz, tato". Ale to chyba jeszcze za wcześnie. Może nawet nigdy się na to nie zdecyduje.

– O tobie. Żałuję, że nie poznałem cię wcześniej.

– Ja też – odpowiedziała zupełnie poważnie. – Trzeba było wcześniej mnie poszukać. Ostatecznie już od kilku lat jestem dorosła. Nie dostałabym żadnego szoku ani niczego.

– Nie mogłem o tym wiedzieć – uśmiechnął się ojciec. – To znaczy wiedziałem, że dorosłaś, ale nie wiedziałem, jak zareagujesz. Patrz, co za cholerny paradoks: gdybym nie zachorował, to pewnie nigdy bym cię nie zaczął szukać. Zresztą co to za szukanie, wiedziałem, gdzie jesteś. No, w każdym razie, skoro zachorowałem, to uznałem, że jestem biedny i jakieś pocieszenie mi się od życia należy. Mam cię więc dzięki chorobie. I przez nią nie będę się tym zbyt długo cieszył. Nie rób takiej miny, przed chwilą twierdziłaś, że jesteś dorosła.

– To nie mów takich rzeczy!

– Przepraszam cię, ale zawsze byłem trochę makabrystą. Oraz miłośnikiem paradoksów.

❧

Dla Lieschen zaczęły się teraz piękne miesiące. Wprawdzie dokoła wciąż trwała wojna, a źli Polacy ze swoimi kompanami z innych krajów urządzali naloty na niemieckie miasta, wprawdzie tatuś przyjeżdżał bardzo rzadko, a mamusia często się martwiła, ale w domu dziadków von Trota było spokojnie, bezpiecznie i miło. Willę otoczono czymś w rodzaju ogrodu, nie były to jednak żadne grządki kwiatowe – ot, tu i ówdzie wyrastały krzaki hortensji, dorodne piwonie czy wiejskie margerytki. Koło domu stał olbrzymi, stary dąb, na którego dolnym konarze dziadek Hans powiesił dwie huśtawki: większą dla mamy i mniejszą dla Lieschen. Polanę, na której stała willa i rósł dąb, otaczał las. Las trochę jak z bajek opowiadanych przez babcię Gretę. Lieschen była święcie przekonana, że są w nim duszki i trolle, a także zła czarownica – dlatego lepiej było nie zapuszczać się samej zbyt daleko, chyba że chciało się być upieczonym i zjedzonym na kolację. Lieschen nie chciała być zjedzona, jednak ryzykowała wejście na skraj lasu, rosły tam bowiem pyszne jagody; był też krzak najsmaczniejszych malin na świecie, strasznie kolczasty. Późniejszym nieco latem Hedwig zaczęła przynosić z lasu grzyby. Dziadkowie kręcili na to nosem, bo nie mieli do nich zaufania, lecz kiedy Hedwig zrobiła je w śmietanie i podała z koperkiem i ziemniaczkami, przekonali się do nich.

Kilka razy Hedwig zabrała z sobą Lieschen na grzybobranie. Dziewczynka wiedziała, które grzyby są jadalne, a których nie wolno zbierać. Ale kto ją tego nauczył? Mgliście pamiętała jakieś wyprawy na grzyby – dawno i z kim? Z babcią... ale przecież babcia jest tutaj. Tamci to byli źli Polacy, chcieli pozabijać wszystkich Niemców, tak ich nienawidzili. Hedwig jest Polką i mówi po polsku, dlatego Lieschen nie może całkiem zapomnieć tego języka, chociaż tak naprawdę to już by chciała, żeby wszystko było proste, jednoznaczne i niemieckie. Bo niemieckie jest dobre, a polskie złe.

Tej zasady dziewczynka uczyła swoje lalki.

～

Jacek Brudzyński siedział za kierownicą swojej lekko zdezelowanej hondy civic i zjeżdżał zakosami w stronę Jeleniej Góry.

Połową mózgu usiłował bardzo uważać na niebezpiecznej, wąskiej i dziurawej drodze. Druga połowa zajęta była rozmyślaniem o tym, czy na pewno dobrze zrobił, namawiając Jerzego do odnalezienia córki.

„Ja jako lekarz wiem, co czeka waszą lordowską mość" – przypomniała mu się kwestia Piotra Blooda ze starej, dobrej książki o piratach. Mój Boże, kiedyś człowiek żył dylematami bohaterów ulubionych powieści, dziś ma aż nadto własnych.

On jako lekarz wie, co czeka Jerzego. Jak mógł nie pomyśleć, że ona będzie musiała przeżyć jego śmierć? Jak mógł nie pomyśleć, że córka Jerzego okaże się miłą, mądrą, wrażliwą dziewczyną? Chryste, chyba w ogóle nie myślał!

A jak to wszystko wpłynie na Jerzego? Odżył po prostu w oczach. Wprawdzie dość szybko sił mu zabrakło i znowu musiał się położyć, ale ta euforia wciąż w nim siedzi. Cholera!

To co, lepiej było zostawić wszystko, jak było, w tym beznadziejnym smutku?

Może więc jednak dobrze się stało?

Ale ten pomysł z jeżdżeniem, życiem kulturalnym i tak dalej... Diabli wiedzą, czy mu to zaszkodzi, czy może go wzmocni? Pozytywne emocje. No, wiadomo, że działają, jednak ileż mogą zrobić w tej sytuacji? Za późno, wszystko dzieje się za późno!

Negatywna emocja czekała Jacka już na pierwszej prostej po zjechaniu z góry.

– Panie kierowco, a wie pan, jak szybko tu można jechać? Dokumenciki poproszę.

– O cholera, zamyśliłem się... już daję.

– A, to pan doktor! – Starszy z dwóch policjantów spojrzał mu w twarz. – Romuś, nie wygłupiaj się z dokumentami. Panie doktorze, swoją drogą przekroczył pan silnie. Ja wiem, zamyślił się pan. No, nie można. Jak się jedzie, to się nie myśli, tylko uważa na znaki drogowe. I na idiotów na szosie. Mamusia kazała pana serdecznie pozdrowić, jakbym pana gdzieś przyłapał na przekraczaniu. Bardzo dobrze się czuje ostatnio. Szacunek.

– Szacunek, panie Karolu. Mamusi rączki całuję, cieszę się, że nic jej nie dolega. Oby tak dalej. I dziękuję. Już nie będę myślał. Kłaniam się panom.

I tak negatywna emocja zmieniła się w pozytywną.

A może pan sierżant Karol miał rację i nie należy myśleć, tylko uważać na to, co się dzieje? Co się stało, to się nie odstanie, jak powiadały nasze babcie. Teraz trzeba sprostać sytuacji.

∾

Klara nie oddawała się jałowym przemyśleniom, tylko zastanawiała, czy poradzi sobie z ojcowską terenową toyotą – z tych najmniejszych, w których dwie osoby siedzą w miarę wygodnie, a drugie dwie powinny raczej zrezygnować z jazdy. Zadziałała wrodzona inteligencja, umysł ścisły – i po trzech rundkach dookoła polany była gotowa pokonywać górskie drogi i bezdroża.

– Mam ci od razu powiedzieć, dokąd jedziemy, czy chcesz się bawić w odkrywcę?

– Do Kutów?

– Nie, do Kutów pojutrze. Dziś pojedziemy do Krzeszowa. I też nic więcej ci nie powiem. Mam nadzieję, że ci się spodoba.

Klarze w ogóle podobało się to wszystko, co zdążyła dotychczas zobaczyć, choć nie było tego wiele. Jej życie do tej pory związane było z oceanem, wielką wodą, i nie wyobrażała sobie innych przestrzeni aniżeli morskie. Tu się jednak okazało, że góry to też rozległe widoki i wielkie przestrzenie, na dodatek bardzo zróżnicowane. Wysokie szczyty głównego grzbietu z bielejącymi gdzieniegdzie płatami śniegu – i porośnięte lasem zielone kopy. Zielone łąki na zboczach i widoczne z daleka partie skaliste. Las sam w sobie stanowił osobne zjawisko; Klara nie zagłębiała się weń wprawdzie, ale przeszła się jego skrajem. Był tajemniczy, pełen wielkich głazów częściowo zarośniętych mchem i krzewinkami jagód, a jednocześnie prześwietlony promieniami słońca i zapraszający. Ach, jeszcze te stawy, które mijali po drodze, a w których odbijały się góry i chmury... No więc trzeba uczciwie powiedzieć, że tutejsza przyroda, choć inna, wcale nie była gorsza od bretońskiej.

– Bo świat jest piękny i różnorodny – powiedział filozoficznie jej ojciec, kiedy podzieliła się z nim tym spostrzeżeniem. – I na szczęście nie musimy z niczego rezygnować. Możemy mieć wszystko. I morze, i góry, i ocean, i las, i kwitnącą łąkę. Przyjmij, proszę, moją radę. Nie rezygnuj pochopnie z czegoś, co możesz dostać od świata, chyba że w grę wchodziłoby wyrządzenie komuś krzywdy.

– A ty mi to mówisz jako teoretyk czy jako praktyk? – zaśmiała się.

Też się zaśmiał, nie bez odrobinki goryczy.

– Jako praktyk, powiedziałbym, negatywny. Ja jestem tym złym przykładem. Powinienem rzeczywiście zgłosić się do ciebie ładne kilka lat wcześniej. Miałbym córkę dłużej. Strasznie się bałem, że to będzie dla ciebie jakimś wielkim szokiem...

– No i było, ale przecież jesteśmy ludźmi myślącymi, nie? Mam zjeżdżać na główną drogę?

– Czekaj, czekaj, skręć w lewo za tymi domami, w las. Dasz radę? Tu jest troszkę wąsko.

W istocie, było wąsko. Droga trawersowała zbocze góry i prowadziła w dół. Las po prawej stronie był gęsty i ciemnawy, po lewej rzadszy i przeświecały przezeń jakieś domy w dolinie.

– A co by było, gdyby ktoś jechał z dołu? – Klara aż się wzdrygnęła. – Nie chcę sobie tego nawet wyobrazić!

– Ktoś by się musiał cofać – odpowiedział Jerzy, śmiejąc się.

Podobała mu się pewność i zdecydowanie dziewczyny. Trzymała mocno kierownicę i uważnie wpatrywała się przed siebie. Ładnie prowadzi.

Zjechali w końcu z góry i wyjechali z lasu w rozległą, słoneczną dolinę.

– Dolina Czerwienia – objaśnił. – Czerwień tu płynie, to rzeczka. Potok właściwie. Wieś nazywa się Przesieka. Jest tu parę bardzo pięknych miejsc, mam nadzieję, że je zobaczysz. Na razie zjedziemy jeszcze trochę w dół, a potem znowu pojedziemy przez góry.

– Ale te drogi tu pokręcone!

– Jak to w górach. Gdyby były proste, wszyscy by z nich pospadali.

– Czemu? Ach, rozumiem! Byłoby za stromo! No tak, ja się dopiero muszę nauczyć gór!

Wciąż meandrując, minęli Przesiekę i nie wjeżdżając do Podgórzyna, skręcili w drogę na Borowice. Tym razem zakręty wiodły pod górę, znowu przez las, który wzbudził zachwyt Klary.

– To jest taki las, że po prostu chciałoby się do niego wejść i zostać – oświadczyła. – Te głazy! Las z bajki. Gdyby to była Bretania, mieszkałyby tu korrigany.

– Co? Ach, te twoje stworki śmieszne. Ty jesteś z nimi zaprzyjaźniona, stawiasz im miseczkę mleczka, czy coś takiego?

– Nic im nie stawiam, ale ich nie lekceważę. Czasem z nimi rozmawiam. Bo co, jeśli one są naprawdę? Lepiej ich nie drażnić.

Jerzy roześmiał się. Jego córka prezentowała nader praktyczną logikę.

Wyjechali z lasu na szeroką przestrzeń i pokazał im się główny grzbiet Karkonoszy, wywołując kolejną falę zachwytu u Klary.

– Tu też na pewno są jakieś czarodziejskie istoty. Słyszałeś o jakichś?

– Słyszałem tylko o Liczyrzepie, ale nie bardzo pamiętam, o co tam szło. Czekaj. To był jakiś duch gór, czarownik, coś takiego. Zakochał się w jakiejś pannie, porwał ją, a ona mu obiecała, że za niego wyjdzie, jeśli on policzy wszystkie rzepy na jakimś polu. No więc liczył, liczył, ale wciąż mu się myliło. Panienka, jak się domyślasz, zwiała.

– Och, biedny!

Jerzy doznał zabawnego uczucia. Rozczulił się? Może nie aż tak, ale ta jego córka była doprawdy pocieszna w swoim współczuciu dla nieszczęsnego Liczyrzepy. Chyba dobra z niej dziewczyna. Dobra, odważna, zrównoważona – wyliczył sobie. Niezły bilans. I ładna. I miła.

Skoro dziewczyna ma serce na swoim miejscu, to może uda mu się przeprowadzić chytry zamysł, który od jakiegoś czasu chodził mu po głowie...

Drogi z coraz piękniejszymi widokami doprowadziły ich do górnego Karpacza. Zjechali na sam dół i skręcili na Kowary. Minęli miasto. Zupełnie przyzwoita droga w środku rozległej równiny prowadziła ich znowu w stronę gór.

– Po prawej stronie masz Karkonosze – objaśnił Jerzy. – Po lewej to już są Rudawy Janowickie. A my sobie pojedziemy przez miedzę.

– Przez co? – Nie zrozumiała.

– Nie wiesz, co to miedza? To taki pasek ziemi między polami. Tak mi się powiedziało. Pojedziemy na granicy jednych gór i drugich. A potem zaproszę cię na obiad w Kamiennej Górze.

– A potem?

– Potem jeden porządny zabytek i kawałek przyrody. Specjalny kawałek przyrody, mój ulubiony. Chcę ci go pokazać przed zachodem słońca. A potem do domu.

Zerknęła spod oka.

– Ty nie jesteś zmęczony?

– Jeszcze nie. Nie martw się, duży jestem. Jak mi coś będzie, to wezmę lekarstwo.

– Podobno lekarze nie powinni leczyć sami siebie.

– Nie wierz w takie komunały. Uważaj, ten zakręt niektórzy nazywają Językiem Teściowej. Nie wiem, czy to słuszne, nigdy nie miałem teściowej.

– Olala, rzeczywiście! Dobrze, że mi powiedziałeś. Mój tata, znaczy bretoński tata Wicek, uwielbia swoją teściową.

– Mamę twojej mamy? Nie dziwię się. Była szalenie sympatyczna. Pewnie nadal jest. Kiedyś myślałem, że to ona będzie moją teściową.

– Babcia Ana mówi tak: człowiek strzela... nie pamiętam dalej.

– A Pan Bóg kule nosi. Uważaj, nie jedź już wyżej, dawaj w lewo.

Skręcili w stronę Kamiennej Góry. Wyjechali z lasu koło kamieniołomu, który żywo zainteresował Klarę, a po ich lewej stronie ukazał się krajobraz trochę z Breughla, ukochanego malarza Klary, a trochę z Benedykta Kroplewskiego, którego bardzo lubił jej ojciec, a o którego istnieniu ona nie miała zielonego pojęcia. Rozmowa zeszła więc na kamienie szlachetne i półszlachetne używane w jubilerstwie (ogorzeleckie kruszywa nie wzbudziły zainteresowania dziewczyny), a potem na malarstwo. Dokładnie w chwili kiedy oboje zgodzili się, że surrealizm ich bawi, a kubizm nudzi, Jerzy kazał Klarze zaparkować w mało obiecującym zaułku tuż obok rynku w Kamiennej Górze.

– Tu jest coś fajnego?

Klara rozejrzała się i zobaczyła szyld: Kawiarnia u Leszka.

– Kawiarnia? Kawa i ciasteczka? Myślałam, że zjemy coś solidnego.

– Chodź, chodź. Ta kawiarnia będzie w sam raz.

Kiedy zeszli z kilku schodków i znaleźli się w ciemnawym pomieszczeniu, artystyczna dusza Klary zaśpiewała ze szczęścia.

– O mamo, jaka piękna graciarnia! Dobrze powiedziałam? To się mówi graciarnia?

W istocie, wnętrze wyglądało trochę jak starannie zakomponowana w stylu celowego nieładu piwnica ze starociami. Tu wisiał na ścianie staroświecki zlew, tu jakieś dawne fotografie w podniszczonych ramkach, tam stała rozkoszna kasa sklepowa z ubiegłego stulecia (a może i starsza), jakaś beczka, jakieś półki, popękane kafle. Każde krzesło od innej mamy. Przy jednym ze stołów stara, pozapadana kanapa. Klara aż pisnęła na jej widok. Ten stół był akurat wolny, więc z impetem rzuciła się na kanapę, aż jęknęły sprężyny.

– Tato, co to za kawiarnia, że tu kiełbasy wiszą? I cebula?!

Nawet nie zauważyła, że powiedziała „tato", natomiast Jerzy omal nie udusił się ze wzruszenia.

– Ano, taka właśnie kawiarnia – bąknął mało inteligentnie. – Ten facet w czapeczce to właściciel.

Wysoki, niezbyt już młody mężczyzna w barwnej tiubetiejce zauważył wejście nowych gości i przyniósł im karty dań, po czym ruszył do energicznej akcji. W jego rękach pojawiła się nie wiadomo skąd osobliwa taca, którą był po prostu plaster drewna wycięty z jakiegoś pnia. Właściciel kawiarni (no to chyba ten Leszek, pomyślała Klara) umieścił na niej słoik ogórków, koszyk z chlebem, miseczkę ze smalcem (co się okazało po chwili), chlasnął kawałek wiszącej na drążku kiełbasy, urwał jedną cebulę i wszystko to z pewną nonszalancją postawił przed Klarą i Jerzym.

– Państwo jeszcze nie podjęli decyzji? – zapytał niedbale. – Proszę się nie spieszyć.

I wyparował, jakby go nigdy nie było.

Goście zapełniający knajpkę wyglądali, jakby rozsiedli się tutaj na pół życia – jedli, gadali, śmiali się albo po prostu siedzieli nad kubkiem herbaty.

Klarze natychmiast przypomniało się, co matka opowiadała jej o polskich restauracjach. W tych opowieściach wszystko wyglądało jakoś inaczej.

Ostrożnie wzięła do ręki miseczkę ze smalcem i powąchała.

– O, ładnie pachnie! Ale czy to jest zdrowe do jedzenia?

Jerzy roześmiał się.

– Są dwie szkoły. Jedni twierdzą, że to śmierć natychmiastowa. Inni, że jeśli mamy na coś ochotę, to nam z pewnością nie zaszkodzi. Spróbuj.

Klara ostrożnie posmarowała smalcem kęs chleba. Zagryzła ogórkiem.

– Dobre!

Posmarowała całą kromkę i zaczęła zajadać, pomrukując co chwila z aprobatą. Ojciec poszedł w jej ślady.

– U nas w domu jada się zdrowo. – Klara przełknęła ostatni kęs i dołożyła sobie ogórka. – Mama bardzo o to dba. Dużo ryb. Warzywa. A znowu babcia lubi polskie jedzenie i często robi, ale tego... smalcu? Smalcu. Smalcu mama jej nie pozwala używać. Masło i oliwa.

– A jadłaś kiedy golonkę?

– Co to jest?

– Okropnie niezdrowy kawał świni – zaśmiał się Jerzy. – Chcesz spróbować?

– No dobrze. Ale jakbym umarła na miejscu, to ty o tym powiesz mamie.

Jerzemu przemknęło przez głowę, że prędzej on umrze na miejscu. Niekoniecznie od golonki. A co tam. Też mu się coś należy od życia.

– Ta ostatnia golonka – zamruczał melodyjnie, lekko fałszując. – Więc nie żałuj jej dla mnie... Spojrzyj czule dziś na mnie ostatni raaaaz...

Złożyli odważne zamówienie i powrócili do chleba, smalcu i ogórków. Oraz suchej kiełbasy. Inaczej pachnącej niż te robione we Francji – skonstatowała Klara. Ale wcale nie gorszej.

Z ukrytych nie wiadomo gdzie głośników płynęła niegłośno klezmerska muzyka. Nastrojowa. Prowokująca do osobistych rozmów. Zwłaszcza że właściciel zabrał im w końcu resztę smalcu wraz z pozostałymi ogórkami i cebulą.

– Słuchaj – zaczęła Klara, a Jerzy z rozczarowaniem odnotował brak słówka „tato". – Właściwie to nie powiedziałeś mi, dlaczego się nie ożeniłeś.

– Powiedziałem... chyba.

– Kręciłeś – orzekła surowo. – Zero konkretów. Mówiłeś, że miałeś kobiety. Ale się nie ożeniłeś. Nie chciałeś mieć rodziny? Myślałeś, że mama do ciebie wróci?

– Ależ ty jesteś bezpośrednia.

– Ja nie lubię kręcić.

– Masz rację. Ja właściwie też. No dobrze, powiem ci. Ale to jest dosyć banalne. W to, że twoja mama wróci, nie wierzyłem ani przez chwilę. Ona nie zmienia zdania. Miałem dwie... no, trzy takie przyjaciółki, że już mało brakowało. Tylko że ja ich nie kochałem naprawdę.

– A one ciebie?

– One chyba tak, chyba kochały.

– I ty im pozwalałeś, żeby one cię kochały, a ty sam nic?

Jerzy spojrzał w oczy swojej dociekliwej a prostolinijnej córce i uśmiechnął się.

– Wiesz, Klaro… ja bardzo chciałem kogoś kochać. Chciałem zapomnieć o twojej matce, założyć rodzinę, mieć dzieci, leczyć swoich pacjentów, jeździć z żoną i dziećmi na wakacje w góry albo nad morze, gdyby woleli. Chciałem mieć taką obrzydliwą małą stabilizację, coś z tych rzeczy, których twoja mama nienawidziła. Spokój, szczęście, pracę, miłość – takie sprawy, które nie mają żadnego związku z polityką, w których nie można się niczym specjalnym wykazać. Tylko że czegoś takiego nie da się zbudować na kłamstwie, a ja nie potrafiłem pokochać żadnej z tych, które były skłonne kochać mnie. Rozumiesz?

Klara siedziała nieruchomo z resztką małosolnego ogórka w dłoni.

– Rozumiem. Ale ty nie masz racji, wiesz?

– Dlaczego? W którym momencie?

– No bo my na przykład, tam w Bretanii, mamy szczęśliwą rodzinę, ja mam fajną siostrę i kochaną polską babcię, i francuskich dziadków, też kochanych, i kochamy się z ojcem i mamą. A ja już wiem, że oni to właśnie zbudowali na kłamstwie. Mama i tato Wicek.

– Tato Wicek i tato Jurek – mruknął Jerzy. – Jak to na kłamstwie? Twój ojciec nie kocha twojej mamy?

– Powiedział, że teraz już nie.

– Ale kochał ją, kiedy się żenił.

– Ale ona jego nie kochała nigdy. Chciała wyjechać z Polski i dlatego za niego wyszła. Tato mi o tym niedawno opowiedział.

– I co?

– I nic. Szkoda mi go było. Mamy też. Chyba cały czas jest nieszczęśliwa. Niezadowolona, na pewno. Ty ją jeszcze kochasz?

Nie spodziewała się odpowiedzi przeczącej. Tymczasem Jerzy stanowczo pokręcił głową.

– Nie, moja droga. Aż tyle romantyzmu we mnie nie zostało. Poza tym życie nie kończy się na miłości, cokolwiek by o tym myślały młode śliczne damy…

– Młode damy, olala! A kto to przed chwilą płakał, że koniecznie chciał kogoś pokochać? Tylko się nie trafiło!

– Oj tam, oj tam. A ty swojego gruchanta kochasz?

– Gruchanta! Czemu tak mówisz?

– No bo grucha do ciebie jak ten gołąbek...

– Źle powiedziałam... Skąd to znasz?

– A, słowo? Nie wiem, skąd. Ktoś tak mówił. Spodobało mi się, ale zabij mnie, nie pamiętam kto...

– Moja polska babcia – oświadczyła z tryumfem. – Musiałeś to zapamiętać. Patrz! Pan nam niesie jedzenie!

Nadejście solidnych porcji golonki w jarzynach przerwało konwersację o sprawach romantycznych. Jerzy zjadł połowę, za to Klara z apetytem młodej, zdrowej dziewczyny wyczyściła talerz do zera i zażądała deseru.

– Będę się odchudzać, jak wrócę do domu – oświadczyła, a Jerzego bezsensownie ukłuło to „do domu". – Mama ostatnio zabiera mi sprzed nosa *galettes*. Będę jadła wyłącznie małże. Od nich się chudnie, zwłaszcza jak się ich nie lubi. Ja nie lubię za bardzo.

– Mnie się podobasz taka, jaka jesteś – uśmiechnął się. – Chcemy coś jeszcze, czy jedziemy?

– Jedziemy. Co teraz miało być? Zabytek. I przyroda. Ale przyroda tu wszędzie jest.

– To taki mój ulubiony kawałek przyrody. Najpierw Krzeszów. Pokażę ci, jak jechać.

Krzeszów był niedaleko i okazał się zabytkiem architektury w postaci opactwa cystersów. Z opowiadań matki Klara wiedziała, że w Polsce zabytków jest tak niewiele, że prawie ich nie ma. A oto stała przed dwiema świątyniami, z których jedna kipiała wspaniałym barokiem, zaś druga, skromniejsza, podobno zawierała jakieś nadzwyczajne malowidła.

– Był na Śląsku taki malarz Willmann, chyba Michał, ale pewien nie jestem – objaśnił ojciec. – Można go spotkać tu i tam, ale nigdzie w takich ilościach.

Weszli do kościoła i Klara wydała okrzyk zachwytu. Słońce wpadające przez okna oświetlało wesoło główną nawę i ogromne kolorowe freski zajmujące praktycznie wszystkie ściany i sufit.

– Jakie to piękne, tato!

– Wiesz, że już drugi raz powiedziałaś do mnie „tato"? I chyba nawet tego nie zauważyłaś, bo ci się to zawsze wyrywa w emocjach. No, pięknie tu jest, bez dyskusji. Bardzo lubię ten kościół, chyba nawet bardziej niż tamten. Te wszystkie freski są z życia Świętego Józefa.

– A ta dama w kapeluszu to kto?

– Nie poznajesz Świętej Rodziny?

– No ja cię proszę, tylko mi nie mów, że to Matka Boska!

– We własnej świętej osobie. Willmann malował jak mu serce dyktowało. Jego też bardzo lubię. Słuchaj, ja sobie usiądę, ty pooglądaj, co chcesz i jak chcesz.

Spojrzała na niego z niepokojem. Wyglądał normalnie, ale trochę się krzywił. Może go boli, pomyślała. Ale sam chciał jechać i mówił, że wszystko jest w normie… Przecież jest lekarzem, wiedziałby, kiedy należy wołać pomocy.

Domyślił się jej obaw.

– Spokojnie, dziecko. Nic się nie dzieje. Ja teraz szybko się męczę. Patrz, tam jest jeszcze jeden mój ulubiony fresk, po prostu kocham wyraz twarzy tego wołka.

– Wołka?

– Wołu, zwierzęta w stajence, nie wiesz, jak to było?

– Ach, oczywiście że wiem, tylko ty mówisz skrótami! To siedź, a ja sobie popatrzę.

Oprócz nich nie było w kościele nikogo. Sezon jeszcze się nie zaczął, nie było żadnego święta, weekendu ani nawet pielgrzymki. Było za to mnóstwo słońca i cisza.

A jednak był ktoś jeszcze, ktoś niewidoczny, kto przerwał tę ciszę. Niespodziewanie z góry zabrzmiał dźwięk organów. Ktoś jakby od niechcenia grał melodię znaną Klarze, pogodną i pasującą do tego pogodnego dnia i tego jasnego kościoła.

Przerwała w połowie kontemplację fresków i siadła obok ojca. Melodia zabrzmiała raz, a potem drugi, za każdym razem z kilkoma drobnymi omyłkami, jakby ktoś dopiero ćwiczył ten utwór.

– Tato, ja to znam – szepnęła Klara, tym razem świadomie używając słowa „tato". – Tylko nie wiem, co to jest.

– To jest preludium chorałowe Bacha – odszepnął ojciec, a organista zaczął po raz trzeci to samo. – *Wachet auf, ruft uns die Stimme.*

– O, ale ty dobry jesteś! Całą muzykę świata znasz na wyrywki?

– Całą nie, ale organowej sporo. No i Bacha. Bach jest kosmosem, moja droga.

– Tak, słyszałam coś takiego, ale nie mam pojęcia, o co chodzi. A co znaczy ten tytuł?

– „Obudźcie się, głos nas woła".

– Aha.

– Aha. Ten głos niedługo mnie zawoła, jeżeli wiesz, co mam na myśli.

– Wiem i nie denerwuj mnie!

– Nie chcę cię zdenerwować, Klaro. Ale, jak wiesz, czekam. Pozwól mi czekać bezstresowo, że tak się wyrażę. Muszę się przyzwyczaić do tej świadomości. Jest taki wierszyk, to znaczy wiersz, bardzo ładny... „Zachodu łuna i wieczorna wschodzi gwiazda; i jeden jasny głos mnie woła"...

– Przestań!

– Już przestaję, bo więcej nie pamiętam. Nie, czekaj, coś pamiętam. „Niech to nie będzie smutne pożegnanie, kiedy rozwinę żagle"...

– TATO!

– „Twarzą w twarz ujrzę mojego Sternika tam, dokąd płynę" – dokończył szybko. – Przepraszam cię. Bardzo lubię ten wiersz. To Tennyson. W przekładzie Zygmunta Kubiaka.

– Na zdrowie mu. Ale mnie zdenerwowałeś! Już nie chcę reszty tych obrazków, chodź, zobaczymy ten drugi kościół.

– Idź sama. Nie spiesz się. A ja pójdę do knajpy. Tu w budynku bramnym jest taka fajna knajpka, nazywa się Willmannowa Pokusa. Skoro się naoglądałaś fresków Willmanna, to zasłużyłaś sobie na kawę w willmannowej kawiarni przy ulicy Willmanna. Mówiłem ci, że go tu bardzo szanują i wszędzie go pełno. Będę czekał na ciebie i grzał się przy kominku.

– Zimno ci?

– Nie, ale kominki grzeją również duszę. Te sentencje mnie kiedyś zabiją. Idź, nie martw się o mnie. Zamówię ci tę kawę.

Oglądała się za nim, ale szedł pewnym krokiem, choć wolno.

Drugi kościół okazał się istnym barokowym cudem. Chodziła po nim jak zaczarowana, oglądając rzeźby, obrazy, freski i detale architektury. No, dobrze byłoby mamę tu przyprowadzić. Ale przecież niemożliwe, żeby mieszkała we Wrocławiu i nie znała Krzeszowa! To czemu twierdzi, że w Polsce praktycznie nie ma porządnych zabytków?

Kiedy Klara z ojcem jechali z Kamiennej Góry w stronę Krzeszowa, Jerzy opowiadał jej trochę o tym, czego powinna się spodziewać. W bazylice kazał jej zwrócić uwagę na trzynastowieczną ikonę Matki Boskiej Łaskawej. Piękną, bizantyjską ikonę. Podobno najstarszy wizerunek Matki Boskiej w Polsce.

Zwróciła się teraz ku obrazowi, na którym Maria trzymała na ręku Dzieciątko w pozie Nauczyciela, ze zwojem w dłoni.

– Nigdy nie umiałam się modlić – powiedziała półgłosem, obejrzawszy się najpierw, czy jest sama przed głównym ołtarzem. – Tobie chyba i tak jest wszystko jedno, czy wyklepię coś na pamięć, czy nie. Proszę, zrób coś, żeby mój nowy ojciec nie umarł. Może coś da się zrobić. Proszę. Bardzo proszę. Tylko o to. My we Francji jakoś damy sobie radę, choć mamy teraz pewien kryzys rodzinny. Ale ten tata Jerzy… Proszę.

Mówiła po francusku. Jednak to był dla niej język naturalny. Matka Boska i tak rozumie, niezależnie od miejsca, gdzie się znajduje i gdzie my się znajdujemy.

Matka Boska Łaskawa patrzyła na nią zmęczonym wzrokiem.

– Lepiej byś wyglądała bez tej korony – mruknęła jeszcze Klara, zapaliła świeczkę i odeszła wolnym krokiem.

Musi zapytać ojca numer dwa, który najwyraźniej jest zorientowany w różnych takich sprawach, po co dokleja się do pięknych starych obrazów dodatkowe świecidełka. Ona sama, wytwórczyni biżuterii, nigdy w życiu nie zdecydowałaby się zaingerować w takie dzieło.

Gospoda ma być jakoś na wprost od wejścia. No, jest jakaś brama. Miał być budynek bramny, to chyba tutaj. Ach, po drugiej stronie, od ulicy Willmanna!

Pchnęła drzwi i znalazła się w restauracji. Jest bar, w porządku, ale nie ma kominka. Druga sala, bardziej nastrojowa. Piękny witraż w drzwiach prowadzących chyba do ogródka lub na patio. Kilka stolików, rozmaite – podobnie jak u Leszka – fotele. I też kanapa, rozłożysta, niewątpliwie sterana życiem – przy kominku.

Był to kącik z natury raczej ciemny, lamp nie zapalono jeszcze, a ogień w palenisku ledwie się tlił. W pierwszej chwili Klara nie zauważyła ojca i już zdążyła się zaniepokoić, lecz w tym samym momencie dostrzegła jego biały sweter i łysą głowę.

Ojciec, jedyny w tej chwili gość restauracji, siedział w rogu kanapy, jak gdyby chciał wchłonąć całe ciepło emanujące z resztek polan w kominku. Nie ruszał się.

Przysnął. Czekał, znudził się i przysnął.

Klara wysłała w stronę Matki Boskiej Łaskawej jeszcze jedno bezgłośne westchnienie na wiadomy temat i klapnęła na kanapie obok ojca.

Jakiś dziwny ten jego sen.

Wyprostowała się nagle jak struna i poczuła dławiące przerażenie. Opanowała się i chwyciła go za rękę. Ciepła. Puls... cholera, nie ma. Nie, przecież jest. Przyjrzała się porządniej. Oddycha. Tylko jakiś taki niekontaktowy...

– Tato, obudź się...

Zero efektu.

– Tato, tato, proszę cię...

Dziewczyna zza bufetu, obserwująca ich od początku, podeszła do kominka.

– Coś się stało? Pan zemdlał? Czy mam wołać pogotowie?

– Nie wiem – jęknęła rozpaczliwie Klara. – Nie wiem. Tato, obudź się!

Ojciec otworzył oczy. Nawet w tym półmroku widać było, że ma wzrok trochę błędny.

– Spokojnie – powiedział ledwie słyszalnym głosem. – Wydzwoń Jacka. Nie pogotowie. Jacka.

I znowu jakby zapadł w sen.

Klara drżącymi rękami wyjęła komórkę z kieszeni kurteczki. Ten Jacek jest mądry, przewidział, że coś się może zdarzyć, dał jej numer swojej komórki… tylko żeby jeszcze odebrał, żeby odebrał…

Ojciec oddychał trochę nierówno, ale wyraźnie.

– Brudzyński, słucham.

Co za ulga!

– Jacek! Tu Klara…

– Aa, Klara, to miło…

– Nie miło! Jacek, ojciec śpi jakoś dziwnie, kazał do ciebie zadzwonić…

– Gdzie jesteście, w domu?

– Jacek, nie w domu! W… gdzie to jest?

– Co? – Dziewczyna zza bufetu zrobiła duże oczy, ale szybko zorientowała się, o co chodzi Klarze, ze zdenerwowania zapominającej polskiego. – To jest Krzeszów. Pani mi da ten telefon!

Klara posłusznie oddała jej komórkę.

– Halo, proszę pana! Ten pan zasłabł chyba, bo już od pół godziny tak śpi. My jesteśmy w Krzeszowie, w gospodzie przy wejściu do opactwa, Willmannowa Pokusa, wie pan?

– Wiem. Już jadę. Proszę nie wołać pogotowia, to mój pacjent, wiem, co mu jest. Chyba żeby się nagle coś złego zaczęło dziać. Może go pani nakryć jakimś kocem? On łatwo marznie.

– Mogę. I dorzucę do kominka. To czekamy na pana. Pan jest daleko?

– W Lubawce. Za dziesięć minut będę.

– Ten pan będzie za dziesięć minut. – Dziewczyna oddała Klarze telefon. – To lekarz?

– Tak.

– Niech pani spokojnie siądzie i poczeka na tego lekarza, a ja pani zrobię kawy, bo pani strasznie zbladła. I okryję pani tatusia, mam tu kocyk na zapleczu. Jedną chwilkę.

Kelnerka sprawnie rzuciła na dogasające palenisko kawałek drewna, uruchomiła ekspres, a zanim zdążyła nalać kawę do filiżanki, przyniosła pled i okryła nim Jerzego. Przytaszczyła skądś parawan w chińskie smoki i zasłoniła fragment pomieszczenia z kominkiem, kanapą, Jerzym i Klarą przed oczami potencjalnych ciekawskich, gdyby się takowi pojawili.

– Niech pani już się nie denerwuje. Sytuacja opanowana. Kawka. Proszę wypić. Dobrze pani zrobi. Posłodziłam, na nerwy taka lepsza. A może pani coś zje?

Klara, nafaszerowana golonką, chlebem ze smalcem, ogórkami i deserem, tylko pokręciła głową. Była wdzięczna bystrej i życzliwej dziewczynie zza baru. Ta oceniła ostatecznie sytuację jednym spojrzeniem i wróciła do swoich obowiązków. Akurat weszło kilkoro Niemców, głośnych i pewnych siebie, jak to oni, i należało ich obsłużyć.

Klara znowu pomyślała o Matce Boskiej Łaskawej.

Proszę, zrób coś!

A może właśnie zrobiła? Może dzięki niej ojciec wciąż żyje?

Tu w Polsce jest dużo wierzących. I bardzo szanują Matkę Boską. Babcia Ana, niespecjalnie gorliwa w wierze, czasem odmawiała modlitwę właśnie do niej.

No więc pomóż, proszę, Matko Boska Łaskawa. Pomóż.

Ktoś otworzył drzwi energicznie. Jacek.

Podobnie jak kelnerka jednym rzutem oka ocenił sytuację za parawanem. Zrzucił kurtkę, otworzył swoją wielką czarną torbę, wyjął z niej różne przyrządy, zmierzył śpiącemu Jerzemu ciśnienie, osłuchał go, obejrzał i wreszcie przywitał się z Klarą.

– Cześć. No więc nie martw się. Nie jest gorzej niż zwykle.

– To znaczy?

– Musiał się źle czuć i wziął odrobinę za dużo morfiny. Dlatego tak śpi. Wezmę go do szpitala, zrobimy kilka badań i oddam ci go jeszcze dzisiaj wieczorem. Może późnym wieczorem. – Popatrzył na nią uważnie. – Bardzo się zdenerwowałaś? Tobie też zmierzę ciśnienie. Daj rękę.

– Nie trzeba.

– Ale warto. Dawaj, dawaj. No i skoczyło ci o wiele za wysoko. Zrobię ci mały zastrzyk. Chyba że się boisz?

– Nie boję się, ale nie chcę.

– Kobieto, przestań. Rączka, proszę. Dorosła jesteś, prawda?

– Ale ja będę wracać…

– No to co? Ach, rozumiem. Nie martw się, nie będziesz sama prowadzić. Wezwałem Egona i Erwina. Tak myślałem, że się przydadzą, a oni bardzo chętnie się zgodzili. I tak potrzebowałabyś pilota.

– Jakoś bym trafiła…

– Ale po co masz błądzić po lasach?

Dopiero w tej chwili Klara naprawdę poczuła ulgę. Może zresztą zadziałał zastrzyk Jacka. Nie, chyba za szybko. Ten Jacek… sympatyczny. Przyjaciel ojca.

Kelnerka zajrzała za parawan, widocznie obsłużyła już niemieckich gości i mogła się znowu zająć akcją ratowniczą.

– Mogę jeszcze w czymś pomóc? Może panu zrobię kawy? Pani się jeszcze napije?

– Bardzo dziękujemy – odpowiedział Jacek za oboje. – To miłe z pani strony. Zrobiłaby pani dla nas dobrej herbaty?

– Jasne, już robię. Ej, tu proszę nie wchodzić! *Das ist ein privater Raum!* No już mi stąd…

Energicznie, posługując się dwoma językami, dziewczę wybiło z głowy kilkorgu Niemcom zaglądanie za parawan. Jacek patrzył na to z uznaniem, a Klara ze słabym uśmiechem. Po chwili parował przed nimi dzbanek pachnącej herbaty. Z własnej inicjatywy dziewczę dołożyło kilka drobnych ciasteczek. Jacek nalał herbatę do filiżanek. Była dokładnie taka jak trzeba, co stwierdzili zgodnie oboje.

– Byłeś gdzieś blisko? – spytała Klara. – Szybko przyjechałeś.

– Byłem w Lubawce, niedaleko, zobaczysz, będziecie tamtędy wracać. Nawet mi to pasowało – zaśmiał się. – Musiałem zajechać do znajomych, nie mogłem się wykręcić, bo mają rocznicę ślubu i zapraszali mnie od dwóch miesięcy codziennie. Dzięki tobie i Jerzemu dałem dyla na samym początku przyjęcia...

– Nie lubisz przyjęć?

– Nudzą mnie. Kiedyś lepiej to znosiłem, głównie dlatego, że szybciutko się zanietrzeźwiałem i potem już jakoś leciało. Ale ostatnio nie jestem takim alkoholikiem jak dawniej. Picie jako picie też mnie nudzi, wyobraź sobie. Dlatego wszędzie jeżdżę samochodem, bo wtedy łatwiej mi się wykręcić. Wicie, rozumicie, kochani, drajwer jestem, o piciu nie ma mowy. No.

– A co cię nie nudzi?

– Uprawianie zawodu i łażenie po górach. Lubię kamienie. Skały. W Tatrach niby jest ich więcej, ale jak na moje potrzeby tutejsze wystarczą. Mogę pokazać ci kilka ładnych miejsc, jeśli zechcesz.

– Sama nie wiem.

W jego oczach zobaczyła współczucie.

– Przepraszam. Musisz się otrząsnąć z tego tutaj. I tak nie brakuje ci emocji, nie? Słuchaj, kochana, czy ja mogę cię tu zostawić? Chłopaki niedługo przyjadą, oni mają dalej ode mnie, a ja już bym zabrał Jurka i pojechał...

– Nie będziesz potrzebował pomocy?

– Raczej nie. A jak będę, to zawołam.

– Przyjedziesz dzisiaj do Zachełmia?

– Chyba tak. Mówiłem ci. Będę się starał. To jak?

– Jedź, jasne, jedź.

– Mogę być o ciebie spokojny?

– Możesz. Dam radę.

– Jakby co, to po tym zastrzyku nie jedź sama. Gdyby chłopakom coś wypadło, zanocuj tutaj. Będę do ciebie dzwonił co godzina. Martwię się o ciebie.

Nie wiedziała nic o jego poczuciu winy, a ono narastało. Ostatecznie to on wpakował ją w tę całą sytuację.

Dobrze, na wyrzuty sumienia będzie jeszcze mnóstwo czasu.

Z pomocą postawnego właściciela Pokusy, który objawił się nie wiadomo skąd, Jacek wyprowadził do samochodu słaniającego się na nogach Jerzego. Umieścił go wygodnie na tylnym siedzeniu, przykrył kocem wyjętym z bagażnika, spiął pasami i pojechał z nim prosto do szpitala w Jeleniej Górze.

Klara została sama. Kelnerka sprzątnęła parawan, otworzyła szeroko drzwi, przez które wpadło słońce i rześkie powietrze, a potem dorzuciła drewna do kominka. W sali zrobiło się o wiele przyjemniej, a nawet wesoło.

Klarze nie było wesoło. Dopiero teraz naprawdę dotarła do niej świadomość, że Jerzy jest ciężko chory. Dopiero teraz ją to zabolało. Krótko go znała, jednak przez te parę dni połączyła ich jakaś więź. Oczywiście to było zupełnie coś innego niż z tatą Vincentem, którego kochała już tyle lat i który ją kochał. Z tatą Wickiem sprawa była jasna, czysta i oczywista. Klara nie potrafiła określić, na czym polega jej świeże uczucie do nowego ojca. Na pewno od razu go polubiła, ale było coś jeszcze. Jak to nazwać – nie wiedziała.

Wypiła resztę herbaty i zjadła dwa ciasteczka. Czas jakby się zatrzymał. Przyszli nowi goście i rozsiedli się przy stole. Ogień znowu przygasł. Klara oparła głowę na dłoniach i pogrążyła się w rozmyślaniach.

– Halo, halo…

Czyjaś ręka delikatnie otoczyła jej ramiona. Klara wzdrygnęła się i wyprostowała.

Obok niej na kanapie siedzieli Egon i Erwin, wierni rycerze.

– Cześć, księżniczko. Ładnie spałaś, aż szkoda było cię budzić. – Erwin mówił prawie szeptem. – Zmęczyłaś się…

– Wszystko to nerwy – orzekł Egon. – Już jest w porządku. Dzwonił Jacek, żeby nas pogonić, i mówił, że Jerzemu lepiej.

– Cześć, chłopaki. Jak to dobrze, że jesteście. Ja się zdenerwowałam, naprawdę...

– Wiemy, wiemy. Będziemy wracać. Kogo z nas chcesz jako kierowcę?

– Ja nie umiem prowadzić twojego złomu – zwrócił się Erwin do brata, kłamiąc cynicznie. – Jadę z Klarą. Jeden zero.

– Jednak jesteś draniem. – Egon pokiwał głową. – Nie wierz mu, Klaro. Łże jak skunks. Mój złom prowadzi się prawie tak samo jak złom twojego ojca. O, przepraszam.

– Nic nie szkodzi. – Klara wreszcie się roześmiała. – Może pociągniecie patyczki? Który dłuższy, wygrywa.

– Nie trzeba, mam swoją godność – oświadczył Egon. – Poza tym nie lubię, jak on psuje moje autko. Niech psuje twoje.

– A może ja sama poprowadzę? Czuję się zupełnie dobrze.

– Jacek zabronił – powiedzieli obaj jednocześnie.

– Jacek, Jacek. Jestem dorosła!

– Ale na prochach. – Erwin był kategoryczny. – Nie wiem, co on ci tam dał, ale prowadzić nie pozwolił. To co, jedziemy?

Klara uregulowała rachunek (herbata i ciasteczka były od firmy, ratunkowe, jak to określiła kelnerka), podziękowała za pomoc i opiekę, po czym dwie terenówki, większa i mniejsza, ruszyły w drogę.

Było późne popołudnie i słońce zaczynało już się zniżać. W takim przedwieczornym oświetleniu wszystkie barwy robią się bardziej intensywne; pola bardziej złote, drzewa bardziej zielone, woda w stawach bardziej błękitna. Cienie zaczęły się wydłużać, a bliższe i dalsze góry wokół zyskały większy kontrast. Klara zachwycała się pejzażem i jakoś przestała się martwić. Coś jej mówiło, że wszystko będzie dobrze. Przynajmniej dziś.

Droga, którą teraz jechali, wznosiła się najpierw łagodnie, potem stromiej, zamiast pól pojawiły się drzewa, a kiedy osiągnęli szczyt wzniesienia i zaczęli zjeżdżać, pozostawiając za sobą las, oczom Klary ukazała się rajska dolina.

– *Mon Dieu, que c'est beau ici!* – zawołała dziewczyna, z emocji po francusku.

Erwin i tak zrozumiał. Zresztą podzielał jej zachwyt. Dolina była rozległa, w części otoczona ciemniejącymi górami, zalana tym popołudniowym słońcem, a spora część jej łąk mieniła się intensywnym fioletem kwitnącego łubinu.

– Czy to jest ten kawałek przyrody, który chciał mi pokazać... Jerzy?

– Chyba tak. To Brama Lubawska. Kojarzysz, przejeżdżaliśmy przez Lubawkę. A teraz wjedziemy na przełęcz i przedostaniemy się na północną stronę Karkonoszy. Do Zachełmia już tylko żabi skok. Ciocia Bogusia zaprasza na kolację i powiedziała, że absolutnie nie wolno ci się wymigiwać.

– Ja... myślałam, że posiedzę z ojcem...

Erwin spojrzał na nią badawczo.

– Myślisz o nim jak o ojcu?

– Ostatnio kilka razy powiedziałam do niego „tato". Tak, wiesz, bezmyślnie...

– Rozumiem, odruchowo. Może w emocji?

– No tak. On się zwruszył.

– Wzruszył.

– Przecież mówię.

– No tak, mówisz. Jeszcze sobie posiedzisz, a kolacja jest kolacją. Jacek też będzie. Twoim ojcem zaopiekuje się Liza.

❧

Na zimę Herta Widmann wraz z Lieschen i nieodłączną Hedwig wyjechały z gościnnego Saalbergu. Tym razem tato nie mógł przyjechać, aby je odwieźć do Drezna. Sprawy wojenne zaczynały się niebezpiecznie komplikować – tak mówił dziadek, ale kiedy mamusia chciała o tym porozmawiać, gładko przechodził na inne tematy.

– Pojedziemy pociągiem – zawiadomiła Lieschen swoje najważniejsze lalki. – Musicie być bardzo grzeczne. Ubiorę was ciepło na podróż, bo pada śnieg i mogłybyście przemarznąć. Tatuś po nas nie przyjedzie, bo jest bardzo zajęty na wojnie z Polakami. Wiecie, że Polacy są bardzo źli i prowadzą ze wszystkimi wojnę, bo chcieliby pozabijać porządnych ludzi. Ale tatuś im na to nie pozwoli. Proszę, zakładamy futerka. I kapturki. Elżuniu, nie wierć się.

Niezawodna Hedwig z resztek starej salopki babci Gretel poszyła lalkom wspaniałe pelisy z kapturami i mufki, a ze znoszonych rękawiczek dziadka Hansa zrobiła śliczne oficerskie butki.

Korzystając z tego, że śnieg dopiero zaczynał padać i można było bezpiecznie jeździć po miejscowych drogach, dziadek wytoczył swojego opla P4, z trudem upchnął w jego pozbawionym bagażnika wnętrzu walizy i trzy pasażerki, a następnie zarządził ostatnie całuski na pożegnanie z babcią.

Oprócz całusków babcia miała dla swojej nowej wnuczki dwie laleczki, chłopca i dziewczynkę.

– Hansel i Gretel – powiedziała, wręczając je dziewczynce. – Żebyś pamiętała o dziadkach.

– Nie mają płaszczy – zatroskała się Lieschen. – Owinę je szalikiem, a w domu Hedwig coś dla nich uszyje. Dziękuję, kochana babciu.

Ciemnobrązowy P4 potoczył się z wolna drogą w dół, w stronę Hirschbergu, gdzie na dworcu kolejowym czekał już pociąg, którym nasze pasażerki miały odjechać przez Reichberg, dziś zwany Libercem, do Drezna. Do domu.

⁓

Klara już prawie tydzień mieszkała w willi noszącej jej imię, a jeszcze wciąż nie poznała tajemniczej Lizy.

– Ona nie lubi pokazywać się ludziom – wyjaśnił jej ojciec, gdy go zapytała. – Kiedyś rozmawiała z Bogusią, raz, może dwa. Siedzi u siebie, ma własną małą kuchenkę, taką elektryczną, jednopalnikową i elektryczny dzbanek na wodę. Ja jej robię zakupy. Jeśli bardzo źle się czuję, ona mnie pilnuje. Ale też prawie nic wtedy nie mówi. Wychodzi na spacery, jeśli ma gwarancję, że na nikogo się nie natknie.

– Tak sama cały czas? – Klara też lubiła czasami posiedzieć bez towarzystwa, zwłaszcza kiedy robiła biżuterię, ale przecież nie zawsze!

– Ma swoje lalki. Rozmawia z nimi, coś im opowiada. Podsłuchałem, prawdę mówiąc.

– A skąd ona się tu wzięła?

– Przyszła. Dwa lata temu. Miała dwie walizeczki. Akurat byłem w domu...

Jerzy doskonale pamiętał tamto popołudnie, właściwie już prawie wieczór czerwcowy, pachnący świeżo skoszonym sianem, ciepły i pogodny. Zasiadł właśnie na tarasie z małym drinkiem. Zdążył wypić pierwszy łyk, kiedy obok schodów ktoś stanął.

Starsza kobieta, wysoka i elegancka, z tak zwanymi śladami dawnej urody. Właściwie wciąż była piękna. Miała srebrzyste włosy ściągnięte w węzeł na karku, wielkie niebieskie oczy i regularne rysy. Ubrana była w szare spodnie i jedwabną bluzkę. Obok siebie postawiła dwie walizeczki.

Stała, patrzyła na dom i nie mówiła nic.

Odstawił whisky i podniósł się z fotela.

– Dobry wieczór – powiedział przyjaźnie. – Czy mogę pani w czymś pomóc?

Kobieta spojrzała na niego ogromnymi oczami i powiedziała:

– Chciałabym tu zamieszkać.

– Ja nie przyjmuję letników, proszę pani. Ale chętnie zaproszę panią na kawę. Wypije pani kawę?

Właściwie nie wiedział, dlaczego jej to zaproponował. Kobieta skinęła głową, zostawiła walizeczki u podnóża schodów i weszła na taras.

– Za kawę dziękuję. To whisky? Mogę dostać odrobinę?

Trochę go zdziwiło to pytanie, takiej damie zaproponowałbym raczej kieliszeczek likieru Chartreuse albo czegoś w tym rodzaju... ale skoro chce whisky, to właściwie dlaczego nie?

Kiedy wrócił z pokoju, niosąc whisky i lód, dama siedziała na jego miejscu i wpatrywała się w różową od zachodzącego słońca Śnieżkę.

– Piękny widok, prawda? – Postawił przed nią szklaneczkę.

– Proszę.

– Zajęłam pana ulubiony fotel – stwierdziła nieznajoma. – Przepraszam. To tylko na chwilkę i tylko raz.

No pewnie, że raz, pomyślał, bo jak tylko wypijesz tego łyskacza, to sobie pójdziesz...

– Nazywam się Liza Kózka. – Dama pociągnęła łyczek.

Ta kózka jakoś do niej nie pasowała. Powinna się nazywać jakoś bardziej arystokratycznie, a przynajmniej szlachecko. Z taką prezencją... Kózka. Żeby przynajmniej Kozłowska!

– A ja się nazywam Jerzy Dzierzbowski. Miło mi panią poznać. Przyjechała pani na wakacje?

– Nie, na stałe.

– Tu, do Zachełmia?

– Tu, do tego domu.

Wariatka. A nie wygląda. Jerzy uśmiechnął się najłagodniej, jak potrafił.

– Droga pani, ale ten dom już ma właściciela. Mnie. A ja nie przewiduję sublokatorów.

Ależ ona ma te oczy niesamowite...

– Mieszka pan sam, prawda?

– Skąd to przypuszczenie?

– To nie przypuszczenie, zapytałam w sklepie na dole, kto tu mieszka. Powiedzieli, że doktor i że sam.

No tak. Uroki mieszkania w małej wsi.

– Pani zna ten dom?

Liza Kózka nie zwróciła uwagi na to pytanie.

– Mieszka pan sam. Pracuje pan. Dom zostaje pusty. No więc dlaczego nie miałabym zamieszkać z panem? Nie przeszkadzałabym panu. Tu na niskim parterze jest taka nieduża bokówka...

– Z tego co wiem, kiedyś chyba mieszkała w niej służąca. Od lat pomieszczenie jest nieużywane… trzymam tam rower.

– Wiem, że służąca. Dla mnie to wystarczy. Jakby pan gdzieś przeniósł ten rower, to ja bym tam wysprzątała i wszystko urządziła. Tam jest taka mała ubikacja, to miałabym wodę. A z łazienki czasem bym skorzystała… kiedy pan będzie w pracy. Nawet pan nie zauważy. Z biegiem czasu zainstaluję sobie na dole prysznic.

Coś takiego. Ona sobie wszystko precyzyjnie zaplanowała, w ogóle nie biorąc pod uwagę jego zdania! W dodatku najwyraźniej doskonale zna dom. Na złodziejkę nie wygląda, zresztą złodziejka nie chciałaby zamieszkać, tylko wykorzystałaby znajomość rozkładu pomieszczeń i może rąbnęłaby stary laptop…

– Skąd pani zna mój dom?

Uśmiechnęła się lekko.

– Nie zawsze to był pana dom.

– Mieszkała pani tutaj?

– Przez chwilę. Dawno.

Proszę. Mieszkała. Dawno. Może w dzieciństwie. Albo w młodości. Przeżyła tu pierwszą miłość czy coś w tym rodzaju. Pewnie jej tu było dobrze. Wspomina. Tęskni. Marzy o powrocie do przeszłości. Bzdura.

Właściwie dlaczego nie miałaby tu zostać?

Jak to dlaczego? Bo to jego dom i nie potrzebuje w nim żadnych bezczelnych paniuś, które przychodzą i oświadczają, że będą tu mieszkać. W służbówce.

Ona nie wygląda na bezczelną paniusię. Powiedziała po prostu, czego chce.

– Widzę, że pan się zastanawia. Ja to rozumiem. Chcę pana zapewnić, że jestem finansowo jak najbardziej samowystarczalna. Życiowo również. W momencie kiedy przestanę radzić sobie sama, przeniosę się do domu spokojnej starości. Opłaciłam już wstępnie pięć lat w takim prywatnym ośrodku. Jeśli pan chce, mogę przedstawić potwierdzenie.

– Nie, nie trzeba potwierdzenia, bo ja się, proszę pani, nie zgadzam…

– Ale dlaczego?

Zaskoczyła go tym prostym pytaniem.

Gdyby tak miał być całkiem uczciwy wobec siebie, to właściwie nie wiedział, dlaczego jej tutaj nie chce. Niejednokrotnie, wracając do pustego domu, myślał, że dobrze byłoby tu mieć kogokolwiek. Psa nie mógł mieć, bo zbyt często pozostawał w pracy na dyżurach. Kot kiedyś był, ale ostatecznie wybrał dom Bogusi i ją samą. Ostentacyjnie udawał, że nie zna Jerzego, kiedy ten wpadał w gości.

No dobrze, kot, pies, ale nie obca baba…

– Ja nie jestem kłopotliwa – oświadczyła obca baba, wlepiając w niego nieprawdopodobnie błękitne oczy. – W ogóle nie będzie mnie pan musiał oglądać. Chyba że będę mogła się na coś przydać, wtedy zawsze może pan na mnie liczyć.

– Dlaczego pani tak zależy?

– Zależy, to złe określenie. – Liza Kózka spuściła oczy. Wciąż miała wspaniałe rzęsy. Jerzy nigdy nie widział kobiety w jej wieku z takimi rzęsami. – Ja już postanowiłam. Widzi pan, wyprowadziłam się z mojego dotychczasowego mieszkania, sprzedałam wszystko. Mam tylko te dwie walizki i kuferek, który zostawiłam w przechowalni na dworcu. W Jeleniej Górze.

– Jak pani to sobie wyobrażała? Tak po prostu?! Przyjść i zamieszkać?

– Tak po prostu.

Jerzy napił się whisky, żeby trochę zyskać na czasie.

– A gdyby dom był zapchany ludźmi?

– Wiedziałam, że nie jest. Byłam tu miesiąc temu. Dowiadywałam się. Wspominałam panu o sklepie…

Chryste Panie!

Liza Kózka siedziała w swoim foteliku… a właściwie w jego foteliku, wyprostowana jak trzcina, wytworna, piękna, mimo lat. Starzejąca się, a właściwie już stara. Fascynująca.

Niespodziewanie dla samego siebie, Jerzy podjął decyzję.

– Dobrze. Mogę pani oddać służbówkę. Pod jednym warunkiem: nie będzie pani zajmować mojego miejsca, kiedy będę chciał sobie tu posiedzieć i popatrzeć na góry...

Wstała natychmiast.

– Przepraszam. Nigdy więcej tego nie zrobię. Dziękuję panu. Przyrzekam, że nie będzie pan miał żadnych problemów z mojego powodu. W takim razie pójdę do siebie.

Nie dopijając whisky, zrobiła krok w stronę schodów, ale Jerzy, oczywiście, uprzedził ją i wniósł jej walizki do domu. Następnego dnia pojechała do Jeleniej Góry i przywiozła kuferek. Pełen lalek. Jerzy dowiedział się o tym, kiedy zaprosiła go do służbówki, żeby mógł zobaczyć, jak się urządziła.

– Piękna kolekcja – bąknął, bo nie bardzo wiedział, jak powinien zareagować.

Liza Kózka pokręciła głową.

– To nie kolekcja. Jestem ich matką.

– Matką lalek?

– Tak. Matką ich wszystkich. Proszę się nie obawiać, one też nie będą kłopotliwe.

Dotrzymała przyrzeczenia. Jerzy w ogóle nie odczuwał jej obecności. Kiedy był w domu, zaszywała się w swojej służbówce, którą uprzątnęła i odnowiła. Zainstalowała ten prysznic, rzeczywiście. Gdy okazało się, że Jerzy jest chory, nie zawracała sobie głowy okazywaniem współczucia, ale pomagała, jeśli tylko zachodziła taka potrzeba. Był jej za to wdzięczny, choć też nie bawił się w żadne wylewne podziękowania. Co miesiąc dawała mu kwotę, którą uważała za właściwą, jako opłatę za czynsz, wodę, gaz i elektryczność. On robił dla niej zakupy, żeby nie musiała nosić ciężkich toreb.

Był kiedyś taki moment, że chciał z nią porozmawiać, dowiedzieć się czegoś więcej o jej życiu. Zaproponował miłe posiedzenie na tarasie w towarzystwie doskonałego łyskaczyka, ale podziękowała i odmówiła.

– I ty do tej pory nie wiesz, skąd ona się wzięła? – spytała Klara swego ojca.

– Nie mam pojęcia. I wiesz co? Właściwie wcale mnie to nie obchodzi.

– A może to jest jakaś zbrodniarka, która ucieka przed policją?

– Nie przypuszczam. Myślisz, że ona czyha na moje życie?

Roześmiali się oboje.

∽

Zima w mieście nie była taka najgorsza, bo Lieschen z mamą a czasami z Hedwig chodziła do parku na saneczki albo na lodowisko. Nauczyła się całkiem nieźle jeździć na łyżwach. Mama była w tym mistrzynią. Wyglądała ślicznie, kiedy lekko i swobodnie kręciła piruety na ślizgawce. Obiecała Lieschen, że jeszcze trochę, a i ona będzie tak umiała.

Lieschen nie zdążyła posiąść tajemnicy wykonywania figur na lodzie.

Źli Polacy znowu zrobili coś strasznego. Razem ze swoimi koleżkami bandytami rzucili bomby na Drezno. Taty nie było wtedy w domu, wyjechał służbowo. Ostatnio prawie wcale go nie było w domu na Wiener Straße. Mama, Lieschen i Hedwig ukryły się w piwnicy, ale gdyby bomba spadła na ich dom, chyba nic by to nie pomogło. Tak mówiła Hedwig. Kiedy wyszły z tej piwnicy, przerażone do granic, Drezno wyglądało strasznie, pełne pożarów i ruin. Właściwie nie wiadomo jakim cudem ich kamienica ocalała. Dokoła szalało morze ognia. Ludzie biegali jak zwariowani, nie wiedząc, co robić.

Wszystkie trzy bały się strasznie i były przekonane, że już się stąd nie wydostaną i zginą w pożarze, ale Hedwig na wszelki wypadek przygotowała bagaże. Same najpotrzebniejsze rzeczy. W tym, oczywiście, lalki: Elżunię, Lieschen, Gretel i Hansa. Okazało się, że dobrze zrobiła. Koło południa przyjechał tato. Udało mu się przedrzeć płonącymi ulicami z największym trudem. Kazał Hedwig natychmiast zapakować, co tylko uda jej się zmieścić w bagażniku czarnego samochodu. Potem sam zasiadł za kierownicą i wywiózł rodzinę z płonącego miasta.

Jedynym bezpiecznym miejscem wydawał się obecnie Saalberg. Dziadkowie von Trota byli, rzecz jasna, strasznie zmartwieni, ale jak zwykle bardzo mili i kochani. Natychmiast zaopiekowali się córką i wnuczką, a dla Hedwig wyznaczyli, jak poprzednio, miejsce w bokówce na niskim parterze, koło garażu. Lieschen i mama lały się dosłownie przez ręce, takie były wyczerpane. Dostały rosołu z delikatnymi kluseczkami i poszły spać. Tatuś, niestety, tej samej nocy musiał wyjechać w sprawach służbowych. Była przecież wojna, a on był żołnierzem. A nawet wysokim oficerem. Przed wyjazdem rozmawiał z teściem, czyli dziadkiem von Trota. Obaj byli zmartwieni i mówili o zbliżającym się końcu wojny. Ale nie wydawali się zadowoleni. Przeciwnie, raczej zatroskani. Coś nie tak było z tym końcem wojny. Lieschen nie słuchała, o czym mówią. Była z rodzicami u dziadków, a więc bezpieczna.

Następnej nocy przeklęci Polacy i ich kamraci, których tato nazywał aliantami, dokończyli dzieła. Drezno praktycznie zniknęło z powierzchni ziemi.

∽

Gdyby nie świadomość ciężkiego stanu nowo poznanego ojca, trzy tygodnie, które Klara spędziła w Zachełmiu, byłyby dla niej jednymi z najmilszych w życiu. Ojciec zresztą starał się jak mógł, żeby tej choroby nie zauważała – jednak po niezbyt udanej wycieczce do Krzeszowa zrezygnował z prezentowania jej urody tych stron. Był niepocieszony, że Bramę Lubawską, jego najukochańsze miejsce na ziemi, córka zobaczyła bez niego. A tak chciał osobiście pokazać jej kwitnące łany łubinowe oświetlone niskim słońcem!

Egon i Erwin, oczywiście, byli gotowi na każde zawołanie wieźć ją, dokądkolwiek by tylko zechciała, ale ona nie bardzo chciała.

Wolała towarzyszyć ojcu w domu albo na tarasie. Spacerowała tylko trochę po okolicznych lasach, raz poszła na zamek Chojnik, ale samotnie, bez towarzystwa. Nie było to bardzo daleko, a Klara miała mocne nogi i dar orientacji w terenie. Zresztą szlaki były bardzo dobrze oznaczone, a ona chciała pomyśleć spokojnie w samotności. Miała o czym.

Myślała przede wszystkim o spełniającej się właśnie wróżbie taty Wicka. Dwóch ojców – to brzmiało jak żart, ale było prawdą. Jerzy Dzierzbowski okazał się ojcem jak najbardziej do przyjęcia... chociaż, jak się zdaje, krótkoterminowym.

Bolało ją to. Im bardziej go lubiła, tym bardziej ją bolało.

– To zrozumiałe, kochanie – powiedział jej przez telefon tata Wicek. – Mnie też jest przykro, chociaż go nie poznałem, tego mojego konkurenta...

– Przestań, tato! Nie jesteście żadnymi konkurentami!

– Naturalnie, nie jesteśmy. Chciałem zażartować, tylko mi jakoś krzywo wyszło. Spróbuj spojrzeć na to z innej strony. Wolałabyś nadal nic o nim nie wiedzieć?

– Nie, skądże. Tylko wiesz.

– Wiem.

– Najgorzej z tym nadmiarem wiedzy – mruknęła ponuro. – Tatku, kocham cię.

– Ja też cię kocham. Masz rację, że nadmiar wiedzy szkodzi. Dopóki nie znałem prawdziwych motywacji twojej mamy, byłem osłem, ale zadowolonym. Kto powiedział: „Prawda was wyzwoli"?

– Nie mam pojęcia. Pismo Święte? Stale ktoś tak mówi.

– W moim przypadku to się nie sprawdza.

– W moim trochę tak, a trochę nie.

– Bo za wszystko w życiu się płaci. – Głos taty Wicka był ciepły i kojący, wbrew temu, co mówił. – Za prawdę też. Im starsi jesteśmy, tym bardziej to do nas dociera. Twoja mama też zapłaciła za to, co chciała mieć. No więc ciesz się, że go masz, tego nowego tatę, i nie myśl, co będzie dalej.

– Och, tato!

– Och, córeczko! Pozdrów go ode mnie i twoich nowych znajomych też pozdrów. Dobrze, że cię tu nie ma, bo pogoda okropna, leje i wieje.

– Tu jest ładnie. Ale już chyba niedługo wrócę. Tęsknię za wami.

– My za tobą też. Cześć!

Klara westchnęła, zamknęła klapkę telefonu i schowała go do kieszeni spodni. Zabrała z kuchni tacę z herbatą i pomaszerowała na taras do ojca numer dwa.

– Tata Wicek cię pozdrawia – zakomunikowała.

– O, to miło z jego strony. Przekaż, proszę, wzajemne pozdrowienia przy najbliższej okazji. Nie odżałuję, że go nie poznałem, bo chyba już mi się to nie uda. Czuję, że mielibyśmy sporo wspólnych tematów do obgadania. Twój tata zna angielski? Bo ja z francuskim jestem trochę na bakier.

– Zna, oczywiście. Tata Wicek jest specjalistą od turystyki, nauczył się jeszcze na studiach.

– Tym bardziej żałuję. Nie potrzebowalibyśmy tłumacza. A obaj mamy sobie nawzajem sporo do zawdzięczenia.

– *Mon Dieu*, co za sofistyka!

– Żadna sofistyka. Proste, logiczne rozumowanie. Ja mu dałem ciebie, w sensie, powiedziałbym, autorstwa. więc on mi ciebie zawdzięcza. On cię wychował na mądrą i dobrą dziewczynę, dzięki czemu mam cię przy sobie w tej chwili. Gdybyś była głupią gęsią albo gęsią nieczułą, zignorowałabyś mój list. Zgadza się? Jako matematyczka obeznana z logiką musisz mi przyznać rację.

– Przyznaję, przyznaję! A ty jak się czujesz?

– Dobrze, nie martw się. Słuchaj, nie wiem, czy ci to już mówiłem, podoba mi się twój tata Wicek. Ewa miała wiele szczęścia, którego zapewne do tej pory nie doceniła. A twój ojciec jest mądrzejszy ode mnie. Zapłacił swoją cenę, ale bardzo dużo zyskał. A ja nie chciałem płacić i zostałem sam. Na dłuższą metę samotność nie jest dobra. Odbiera siły i chęci do walki.

– Niektórzy lubią samotność. Ja lubię sobie posiedzieć w spokoju w mojej pracowni i dłubać... korrigany albo rybki, albo liście.

– To co innego. Wychodzisz z pracowni i od razu masz dokoła siebie kochających ludzi. Ba, oni są wokół ciebie cały czas. Ja mówię o takiej samotności, kiedy wraca się do pustego domu ze świadomością, że nikt cię tak naprawdę nie potrzebuje.

– To straszne bzdury, to, co mówisz! Mnóstwo ludzi cię potrzebuje! Ilu wyleczyłeś?

Jerzy pokręcił głową z uśmiechem.

– Oni potrzebują moich usług. Tego, co ja im daję. Mnie jako mnie nie potrzebował nikt. Przynajmniej odkąd stałem się dorosły. Zrozum, Klaro, ja się nie skarżę. Ale jeśli ja nie zadzwonię, nikt nie zadzwoni do mnie pierwszy. Jeśli nie zaproszę, nikt nie przyjdzie. Teraz to się zmieniło, kiedy zachorowałem. Opiekują się mną, pilnują. Gdybym wyzdrowiał, wszystko wróciłoby do normy. Rozumiesz?

– Rozumiem, ale nie wierzę. A poza tym teraz masz mnie. Ja na pewno będę do ciebie dzwoniła. I przyjeżdżała.

Jerzy, oczywiście, pomyślał, że to trochę za późno, jednak nie powiedział tego, żeby nie robić dziewczynie przykrości. Uśmiechnął się tylko. Ona chyba i tak pomyślała o tym samym.

– Obiecałaś mi korrigana, na szczęście.

– Zrobię ci. A swoją drogą, przed chwilą, jak rozmawiałam z tatą Wickiem, to on mówił to samo co ty. Że za wszystko się płaci.

– Też tak uważam. Płacimy za wszystko. Tylko waluty są różne.

∽

Spokojny i gościnny dom w Saalbergu nie okazał się, niestety, lekiem na całe zło. Nieszczęsne naloty na Drezno (dziadkowie i mama bardzo podkreślali winę Polaków) rozpoczęły serię wydarzeń, które zmieniły życie Lieschen i jej rodziny.

W rozmowach starszych zaczęła pojawiać się dziwna nazwa: Jałta. Wymawiano ją z troską, podobnie jak nazwiska, które Lieschen zapamiętała: Stalin, Churchill, Roosevelt. Nie rozumiała nic z tych rozmów, ale wyczuwała niepokój w domu. Mówiono też o ucieczkach przed Rosjanami. Lieschen nie rozumiała, dlaczego mieliby uciekać przed Rosjanami, skoro to Polacy są naprawdę źli. Ale podobno już część mieszkańców Saalbergu zdecydowała się wyjechać.

Tylko Hedwig zachowywała się tak samo jak zawsze. Podśpiewywała pod nosem jakieś piosenki bez słów, szyła lalkom ubranka ze szmatek, chodziła z Lieschen na spacery do lasu, gotowała pyszne obiady, prała, sprzątała, nie odpoczywała.

Tato nie przyjeżdżał. Pewnie po prostu nie mógł.

A któregoś dnia mama dostała wiadomość. Przyjechał do willi *Klara* jakiś oficer, został przyjęty w salonie, a Hedwig otrzymała polecenie wyjścia z Lieschen na długi spacer. Kiedy wróciła, oficera już nie było, mama płakała i dziadkowie też płakali, chociaż nie tak głośno.

Po raz drugi w swoim niedługim życiu Lieschen dowiedziała się, że jej ojciec nie żyje.

Ale ten ojciec zginął na wojnie. Jak bohater.

∽

– Pasujesz do nas – zauważyła mimochodem Bogusia, rozdając karty.

Na tarasie willi *Klara* siedziało spore towarzystwo, zabawiając się grą w kanastę, pogaduszkami i popijaniem skomplikowanych drinków, którymi ochotniczo zajął się Jacek. Komponował coraz to nowe mikstury, nadawał im jakoby oryginalne nazwy i do każdej wymyślał anegdotę. Wszystkie pochodziły rzekomo z tropikalnych wysp. Był więc Całus Rekina z Bali, Hawajska Odyseja, Barbadoski Pasat i Huragan na Seszelach. Część towarzystwa preferowała prostą Miłość Lapończyka, to znaczy zamrożoną czystą Finlandię. Nie należy z tego wyciągać błędnych wniosków: nikt nie był pijany, a tylko dowcip zebranych zyskał na ostrości. No i łatwiej było o szczery, radosny śmiech – jak to w podobnych przypadkach.

Gospodarz nie pił niczego poza czystą wodą z bąbelkami, nie grał w karty, nie chichotał, tylko z wyraźną przyjemnością obserwował swoją miesiąc temu poznaną córkę.

– Bogusia ma rację, jak zawsze – powiedział. – Pasujesz do nas. A tobie jak się wydaje?

– Mnie się wydaje... mnie się wydaje... że teraz to naprawdę rozniosę was w proch i pył. Tak się mówi? W proch i pył. Fajne karty dajesz, Bogusiu...

– Ona ma kanastę z ręki – zaraportowała przejęta Kinia, zaglądając Klarze przez ramię. – Kanastę ma...

– Kinia! – ryknęło towarzystwo zgodnym chórem, ale już było za późno.

Wszyscy rzucili karty i Bogusia zaczęła je tasować od nowa. Grali we czwórkę, panie i obaj bracia. Bliźnięta kibicowały i jakoś do tej pory udawało im się zachować dyskrecję. Na widok jednak pikowej kanasty Kinia nie wytrzymała.

– Ty gapa jesteś – poinformowała ją Klara, kiedy już się wyśmiali. – To nie była pełna kanasta. Chociaż faktycznie, mało brakowało. Już mi tak drugi raz nie przyjdzie!

– Ale miałaś dżokery – zaszemrała zawstydzona Kinia. – Miałaś dżokery...

– To nie były dżokery, gapo, tylko walety dwa!

– To nie były dżokery, do jasnej cho... – Minio spróbował się włączyć do rozmowy, ale go zakrzyczano, zanim skończył.

– Nie odpowiedziałaś nam – przypomniał Klarze ojciec. – Jak to wygląda z twojej strony?

– Że co, że pasuję? Fajnie, że tak myślicie. Mnie tu u was bardzo dobrze. Podoba mi się właściwie wszystko. A, oceanu nie macie. Mówiłam, że teraz nic nie dostanę!

– Dostaniesz, ja ci zrobię – pocieszył ją Jacek, wstając z fotela. – Pani sobie życzy *Bahama Angel* czy może *Polinesian Zombie*?

– Ja mówiłam o kartach! Ale dobrze. Zrób mi cokolwiek, tylko nie lej mleczka kokosowego. Jakieś przezroczyste soczki.

– Rum, gin, wódka?

– Wszystko jedno. Ja ich prawie nie odróżniam. Tylko żeby nie było takie okropne jak Tajfun Barbadoski…

– Pasat, dziewczynko – powiedział z godnością Jacek. – Barbadoski Pasat na Rumie. Dobrze. Specjalnie dla ciebie się postaram. Będzie miało ładny kolor i nie będzie się ciągnęło.

– Tato! – Klara już się przyzwyczaiła do tego „taty" i nie robiło na niej żadnego wrażenia, kiedy tak mówiła (w przeciwieństwie do Jerzego, którego wciąż ściskało za gardło). – Tato, skąd ty masz takie ilości alkoholi? Jesteś kolekcjonerem?

– Nie, ordynatorem – zaśmiał się. – Mnóstwo ludzi wciąż uważa, że jeśli nie dadzą czegoś, zwłaszcza pieniędzy, to ich będziemy gorzej leczyć. Pieniędzy nie biorę, ale jak siedzi u mnie pół godziny kobitka albo facet i brzęczy o swojej nieopanowanej wdzięczności za uratowanie życia mamusi albo cioci Kloci, to nie wytrzymuję, biorę flaszkę albo czekoladki, bo muszę w końcu mieć spokój. A nie będę klienta siłą wyrzucał, zresztą sprawiłbym mu przykrość. Czekoladki przekazuję pielęgniarkom jako znak pokoju, bo ja nie lubię słodyczy, a lubię nasze dziewczyny. Alkohole zabieram, żeby Jacek od czasu do czasu mógł się pobawić. Gorzej, jak mam w szafie same koniaki albo łyskacze, z tego ciężko zrobić koktajl.

– Słyszałam kiedyś o Białym Niedźwiedziu i Burym Niedźwiedziu – odezwała się od stolika Bogusia, zgarniając kupkę usładanych na środku kart. – Biorę tę kupę. Bury to był pół na pół koniak ze spirytusem, a Biały pół na pół szampan ze spirytusem.

– Ja też o nich słyszałem, ale to były w dawnych czasach radzieckie koktajle – oznajmił Jacek, wychodząc na taras z tacką w ręce. – Klaro, specjalnie dla ciebie. Zachód Słońca nad Śnieżką. Inna nazwa: Zostań z Nami na Zawsze.

W wysokiej, oszronionej szklance perlił się różowy napój, w którym jak chmurki pływały kawałki pokruszonego lodu. Słońce symbolizowała wisienka, nie koktajlowa, tylko zwyczajna, kwaśna wisienka karkonoska.

– Jakie ładne – zachwyciła się Klara, jednak nie od razu pozbyła się podejrzeń. – Powiedz, co tam wpakowałeś! Jakieś paskudztwa? Angosturę? To jest gorzkie i okropne?

– Zaryzykuj.

Klara ostrożnie pociągnęła łyczek.

– Dobre! Co tam jest w środku?

– Nasze serca. Nie żadna angostura. Mówiłem ci, to się nazywa: Zostań z Nami.

Towarzystwo na tarasie nagle ucichło. Wszyscy patrzyli na Klarę – z wyjątkiem, ma się rozumieć, Kini i Minia, skaczących wokół stolika i zaglądających w karty.

Klarze zrobiło się jednocześnie bardzo miło i troszkę głupio. Naprawdę, wszyscy się na nią gapili i mieli takie jakieś uśmiechy… chyba ją polubili. Ona ich też, oczywiście. Już nie mówiąc o ojcu – Bogusia, Egon i Erwin, Jacek… świetni ludzie, życzliwi tacy… Bogusiny mąż, który siedzi aktualnie w domu i pisze jakąś pracę naukową, zamiast bawić się z nimi. Nawet te śmieszne bliźniaki, podobne do terierzych szczeniaczków – wszędzie ich pełno i stale coś psują albo zrzucają, ale w gruncie rzeczy są zabawne i sympatyczne.

Ten Jacek… Klara nie spodziewałaby się nigdy, że to on wygłosi takie zaproszenie. Myślała, że w ogóle nie zwraca na nią uwagi. To bracia chodzili za nią krok w krok. On siedział głównie w szpitalu i pracował. Czasem się zjawiał, kiedy był potrzebny. Dziś ma wolne. Kreator tropikalnych drinków…

– Nie wiem, co powiedzieć – odezwała się wreszcie. – Tak się czuję, jakbym miała urodziny… Czemu myślicie, że ja do was pasuję? Ja jestem całkiem zwyczajna.

– No właśnie – odrzekł Egon ciepło, wpatrując się w nią tym rzewnym wzrokiem. – Jesteś całkiem zwyczajna. Całkiem normalna.

– Coraz więcej jest nienormalnych – uzupełnił Erwin. – Na ich tle jaśniejesz jak gwiazda.

– A idź ty, gwiazda! Tato, oni bredzą!

– Bo ja wiem, czy bredzą? Jestem w stanie sobie wyobrazić, jak tu mieszkasz, pracujesz, robisz te swoje diabełki…

– Korrigany.

– No właśnie. Byłbym szczęśliwy, gdybyś została. Ale rozumiem, że wyrwaliśmy cię z twojego życia i ty do tego życia prędzej czy później wrócisz. Powinniśmy się cieszyć, że pojawiłaś się u nas i byłaś z nami.

– Jeszcze jestem. – Wypiła łyczek Jackowej kompozycji. – Właśnie chciałam wam wszystkim powiedzieć, że sprawdziłam połączenia samolotowe. Za cztery dni powinnam wyjechać. Tam u nas już się zaczyna gorący sezon. Będą potrzebować mojej pomocy. Rąk do pracy. Egon i Erwin, jak wy byliście, to jeszcze nic się nie zaczęło, turystów było mało. Ale ja bym chciała zaraz po sezonie znowu do was przyjechać. Za dwa miesiące, u nas to tyle trwa mniej więcej. Tato, mogę?

– Przyjechać potem, czy wyjechać teraz? Kochana, przecież ja ci nie będę niczego narzucać.

Atmosfera na tarasie wyraźnie sklęsła. Najniespodziewaniej w świecie Kinia i Minio ujęli Klarę za ręce, omal nie rozlewając jej drinka (troszeczkę szarpnęli, ale od razu przeprosili).

– Ty, Klara – zaszemrał Minio. – Ty nie wyjeżdżaj…

– My już nie będziemy układać na ciebie wierszyków – dołożyła Kinia, wykrzywiając buzię w mniemanym wyrazie skruchy.

Średnio jej ta skrucha wyszła, ale Klara zrozumiała i doceniła.

– Robaczki, ja nie dlatego wyjeżdżam… Ja bardzo lubię wasze wierszyki!

Bliźniaki spojrzały po sobie i poweselały.

– Ooo, fajnie – powiedziały jednocześnie.

– Klaro, landaro – dodał szybko Minio i zwiał.

– Klaro, fujaro – zaszeptała Kinia i też na wszelki wypadek dała nogę.

❧

Wojna była już nieomal przegrana. Oznaczało to jakieś wielkie dramaty, co Lieschen rozumiała doskonale. Miała tylko osiem lat, ale była bardzo mądrą dziewczynką, tak mówiła mama. I dziadkowie. Ale jak ma teraz wyglądać życie, zwłaszcza że zabrakło taty, nie miała pojęcia. Zdaje się, że na dobrą sprawę nikt tego w willi *Klara* nie wiedział.

– Musimy jak najszybciej wyjechać – powiedział któregoś dnia dziadek Hans. – Będą wysiedlenia. Lepiej to uprzedzić. Dopóki jeszcze można zabrać trochę rzeczy.

– Dużo ich ojciec nie zabierze – zauważyła mama posępnie. – Tym naszym samochodem...

– Mówiłam ci, Hansel, że auto bez porządnego bagażnika jest niewiele warte – westchnęła babcia. – Jesteś pewien, że nie możemy tu zostać?

– Jestem pewien. Nie martwcie się, wrócimy. Nie wiem, kiedy, ale wrócimy na pewno. Nie będą się tu Polacy panoszyć wiecznie.

– Ale moje lalki pojadą... – szepnęła Lieschen.

Dorośli zaśmiali się niewesoło.

– Jeśli weźmiesz je na kolana – pozwolił dziadek. – A ty, Gretchen, podziękuj Bogu, że nie oddałem samochodu.

Rzeczywiście, Lieschen pamiętała, jakiś czas temu rekwirowano we wsi wszystkie samochody. Rekwirowano, tak mówił dziadek. Czyli zabierano. Babcia i mama były zdania, że auto trzeba oddać, że taki jest patriotyczny obowiązek każdego Niemca. Dziadek nakazał im milczenie, a potem schował opla w garażu i pracowicie zamaskował garażową bramę krzewami, które poprzesadzał z różnych miejsc w ogrodzie, i pnączami na drabinkach. Garaż razem z bramą umiejscowiony był w dolnej części domu, opadającej wraz z łąką w stronę lasu, częściowo więc ukryty w terenie. Maskowanie udało się dziadkowi znakomicie. Razem z autem przechował pewną ilość benzyny, tak więc rzeczywiście mieli szanse na ucieczkę w głąb Niemiec.

Trzeba to było zrobić, bo w Saalbergu podobno miała być Polska. Lieschen nie bardzo to sobie wyobrażała, jak Polska przychodzi w jej ukochane góry, ale rozumiała, że uciekać przed nią muszą.

Tego samego popołudnia dziadek z pomocą Hedwig usunął całą zieleninę z drzwi garażu, po czym kazał służącej spakować najpotrzebniejsze rzeczy państwa, według zaleceń obu pań. Zabranie samej Hedwig nie wchodziło w grę. Każdy centymetr miejsca był potrzebny na bagaże.

– To znaczy, że ja mogę sobie pójść? – spytała, a sowie oczy zaokrągliły jej się w wyrazie niewinnego zdziwienia.

– Ani się waż. Masz czekać w domu i pilnować, żeby jak najmniej zniszczono – warknął dziadek. – My wrócimy. Ten układ długo nie pożyje.

Koło północy wyładowany po brzegi samochód dziadka po raz ostatni potoczył się przez Saalberg zakosami w dół, żeby przez Jakobsthal, Harrachsdorf i Reichenberg przedrzeć się w głąb Niemiec.

⁓

– Jacek, ja nie wiem, czy dobrze robię…

Klara siedziała na prawym fotelu w Jackowej hondzie i martwiła się. Jacek wziął dzień urlopu i odwoził ją właśnie do Wrocławia na lotnisko, skąd miała lecieć do Warszawy, stamtąd do Paryża i z Paryża do domu. Oczywiście Egon i Erwin też zgłosili się jako chętni do odwiezienia, nawet do Warszawy albo i na Île-de-Sein… ale Klara powiedziała im, że z Jackiem umówiła się wcześniej. Co nie było prawdą.

– A możesz zrobić inaczej?

– I tak, i nie. Tak, bo tak. A nie, bo tam w domu potrzebują pomocy, sezon się zaczął. Ja bym się tu głupio czuła, jakbym siedziała i nic nie robiła.

– To dlaczego nie wiesz, czy dobrze robisz?

– Przecież wiesz. Zostawiłam ojca… nie wiem, co będzie przez dwa miesiące, bo za dwa miesiące na pewno znowu przyjadę.

– Wiesz, ja ci nie mogę niczego obiecać na sto procent, bo medycyna to nie matematyka. Ale nie sądzę, żeby coś się miało stać… ostatecznego… przez te dwa miesiące. On teraz nabrał trochę energii. Dzięki tobie, oczywiście. Będzie na ciebie czekał i to go będzie trzymało przy życiu. Chcesz może kawy? Muszę zatankować, za parę kilometrów jest stacja.

Wbrew oczekiwaniom Klary kawa na stacji paliw była zupełnie dobra.

– Dziwna ta Polska – powiedziała dziewczyna, dosypując cukru do kubka. – Mama mówiła, że u was jest beznadziejnie, a ja tego wcale nie widzę. Żeby było beznadziejnie.

– Różnie jest – wzruszył ramionami Jacek. – Raz lepiej, raz gorzej. Nigdzie nie jest całkiem idealnie.

– No tak. Ale muszę ci powiedzieć, że polubiłam Polskę. To znaczy, dużo nie widziałam. Nawet nie poszłam w góry ani razu. W te prawdziwe. Egon mówił, że tam są skały jak w Alpach.

– Trochę mniejsze. Jeszcze pójdziesz. Skoro mówisz, że wrócisz.

– Ty, Jacek, jesteś lekarzem. Jak długo…

Zamilkła i napiła się kawy. Ale Jacek wiedział, o co Klara go pyta.

– Nie wiem, kochana. Nie wiem, jak długo. Wszystko może się zdarzyć. Jerzy za późno zaczął się leczyć. Dopiero jak już widzieliśmy, że coś mu jest. Zmusiliśmy go. My, koledzy. Wspominałem ci, nie miał woli walki.

– Mówił, że to przez samotność.

– Możliwe. On ma wielkie serce, znaczy jest dobrym człowiekiem. Mnóstwo ludzi zawdzięcza mu życie. Ma fenomenalną intuicję jako diagnosta. Ale wiesz… To się tak mówi, że człowiek spełnia się w pracy, tratata. Praca to tylko kawałek życia. A tego jego prywatnego, niesłużbowego serca jakoś nikt nie chciał. Albo on nie miał komu go dać. Tak ja to sobie tłumaczę. On mi zresztą o tym powiedział. To go bolało. Niektórzy ludzie nadają się na samotników, inni niekoniecznie. Dobrze, że przyjechałaś. To go na pewno wzmocniło. Ale nie spodziewaj się cudów.

– Może zdarzy się cud…

– Chcielibyśmy tego wszyscy. Ty, ja, Bogusia, Kazio, Egon z Erwinem, nawet Kinia z Miniem wiedzą, o co chodzi, i martwią się o wujka Jurka. Pacjenci i pacjentki msze zamawiają, modlą się na potęgę… wiem, bo mnie zapraszali, ale ja generalnie nie chodzę do kościoła. Telefon się urywa, tylu ludzi dzwoni.

– No to gdzie ta samotność, Jacek, powiedz!

Wzruszył ramionami.

– W domu.

Pomilczał chwilę, jakby nie mógł się zdecydować na powiedzenie tego, co chciał powiedzieć.

Zdecydował się.

– Klaro… A ty rozważałaś taką możliwość, żeby z nim zamieszkać na ten czas…

Pokiwała głową.

– Myślałam o tym. Tylko ten sezon…

– Rozumiem. Przyjedź po sezonie. I posiedź dłużej. Oby jak najdłużej. Chociaż… przemyśl to jeszcze. To straszne obciążenie. Nie jesteśmy w stanie przewidzieć, co będzie dalej.

– Wiem. Przemyślę.

☙

Powrót do Drezna był niemożliwy. Miasto leżało w gruzach i należało cieszyć się z cudownego ocalenia, jednak wracać po prostu nie było do czego.

Propozycje były dwie: jechać do Gelsenkirchen w Zagłębiu Ruhry, gdzie mieszkali teściowie mamy, starsi państwo Widmannowie czyli rodzice tatusia, albo też skierować się bardziej na południe i spróbować szczęścia w Bad Honnef, letniskowej miejscowości koło Bonn, nad Renem. Tam z kolei mieszkała serdeczna przyjaciółka babci Grety, która w czasie wojny straciła męża i syna, być może więc chciałaby i mogła pomóc (czytaj: miałaby w domu miejsce, żeby przytulić uciekinierów).

W Zagłębiu Ruhry trwały walki. Gelsenkirchen, podobnie jak Drezno, nie wchodziło w grę.

Nadrenia była już opanowana przez aliantów, ale tam przynajmniej walki już się skończyły. Tak mówił dziadek.

Lieschen było wszystko jedno, czy ktoś gdzieś kogoś bije, do kogoś strzela, czy może rzuca bomby. Odkąd została Niemką, ufała absolutnie swojej niemieckiej mamie (tatusia już nie było, ale kiedy żył, jemu też ufała) i dziadkowi, i babci też. Oni byli jej przewodnikami po rzeczywistości; mówili, kto jest dobry, a kto zły, kogo trzeba kochać, a kogo nienawidzić. Mówili: „Nie martw się, Lieschen, wszystko będzie dobrze". Więc się nie martwiła, tylko otulała szalem swoje lalki, żeby nie zmarzły. Ją z kolei otulała kocem i szalami mama. Było dobrze.

Dziadek jechał i jechał, stawali po drodze wiele razy, dziadek rozmawiał z jakimiś wojskowymi, coś tłumaczył, zjeżdżał na coraz bardziej boczne drogi, aż wreszcie jakimś cudem, na ostatnich kroplach benzyny, dojechali do Bad Honnef.

Hannelore Jansen była tak samo stara jak babcia, ale Lieschen kazano mówić do niej „ciociu". Miała ładny dom na samiutkim skraju miasta, blisko Renu. Właśnie wynieśli się z niego amerykańscy żołnierze i poszli dalej, zdobywać Niemcy. Było więc miejsce dla rodziny Widmannów i von Trota. Ciocia Hannelore popłakała się, kiedy zobaczyła swoją dawną przyjaciółkę, i oświadczyła, że podzieli się z nią całym swoim dobytkiem. I że jej dom jest domem babci oraz babcinych bliskich.

Od tej pory obie starsze panie często siadały przy kuchennym stole, żeby nad szklanką ziółek wspominać Otto Widmanna, a także Johanna i Karla Jansenów; przeklinając przy tym wojnę, Amerykanów, Anglików, a przede wszystkim Polaków, przez których, jak wiadomo, całe to nieszczęście wynikło.

∽

Niespodziewanie dla siebie samej Claire tęskniła za ojcem numer dwa. Choć fizycznie zupełnie inny, z charakteru przypominał nieco tatę Wicka. Ten sam spokój, rozwaga, życiowa mądrość i błyskotliwa inteligencja. Obaj potrafili znienacka rzucić sytuacyjny dowcip, który powodował u Claire nieopanowane chichotanie.

Obaj pozornie chłodni i obojętni, a w rzeczywistości ciepli, dobrzy i serdeczni.

Dwóch ojców, *mon Dieu*!

No i dobrze.

Jak to mówi babcia Ana? Od przybytku głowa nie boli.

Wprawdzie „przybytkiem" nazywa się też w Polsce toaletę, ale Claire spytała babcię o to kiedyś i babcia wyjaśniła jej dogłębnie tę pułapkę polskiej mowy.

To głównie dzięki niej Claire mogła się bez kłopotu i bez kompromitacji językowej dogadać z ojcem numer dwa. A może numer jeden? Trzeba by się kiedyś porządnie zastanowić nad tą numeracją. Na przykład przy smażeniu *galettes*...

Sezon na Île-de-Sein zazwyczaj był grymaśny. Liczba turystów na wyspie zależała ściśle od pogody i wysokości fali na Atlantyku. W tym roku lato dopisało bardzo ładnie i turyści po prostu kłębili się na wyspie, domagając się naleśników, ryb, owoców morza i cydru. Jeden marny sztorm, uniemożliwiający przez dwa dni dostanie się na wyspę, pozwolił miejscowym odrobinę odetchnąć, a Claire usiąść spokojnie w pracowni i przymierzyć się do wykonania obiecanego ojcu korrigana. Wyszedł całkiem sympatycznie. Większy niż korrigany przeznaczone do medalionów, mniej więcej pięciocentymetrowy, miał trójkątną, brodatą twarz, chytry uśmiech i spiczaste uszka. Duże oczy z niebieskiej emalii i serce z czerwonej.

– Ty, mały – powiedziała jego stwórczyni, biorąc gotową figurkę w dłoń. – Będziesz miał zadanie specjalne. Nie mówię, że łatwe. Masz chronić mojego ojca. Tatę Jurka. Za miesiąc pojedziemy do Polski. Tymczasem posiedź tutaj, popatrz na ocean. Ucz się. Nabieraj mocy. Musisz być prawdziwą Istotą Czarodziejską.

Postawiła korrigana na parapecie okiennym. Może naprawdę ocean napełni go jakąś tajemniczą mocą, dzięki której pomoże ojcu?

Jacek mówił, że nie ma nadziei na wyzdrowienie. No to niech przynajmniej ojciec dłużej pożyje. I lepiej.

Tata Wicek, któremu opowiedziała najwięcej o swoim biologicznym ojcu, przyjął jej wyznania ze zrozumieniem i bez zazdrości. Również bez goryczy – a trochę się bała, że będzie mu przykro. Twierdził, że jest mu przykro wyłącznie z powodu ciężkiej choroby Jerzego.

– Chętnie bym go poznał – powiedział po prostu, kiedy rozmawiali o planowanej ponownej podróży Claire do Polski. – Czuję, że mielibyśmy o czym rozmawiać.

– On też tak mówił – ucieszyła się. – Tato, a może po prostu jedźmy razem!

– Mam lepszy pomysł. Pojedziesz sama, a jeśli uznasz, że sytuacja sprzyja, dojadę do ciebie. Kiedy chcesz tam wracać?

– Po sezonie, tato. Może na początku września.

Claire uważała, że na razie jest niezbędna w rodzinnym interesie, i miała rację. Matka ostatnio jakoś straciła impet do wszystkiego, z pracą włącznie, a może przede wszystkim. Babcia Ana impetu miała pod dostatkiem, niestety, trzasnął jej jakiś dysk czy może inna zaraza, w każdym razie własny kręgosłup robił jej poważne afronty. Owszem, była u lekarza, który zalecił jej zupełnie inne ruchy niż przy smażeniu *galettes* i staniu przy kuchni. Klęła po polsku tym paskudniej, im bardziej ją bolało, i próbowała pracować, na ogół z kiepskim skutkiem. Marianne wprawdzie umówiona była na pracę w pensjonacie u rodziny swojego Ronana, ale zrezygnowała z tego, żeby podeprzeć rodzicielski biznes. Świadomość, że jest potrzebna także w Audierne, okropnie ją denerwowała. Ojciec, jak zwykle, zajmował się zaopatrzeniem, ale i on stawał za barem, kiedy była taka potrzeba. Hervé, który kiedyś wpadał często, żeby pomóc, nie pojawił się ani razu. Kiedy Claire wróciła z Polski, zupełnie taka sama jak wtedy, kiedy wyjeżdżała („a czegoście się spodziewali, że mi rogi wyrosną?!"), sytuacja w domu znormalniała. Wprawdzie dysk babci nie wskoczył na swoje miejsce, ale przestał się aż tak awanturować, zaś matka uspokoiła się na tyle, żeby znowu móc smażyć naleśniki w kuchni *Chez Marianne*.

– Jesteś dobrym duchem naszego domu – powiedział tata Vincent w kilka dni po powrocie córki (w każdym razie dziewczyny, którą wciąż uważał za córkę i kochał jak córkę). – Bez ciebie wszystko się tu rozlatuje.

Siedzieli późnym wieczorem w ogródku własnej restauracji i popijali zimny cydr.

– Przesadzasz, tato. Wszyscy byli w nerwach, bo nie wiedzieliśmy, co sytuacja przyniesie. A teraz już jest normalnie.

Ojciec pociągnął łyk zimnego, bąbelkującego napoju. Claire znała tę jego pozornie obojętną minę. Martwił się czymś.

– Tatku, co się dzieje?

Spojrzał na nią niewinnym wzrokiem.

– Coś się dzieje?

– Nie oszukuj. Albo wiesz za dużo, albo za mało. No więc?

– Jedno i drugie – wyrwało mu się.

Od jakiegoś czasu zastanawiał się, czy powiedzieć jej o tym, że kilkakrotnie widywał Hervé z jakąś pannicą, która całkiem swobodnie i publicznie wieszała mu się na szyi. Widywał ich razem jeszcze przed wyjazdem Claire i nie podobało mu się to. Z drugiej strony, Hervé nie był jego ulubionym młodzieńcem. Miły, ale ciapowaty. Zdarzyło mu się zastygać, nie wykonując żadnego ruchu, na długie chwile. Vincenta dosyć to śmieszyło, a nie chciał śmiesznego męża dla swojej kochanej dziewczynki. Byli partnerami – czy tak się teraz na to mówi? – już tyle lat, a jakoś żadne z nich nie dążyło do małżeństwa… Vincent uważał, że to nie prowadzi do niczego. On sam podejmował swego czasu błyskawiczne decyzje.

No i parę razy nieźle się przejechał, a szczególnie raz… nieważne.

– No to gadaj – zażądała córka – Najpierw za dużo.

Nie, nie powie jej o Hervé. Niech to załatwią między sobą.

– Za dużo… przecież wiesz, czego za dużo. Rozmawialiśmy już kiedyś o szkodliwości wynikającej z nadmiaru wiedzy. Żyliśmy sobie spokojnie i nagle przyjechało dwóch facetów…

– Ach, ty o tym. Ale ja chyba… przepraszam cię najmocniej… chyba jestem zadowolona. Cieszę się, że tam pojechałam.

– Tym razem prawda nie okazała się dla ciebie szkodliwa – zaśmiał się, zadowolony, że udało mu się ją zmylić.

– No tak. Ojciec jest bardzo w porządku. Wyobraź sobie, tłumaczył mi, że nie powinnam go żałować, tylko się cieszyć, że w ogóle się poznaliśmy.

– Pollyanna w męskim wydaniu – mruknął Vincent, który kiedyś z uciechą przeczytał wszystkie książki z biblioteki małych wówczas córeczek.

– Poza tym ci wszyscy ludzie, o których ci opowiadałam. Bardzo mili. Bardzo serdeczni. I Polska mi się podobała, przynajmniej ten kawałek, który tam widziałam. Ta wioska w górach jest prześliczna. Tato, jakie tam są widoki z tarasu!

– Lepsze niż nasz?

– Nie wiem, czy lepsze, bardziej urozmaicone. Trochę za nimi tęsknię.

– Za ludźmi czy za widokami?

– Za jednym i drugim. Musisz tam pojechać. To postanowione.

– Kto postanowił?

– Ja.

– Widzę, że ja się zupełnie przestałam dla was liczyć?

W drzwiach restauracji stała Ewa. W jej pytaniu była gorycz. W mniemaniu Claire – nieusprawiedliwiona. Matka do tej pory robiła wrażenie, jak gdyby w ogóle nie była zainteresowana przeżyciami Claire i sytuacją swojego dawnego przyjaciela. Więcej niż przyjaciela.

Ojciec był zadowolony, kiedy się pojawiła. Unikał w ten sposób odpowiedzi na nieuchronne pytanie, czego ma za mało. A za mało miał pewności, że ukochane dziecko nie zechce któregoś dnia wyjechać z wyspy do tej nowo odkrytej Polski. Byłoby to najzupełniej zrozumiałe. W ogóle Claire od dawna była dorosła i tak czy owak mogła wyjechać dokądkolwiek. To jakiś cud, że dotąd tego nie zrobiła. Prawda, kochała Bretanię i wyspę, i ocean (chociaż się go bała), planowała wspólną przyszłość z tym gamoniem...

Do diabła z gamoniem. To już lepiej niech dziewczyna szuka szczęścia gdzie indziej, bo on go jej nie da. Vincent był tego pewien.

Miło opowiadała o tych dwóch braciach, którzy okazali się tak sympatyczni przy bliższym poznaniu. I chyba wartościowi. Polubiła ich. Ciekawe, czy któregoś bardziej. Nauczyciel czy leśnik? Nie, nie leśnik, entomolog. Ale pracuje w lesie. Proszę bardzo, może być leśnik, nauczyciel, historyk, entomolog – byle nie gamoń...

Ewa usiadła między mężem a córką, na niezbyt wygodnym rattanowym fotelu (swego czasu celowo dobierali mniej wygodne meble, żeby goście nie rozsiadali się w ogródku nazbyt długo).

– No i co?

– Mamo, ja cię najmocniej przepraszam, ale nie rozumiem. Tato, ty rozumiesz?

Vincent pokręcił głową.

– Niestety, ja też nie...

– A może ja też chciałabym tam jechać, spotkać się, porozmawiać...

– Naprawdę?

– Chciałabyś?

Ewa się zgarbiła.

– Naprawdę... nie wiem. Ale, Claire, ty mi nawet nie opowiedziałaś o swojej podróży, o tym, co zastałaś w Polsce...

– Mamo, wszyscy to już znają na pamięć, opowiadałam ze dwa tysiące razy, tylko ty zawsze wtedy wychodziłaś z pokoju!

– To może teraz ja sobie pójdę, a wy pogadajcie jak matka z córką – powiedział Vincent obojętnym tonem i wstał ze swojego niewygodnego fotela.

Mrugnął porozumiewawczo w stronę Claire, zabrał szklanki i butelkę po cydrze, postawił na tacy.

– Donieść paniom coś do picia?

– Wino – rzuciła Ewa tonem, jakim mówi się do kelnera.

Zauważył to, ale nie zareagował, chociaż go zabolało. To dziwne, że wciąż go jeszcze bolały takie rzeczy.

– A daj, tatku, jeszcze cydru, dobrze? Dawno nie piłam i wyjątkowo mi dzisiaj smakuje.

– Służę. Jakie wino dla madame?

– Białe, wszystko jedno jakie. Tam stoi jakieś otwarte, mogę je wykończyć.

– Chablis, zupełnie znośne. Już podaję.

Po chwili nowe butelki stały na stoliku. Vincent ukłonił się i poszedł do swojej sypialni ze świadomością, że nie będzie mu dzisiaj łatwo zasypiać.

Claire nalała matce wina i sobie cydru.

– Nasze zdrowie. Co chcesz wiedzieć, mamo?

Matka wypiła wino i skrzywiła się, jakby było niedobre.

– Wszystko. Czy on coś mówił o mnie?

– Oczywiście, rozmawialiśmy przecież głównie o tym, skąd się wzięłam.

– Bardzo źle?...

– Nie, w ogóle nie mówił nic w tym sensie. Tylko o tym, że mieliście różne charaktery. Ty i on.

– On jest... ożenił się?

– Nie.

– Mówił ci, dlaczego?

– Mówił, że mu nie wyszło.

– Ale miał kogoś? Nie miał, prawda?

Claire zniecierpliwiła się, ale usiłowała nie dać tego poznać po sobie. Nie miała jednak opanowania swojego przybranego ojca. Ani prawdziwego zresztą.

– Mamo – powiedziała najłagodniej, jak potrafiła. – Mnie się wydaje, że on cię wcale nie obchodzi. On jako on. Cały czas tak naprawdę myślisz tylko o sobie. Chciałabyś, żeby on wciąż był ci wierny, żeby się okazało, że nie ożenił się, bo cię cały czas kochał. Ciebie, nikogo więcej. W ogóle nie pytasz, jak wygląda jego sytuacja, jak bardzo jest chory, nie interesuje cię, czy ma kogoś, kto się nim zaopiekuje, jak już dojdzie do tego, że trzeba się nim będzie opiekować w dzień i w nocy. – Mimo woli Claire zaczęła się rozpędzać. – Nie pytasz, jak nam się ułożyło, a przecież jestem jego córką!

– Źle mnie oceniasz. – W głosie matki był wyrzut. – Skąd możesz wiedzieć, co ja myślę?

– A co myślisz?

Ewa pociągnęła kolejny łyk wina.

– Powiem ci, czemu miałabym ci nie powiedzieć. Jesteś przecież i moją córką, chociaż wydaje mi się, że bardziej odpowiada ci rola sędziego.

– Mamo!

– Przecież widzę. Oceniasz mnie jako okropną babę pozbawioną serca. Ale to nieprawda, że ja o nim nic nie wiem. Nieprawda. Cały czas wiedziałam, co się u niego dzieje. Jola Miaskowska... dzwoniłyśmy do siebie, nie musieliście o tym wiedzieć, zresztą starałam się, żebyście nie wiedzieli. Poza tym zawsze jak przyjeżdżała, miała świeże wiadomości. Wszystko wiem. O jego znajomych, o domu, o pracy...

– Nic nie rozumiem. – Claire poczuła się skołowana. – To po co mnie pytasz, czy on kogoś ma, skoro wiesz, że nie?!

– Na wszelki wypadek... gdyby Jola mi nie powiedziała. Ona mogła o czymś wiedzieć i nie powiedzieć mi z litości...

Claire milczała chwilę, oswajając się ze świadomością, że matka wciąż kocha jej prawdziwego ojca i że kompletnie bez sensu unieszczęśliwiła siebie i dwóch bardzo porządnych mężczyzn. Boże, co za galimatias! Czy ona teraz zamierza spektakularnie rzucić wyspę, dom i Vincenta, aby wrócić do Jerzego? Ciekawe, co na to Jerzy... Co Vincent? Babcia Ana, która tak się tu zadomowiła? Dobrze, że Marianne zaczyna żyć na własny rachunek! A ona sama, Claire?

– Mamo – zaczęła ostrożnie. – Co ty zamierzasz zrobić?

Ewa spojrzała na nią jakby z politowaniem.

– A co, twoim zdaniem, zamierzam? Czego ty się boisz? Że zakłócę spokój twojemu nowemu tatusiowi, którego pewnie chcesz teraz mieć wyłącznie dla siebie?

Claire, której już zdążyło się zrobić żal matki, poczuła wzbierającą złość.

– Wiesz, czego się boję? Że jesteś bardziej popaprana, niż mi się do tej pory zdawało. Czy ty sama wiesz, czego chcesz? Zrobiłaś straszne świństwo dwóm świetnym facetom, a przy okazji sobie samej. Mnie nie, bo ja sobie poradziłam, bo ja mogę mieć dwóch ojców, proszę bardzo, duża już jestem. Ale skrzywdziłaś najpierw tatę Jerzego, a potem tatę Vincenta. I ta krzywda, to świństwo, które im zafundowałaś, wcale nie było jakieś jednorazowe, tylko trwało dwadzieścia osiem lat. Dwadzieścia osiem! I ty się teraz zastanawiasz, czy tata Jerzy jeszcze cię kocha? Może chcesz do niego jechać, żeby go o to spytać? I tak mu urozmaicić resztę życia? O tacie Wicku w ogóle nie myślisz, on się dla ciebie nie liczy, a to on stworzył naszą rodzinę i on ją trzyma w całości, ty tylko robisz łaskę, że jesteś...

Zatchnęła się swoim sprawiedliwym gniewem i zastanowiła się nagle, czy ma prawo wygłaszać takie przemówienie do własnej matki.

– Przepraszam – powiedziała już spokojnie. – Zdenerwowałam się. To dlatego, że oni obaj są naprawdę świetni. A ty chyba nikogo nie kochasz, mamo, oprócz siebie.

– Claire...

– Przepraszam. Zapędziłam się. Przepraszam. Idę spać. Dobranoc.

Ewa nie odpowiedziała. Patrzyła na ocean i odbijające się w nim światło księżyca.

Claire westchnęła, zabrała swoją szklankę i butelkę z resztką cydru i skierowała się do domu. Kiedy przeszła przez próg, omal nie krzyknęła z przestrachu. Ktoś chwycił ją za rękę i pociągnął do kuchni.

– Cicho bądź, to tylko ja!

– Babcia?!

– Babcia, babcia. Chodź i nie wrzeszcz. Zostało ci trochę cydru? Tak? To daj mi, nie będę otwierała świeżej butelki, a pić mi się chce. Słuchaj...

Babcia Ana przerwała i nalała sobie cydru do szklanki Claire, po czym wychyliła go jednym haustem. Dolała, usiadła i pociągnęła Claire na krzesło.

– Słuchaj, dziecko. Muszę z tobą porozmawiać, bo jak znam życie, to ty się teraz będziesz dręczyć, że nagadałaś matce...

– Skąd babcia wie?

– Już cię gryzie, co?

– Trochę mnie poniosło...

– Nic się nie przejmuj. Bardzo dobrze zrobiłaś. Tak naprawdę to ja jej powinnam nagadać dawno temu, ale jakoś się nie odważyłam.

– Babcia słyszała?

– Podsłuchiwałam. A co tam, przyznam ci się, Klaruniu, ja nagminnie podsłuchuję. Inaczej bym się zanudziła na tym wygwizdowie. I powiem ci, że to zawsze była moja wielka troska, ten egoizm twojej mamy. Te jej patriotyczne brewerie, jak jeszcze mieszkaliśmy w Polsce... tak naprawdę to chciała błyszczeć jako wielka działaczka, patriotka, licho wie, co jeszcze. Nie masz pojęcia, jak chciała, żeby ją zamknęli... a oni nic, te głupie ubeki. Ja jej tłumaczyłam i twój dziadek też... żył jeszcze wtedy... no więc tłumaczyliśmy jej, co jest naprawdę ważne, ale to było jakby grochem o ścianę. Jak mnie było żal tego Jurka, znaczy twojego ojca! Nie masz pojęcia. To był bardzo wartościowy, kochany człowiek...

– On babcię też mile wspomina.

– No widzisz. Bośmy się lubili. On naprawdę kochał twoją mamę. Zresztą Wicek też ją kocha. To było niesłychane szczęście, że Wicek jej się trafił, a mógł być jakiś drań. Ty go też kochasz, co?

– Babciu!

– Wiem, wiem. I Jurka polubiłaś. Dobrze, że cię w końcu zawołał. Ja się bardzo cieszę, że poznałaś prawdziwego ojca. Oboje na to zasługujecie. Żeby znać prawdę. Ale teraz powiedz mi, co dalej? To znaczy, pamiętam, że za miesiąc chcesz tam jechać, żeby z nim być w najgorszych chwilach... dobre z ciebie dziecko, kochana moja wnuczulko...

– Trochę się tego boję, babciu, ale chyba muszę. Jakoś nie wyobrażam sobie, żebym mogła go teraz zostawić. Tylko niech ten sezon się przewali.

– Gdyby mi nie trzasnął krzyż, to bym cię sama spakowała i kazała jechać zaraz. Ale rzeczywiście, potrzebna tu jest twoja ręka. Słuchaj, myślisz, że twoja matka naprawdę chce jechać do Jurka?

Claire nie zdążyła odpowiedzieć.

– Niech się mama nie martwi – powiedziała sucho Ewa, stojąca w drzwiach. – Nigdzie się nie wybieram.

Babcia spróbowała udawać niewiniątko.

– O czym ty mówisz, Ewuniu?

Ewa postawiła butelkę po winie i pusty kieliszek na stole.

– Mamo. Daj spokój. Ja też podsłuchuję.

❦

Dom cioci Hannelore Jansen był całkiem spory i z łatwością pomieścił czwórkę przyjezdnych. Ciocia była bardzo gościnna – tym bardziej że po śmierci męża i syna czuła się strasznie samotna i nieszczęśliwa.

– Najbardziej mnie boli – powtarzała często – że Karl zginął tak samo jak wasz Otto. Przed samym końcem wojny. To tak okropnie bez sensu. Przeżyć całą wojnę… ach, ale nie wiemy przecież, jak nasi chłopcy przeżyliby kapitulację…

Kapitulacja Niemiec stała się bowiem faktem. Położone blisko Bonn Bad Honnef znalazło się w brytyjskiej strefie okupacyjnej. Lieschen nie miała pojęcia, co to znaczy. Dla niej właściwie nie znaczyło nic. Jesienią miała iść do szkoły jak wszystkie dzieci w jej wieku i dużo czasu spędzały teraz z mamą na przygotowaniach do tego ważnego życiowego etapu. Mama też od jesieni miała pójść do szkoły, oczywiście nie jako uczennica, tylko jako nauczycielka najmłodszych. Dziadek znalazł pracę w warsztacie samochodowym. Babcia wraz z ciocią Hannelore prowadziły dom. Skromnie, bo skromnie; wszystkim po wojnie było ciężko, ale był to dom ciepły i przytulny.

Co tydzień, w sobotnie wieczory, schodzili się dawni znajomi i przyjaciele Jansenów. Ciocia Hannelore jakimś cudem wyczarowywała słodki placek, parzyła ziołowe herbatki i atmosfera robiła się jak przed wojną. Tak wszyscy mówili. Rozmowy dotyczyły przeważnie aktualnej sytuacji i Lieschen nie wszystko pojmowała. Rozumiała, że teraz w Saalbergu nie ma już Niemiec, jest Polska, a jak się Saalberg nazywa, nie wiadomo. W ogóle dużą część Niemiec zajęli ci straszni Polacy i w porzuconych niemieckich domach odbywa się teraz jeden wielki rabunek. Możliwe, że *Villa Klara* straciła już wszystkie swoje śliczne meble i wszystkie domowe sprzęty. Nawet jeśli niemieckie ziemie zostaną Polakom słusznie odebrane, to zniszczenia, jakich dokonali, nie znikną. Bóg wie ile czasu zajmie doprowadzenie wszystkiego do dawnego stanu.

Znowu Polacy. Naprawdę, źródło całego zła i wszystkich nieszczęść.

Czasami dziadek z namaszczeniem wyjmował z szafy pięknie odczyszczony i wyprasowany galowy mundur taty, którego Otto nie zabrał ze sobą przy ostatniej bytności w Saalbergu. Obecni wstawali i ze wzruszeniem oglądali dystynkcje SS-Sturmbannführera: dwie runy w kształcie błyskawic na prawej patce kołnierza i cztery romby na lewej. Na czapce pyszniła się wypucowana rękami babci trupia główka, *Totenkopf*. Zdarzało się, że ktoś wyciągał prawą dłoń w znanym geście.

Przeważnie potem wspominano tych, którzy nie wrócili. Mówiono o tym, gdzie kto służył – Lieschen wiedziała, że jej tato był głównie w Krakowie. Dziadek wspominał jakiś uniwersytet, podobno tato się wyróżnił w jakiejś akcji przeciwko profesorom tego uniwersytetu, potem inne miejsca w Generalnym Gubernatorstwie, ale to krótko, wreszcie KL Auschwitz. Tam było najciężej, dodawała babcia, ale Lieschen i tak nie wiedziała, co to znaczy KL ani tym bardziej Auschwitz.

Lieschen, oczywiście, pokazała mundur taty i jego czapkę swoim lalkom. Nauczyła je, jak wyciągać prawą rękę w nazistowskim pozdrowieniu. Nie obyło się bez strofowania, bo lalki, jak to lalki – nie umiały porządnie wyprostować rączek. Nauczyła je też refrenu (więcej nie umiała) ulubionej pieśni dziadka, którą ten często podśpiewywał, wykonując jakieś proste domowe czynności w rodzaju malowania drzwi wejściowych ładną zieloną farbą albo czyszczenia swoich oficerek.

Die Straße frei den braunen Batallionen
Die Straße frei dem Sturmabteilungsmann!
Es schau'n aufs Hakenkreuz voll Hoffnung schon Millionen
Der Tag für Freiheit und für Bröt bricht an!

Babcia Gretel czasem popłakiwała, słysząc tę piosenkę, a wtedy dziadek całował ją w siwe loczki i obiecywał, że jeszcze zobaczy brunatne bataliony na wolnych od nieprzyjaciół ulicach, kiedy przyjdzie dzień prawdziwej swobody i swastyka zatryumfuje.

Lieschen powtarzała to lalkom.

Sama wyglądała ślicznie i słodko, zupełnie jak laleczka. *Puppchen*. Miała złote włosy na co dzień zaplecione w grzeczne warkoczyki, różową buzię i wielkie niebieskie oczy.

Puppchen i już.

∽

Hervé jak zwykle zaprosił Claire do Concarneau na doroczne Święto Błękitnych Sieci. Sieci jako takich niekoniecznie należało się tam spodziewać, festiwal wziął po prostu nazwę od bretońskich kutrów i sieci na sardynki – ogólnie biorąc, był festiwalem regionalnym. Claire jeździła tam co roku. Kochała atmosferę zabawy, piękne stroje kobiet (ze wspaniałymi koronkowymi czepcami), a nade wszystko muzykę, śpiew i taniec. Rodzina wiedziała doskonale o jej upodobaniu i solidarnie zwierała szeregi, aby przez te kilka letnich dni dać sobie w restauracji i hotelu radę bez niej.

Tak więc rano Claire przeprawiła się na stały ląd, gdzie czekał na nią Hervé (ostatnio mieszkał raczej w Audierne niż na wyspie, jako że tam miał pracę) ze swoim lekko nadtłuczonym chevroletem camaro w wersji cabrio, kupionym bardzo okazyjnie od jakiegoś Amerykanina przyciśniętego gwałtowną potrzebą pieniężną. Do Concarneau jechało im się bardzo przyjemnie, bowiem pogoda zrobiła się po prostu wymarzona, ciepła i słoneczna. Oboje byli jakby odrobinę roztargnieni. Rozmowa im się nie kleiła, ale przecież zawsze potrafili doskonale milczeć w swoim towarzystwie. Postawili auto na parkingu i poszli w stronę starego miasta, położonego na wysepce, odgrodzonego od nowszego wodą i potężnymi kamiennymi murami.

W otoczeniu tych murów, na placyku pod wielkim kasztanem siedziało kilku facetów, grających z dużym zaangażowaniem rozlewną celtycką melodię. Instrumenty mieli jakieś dziwne.

– Ty, patrz! – Wysoka dziewczyna w bretońskiej czarnej sukni i wysokim czepku z Bigouden pociągnęła za rękaw swojego partnera w dżinsach i T-shircie. – On gra na ukulele? Ta mała gitarka?...

– Nie ukulele, tylko czarango. – Partner w dżinsach był zorientowany. – A ten drugi gra na psałterionie. Patrz, to bardzo stare...

– O matko, to stare? Średniowieczne?

– Jeszcze biblijne. Daj posłuchać, kotku.

Kotek zamknął się i Claire też mogła wysłuchać bretońskiej pieśni *La jument de Michao* w oryginalnej aranżacji na kilka głosów męskich oraz instrumenty andyjskie. Nawet jej się to spodobało. Chciała podzielić się z Hervé swoim spostrzeżeniem (artyści przerwali występ i zaczęli sprzedawać płyty), ale jakiś był rozkojarzony. Głównie mówił „aha" i „mmm", a potem zaofiarował się, że skoczy po lody, bo ludzie łażą z lodami, więc one gdzieś tu są. Te lody, znaczy. Claire zgodziła się chętnie, a gdy Hervé zniknął z pola widzenia, z przyjemnością wzięła udział w zbiorowym wykonaniu pieśni sławiącej Bretanię.

Ils ont des chapeaux ronds,
Vive la Bretagne!
Ils ont des chapeaux ronds,
Vive les Bretons!

Okrągłe kapelusze poprzebieranych na ludowo Bretończyków krążyły dziś po całym Concarneau, podobnie jak fantazyjne czepce kobiet, z wysokimi bigudeńskimi na czele. Te ostatnie zawsze wydawały się Claire zwiniętymi rulonami białego papieru.

W rzeczywistości zrobione były z prześlicznych koronek, podobnie jak nakrycia głowy z innych miast i miasteczek. Wśród sukien królowała czerń, ale były też stroje kolorowe, rdzawe i pomarańczowe, niebieskie, bogato zdobione.

Twarzowe, pomyślała Claire. A gdyby tak do ślubu iść w bretońskim stroju? Niekoniecznie od razu w tym gigantycznym rulonie, ale są tu przecież ubranka całkiem do przyjęcia... Hervé mógłby wystąpić w charakterze bretońskiego rybaka ubranego na odpust. W okrągłym kapeluszu, ma się rozumieć.

Pojawił się Hervé, nieświadom jej najnowszych planów. Jedząc lody, wzięli się za ręce i w rozbawionym tłumie ludzi pomaszerowali niespiesznie długą ulicą Vauban wśród starych kamieniczek (z tego samego kamienia co mury), pomiędzy kramami pamiątkarskimi i sklepami z miejscowymi wyrobami. W jednym z nich Claire chciała kupić charakterystyczne miseczki z imionami swoim i Hervé, ale on zaprotestował. Powiedział, że to by przyniosło pecha i że przyjdzie czas na miseczki. Skoro już tam jednak była, Claire kupiła miseczkę z imieniem Georges i drugą, z własnym. Zawiezie do Polski. Jerzy się ucieszy. A ona będzie miała u niego własną michę. Na razie dała je Hervé do niesienia, bo były wykonane z ciężkawego fajansu czy może kamionki.

W witrynie jakiegoś sklepu przeczytali program dzisiejszego koncertu. Claire szczególnie zainteresowała perspektywa usłyszenia zespołu z Polski, o dość oryginalnej nazwie Qftry. Nie miała pojęcia, że Polacy wiedzą cokolwiek o Bretanii, a już na pewno nie spodziewała się, że śpiewają bretońskie pieśni. Hervé czekał raczej na zespół Tri Yann, który lubił od dawna. Oboje zaś bardzo chcieli usłyszeć Alana Stivella, bezapelacyjną gwiazdę festiwalu.

– Cudnie jest – oświadczyła Claire z entuzjazmem. – Teraz chcę kawę i jakieś coś... na przygryzkę. Siądźmy gdzieś, tylko nie w środku, a na dworze, koniecznie. Uwielbiam jeść na ulicy!

Trafili na sympatyczną kawiarenkę z małym ogródkiem (duży nie zmieściłby się w wąskiej *Rue Vauban*) i jakimś niepojętym cudem znaleźli w niej stolik na dwoje. Hervé zamówił tylko kawę, ona kawę i *kouign amann*, tradycyjne bretońskie ciasto maślane z cukrem, niemożliwie słodkie, ale bardzo smaczne.

Dobrała się do niego bardzo ostrożnie, każdy niemal kęs popijając gorzką kawą. Hervé patrzył na nią oczami bez wyrazu.

– Wiesz, o czym myślałam? – Podłubała widelcem w talerzyku, nadziała kawałek ciasta i podała Hervé.

Nie chciał. Zasłonił usta ręką. Uśmiech też miał jakiś bez wyrazu.

– Powiedz, o czym myślałaś. Żeby jeszcze coś fajnego kupić. Tak?

– Nie. Myślałam… myślałam… żeby na nasz ślub ubrać się po bretońsku. Co ty na to? Ty jesteś od pokoleń Bretończykiem, ja tylko w połowie, ale też od pokoleń…

Urwała na widok jego wyrazu twarzy

– Co się stało?

Machnął ręką.

– Nic się nie stało. Chciałem z tobą o tym porozmawiać dopiero po tym festiwalu, żeby nie psuć ci przyjemności… Ale jak już sama zaczęłaś… Rozumiesz?

Kouign amann – najbardziej gorzkie ciastko na świecie.

– Nie.

Hervé wziął się na odwagę.

– Już cię nie kocham, Claire.

– Tak po prostu?

Kiwnął głową. Wyglądał, jakby był śmiertelnie wystraszony. Prawdopodobnie bał się, że ona mu teraz zafunduje jakąś histeryczną scenę.

Oczywiście nic podobnego nie nastąpiło. Claire miała charakter i poczucie godności osobistej.

– Masz kogoś, czy ci się po prostu znudziłam?

– Mam. Ale wiesz, między nami już dawno nie było tej chemii, co kiedyś… Claire, ja mam nadzieję, że zostaniemy przyjaciółmi…

Chemii nie ma! A co on wie o chemii, informatyk jeden!

Swoją drogą, trochę im ostatnio zwiędła namiętność. Claire przypuszczała, że to chwilowe i że po sezonie, kiedy skończy się dla nich ta cholerna robota, wrócą do siebie jak dwa gołąbki.

Ach, gruchant!

No i nie ma gruchanta. I skończyło się gruchanie.

Przecież nie będzie mu robiła scen. Ani się nie rozpłacze publicznie. Zwłaszcza że z tą chemią to i u niej nie było ostatnio rewelacyjnie. Chociaż... do diabła, będzie go brakować, miał swoje zalety, i to spore...

– Dawno masz tego kogoś?

– Rok.

Ooo, tu Claire lekko się zdenerwowała.

– Rok? Rok lecisz na dwa fronty? A to ty jednak drań jesteś. To ja wcale nie wiem, czy mam ochotę się z tobą przyjaźnić! Oszukiwałeś mnie cały rok! *Mon Dieu!*

– Claire, uspokój się!

– Jestem spokojna! Gdybym nie była, to bym ci to ciasto rozmazała po gębie! I poprawiła kawą.

Wyjęła z torebki kilka euro i rzuciła na stolik.

– Masz, to za mnie, ja nie będę przyjmowała poczęstunku od fałszywego łobuza!

Odwróciła się na pięcie i potykając się o krzesła, wyszła na ulicę. Z tyłu, ku jej zdziwieniu, dobiegły ją oklaski. Kilka osób słyszało ich dialog i teraz wyraziło solidarność z oszukaną kobietą. Pomachała im ręką, nie odwracając się.

Kilka domów dalej weszła do kolejnej restauracji, ale tym razem zaszyła się w najdalszym kąciku niewielkiej salki. Trzeba przeczekać. Ten osioł za nią poleci, tylko opóźni go proces płacenia, bo przecież poczeka na wydanie reszty... Może i lepiej, że się rozstali.

Zamówiła kawę, cydr i naleśnik z jajkiem. Zamierzała zajeść i zapić zmartwienie.

Hervé rzeczywiście próbował ją dogonić, ale nie wpadł na to, że ona schowa się w sali. Z reguły siadała w ogródkach, bo lubiła świeże powietrze. Na końcu *Rue Vauban* zorientował się poniewczasie, że ją zgubił.

Musiał teraz chwilę pomyśleć, co zrobić. Najchętniej by ją zostawił samej sobie, ale przyzwoitość nakazywała mu Claire odnaleźć.

No bo jak ona bez niego wróci na wyspę? Statek jest wprawdzie dopiero jutro rano, ale mieli spać w hotelu w Concarneau, jest zamówiony pokój...

W sumie dobrze zrobił, że zerwał z tą nieodpowiedzialną dziewczyną! Julie jest o wiele bardziej zrównoważona!

Claire pod wpływem ulubionych produktów spożywczych powoli dochodziła do siebie – i do podobnych wniosków, co jej były narzeczony. Nie ma co się oszukiwać. Psuło im się od jakiegoś czasu ewidentnie. On ją oszukiwał, ale i ona się oszukiwała sama.

Zjadła, wypiła i poprosiła o porcję lodów. To teraz już spokojnie poczeka do rozpoczęcia koncertu.

❧

– Dziewczynki... i ty, Hans. Poznajcie nową koleżankę. Nazywa się Liesel. Chodzi do szkoły. Jest starsza od was, to znaczy od Elżuni i od Lieschen. Będzie was uczyła, żebyście były mądre. My tu już chyba zostaniemy na zawsze, w Bad Honnef. Chyba że będzie trzecia wojna i wypędzimy Polaków z Saalbergu. Dziadek mówi, że tak może być. Pamiętacie, że Polacy są bardzo źli. To ważne, trzeba to wiedzieć. Liesel, jeśli nie będziesz czegoś rozumiała, starsi ci wszystko wytłumaczą. Lieschen, koniecznie nauczcie nową koleżankę naszej piosenki. To znaczy dziadkowej. *Horst-Wessel-Lied*. Dziadek mówi, że porządni Niemcy teraz będą włóczeni po sądach. Międzynarodowych. To znaczy że różne państwa będą robić Niemcom procesy. Nie wiem, co to znaczy procesy, więc nie pytaj, Liesel. Dowiem się od dziadka, to ci wyjaśnię. Teraz mamy zmartwienie, bo mama choruje. Lekarz mówi, że to płuca i że wyjdzie z tego bez śladu. Ale nie lubię, jak muszę być z daleka od mamy. A jutro będziemy z babcią Gretel piec strudel na urodziny dziadka. Jak będziecie grzeczni, to wam przyniosę po kawałeczku.

❧

Claire doczekała pory koncertu, to pojadając lody, to popijając kawę albo wino. Mimo racjonalnego podejścia do problemu, było jej trochę smutno. Przypomniała sobie wszystkie miłe, a czasem nawet porywające momenty spędzone z Hervé, a przede wszystkim to wrażenie, że może się na nim oprzeć.

No a teraz nie ma się na kim oprzeć. Owszem, jest tato Vincent i tato Jurek, ale do opierania się nadaje się tylko ten pierwszy. Matka nie nadaje się wcale. Babcia – i owszem, w dużym stopniu. Egon, Erwin, Jacek – kto wie?

Ostatecznie nie ma obowiązku opierać się na kimkolwiek. Od dawna jest dorosła i powinna sobie poradzić sama.

I poradzi sobie, jeśli będzie taka potrzeba!

Ale dobrze jest mieć kogoś do tego opierania, a nie tylko być stale tą Żelazną Damą!

W końcu Claire miała dosyć takiego wędrowania po nastrojach, od jednego bieguna do drugiego. Zapłaciła rachunek, odwiedziła toaletę, doprowadziła się do wyglądu i wyszła z gościnnej knajpki.

Koncert już się zaczął, było to słychać z końca ulicy Vauban. Ludzie wciąż jeszcze szli w tamtą stronę. Claire dołączyła do nich i niebawem już klaskała rytmicznie w takt dziarskich piosenek. Jako trzeci zespół występowali Polacy, na których bardzo czekała. Qftry. Ciekawe, co to znaczy?

Pięciu przystojniaków stanęło przed mikrofonami i zaśpiewało. Trochę szanty, trochę folk, po polsku, po angielsku i po francusku. Claire jakoś przestała myśleć o zdrajcy. Bawiła się coraz lepiej, tylko co chwila oglądała się dookoła, czy przypadkiem Hervé gdzieś się tu nie kręci.

Qftry zaczęły właśnie bretońską piosenkę *Mon père m'a mariée*. Publiczność gromko śpiewała razem z nimi. Claire też. Naraz poczuła wibrowanie telefonu w kieszeni… ten osioł dzwoni, nie wiedzieć po co. Odrzuciła połączenie, nie patrząc na wyświetlacz. Zadzwonił jeszcze raz i jeszcze. Qftry śpiewały już drugi bis. Claire wyjęła wreszcie telefon z kieszeni i spojrzała na wyświetlacz.

To nie był Hervé. To był Jacek. Najwyraźniej dzwonił już wiele razy, ale ona nie słyszała dzwonka, nie czuła też wibracji telefonu schowanego do torby.

Zrobiło jej się zimno. Odebrała. W hałasie produkowanym przez gigantyczne głośniki nie miała szans się dogadać.

Zaczęła przedzierać się przez publiczność, do wyjścia.

Telefon znowu zawibrował, ale inaczej.

SMS.

„Klaro, bardzo mi przykro, Jerzy umarł dziś rano. Jak wyjdziesz z tego koncertu, który słyszałem w telefonie, spróbuj zadzwonić do mnie. Jeśli Ci się nie uda, zadzwonię jutro".

∞

Liesel Widmann była inteligentną dziewczynką, z łatwością więc została bardzo dobrą uczennicą. Szczególne zdolności przejawiała w przedmiotach humanistycznych, miała też spory talent aktorski i recytatorski. Z dużym zaangażowaniem wygłaszała na zmianę wiersze Heinego i różnych domorosłych piewców Wielkich Niemiec. Śpiewała też srebrzystym głosikiem *Heidenröslein* („Polną różycz-kę") Schuberta z akompaniamentem nauczycielki muzyki. Powoli stawała się więc romantyczną panienką z zacięciem politycznym. Nauczycielem polityki był, oczywiście, dziadek. Konsekwentnie nienawidził Polaków, winił ich za obecną sytuację Niemiec i miał nadzieję, że doczeka kiedyś likwidacji tej sztucznej granicy w środku państwa niemieckiego.

Na razie Liesel rosła, dojrzewała i również nienawidziła Polaków, granica trwała tam, gdzie ją wyznaczono, dziadkowie się starzeli, a mama znalazła sobie absztyfikanta.

Absztyfikant był dla odmiany kompletnie apolityczny. Oczy-wiście tylko do chwili, kiedy mama się z nim ujawniła, bo wtedy natychmiast dziadek wziął go na przyspieszony kurs narodowego patriotyzmu. Średnio mu to szło, ale ze względu na piękną Hertę starał się, jak potrafił.

Liesel jakoś nie mogła go tak naprawdę polubić. Mieszkał w Bonn i był lekarzem weterynarii, ale chyba nie lubił zwierząt. Miał gabinet i przyjmował różne starsze panie z ratlerkami, mopsami i perskimi kotami. Opowiadał o nich później z lekceważeniem.

Ale nie za to Liesel najbardziej go nie lubiła. Miał paskudny zwyczaj: w różnych przejściach i korytarzach łapał ją za tyłek, a przynajmniej starał się dotknąć. Udawał przy tym niezainteresowanego, a czasem puszczał do niej oko. Że to taka ich mała, zabawna tajemnica. Ha, ha. Obleśny staruch (koło czterdziestki). Nic mu nie mówiła, tylko czasem inscenizowała podobne epizody z udziałem lalek Liesel i Hansa (chwilowo odgrywającego rolę doktora Horsta Strache). Osobiście zmywała Hansowi głowę i mówiła mu wszystko, co sądzi o podobnych świństwach.

Liesel niebawem miała skończyć szkołę. Nie zastanawiała się jeszcze, co będzie robić później. Dziadkowie uważali, że powinna pójść na studia nauczycielskie. Uniwersytet w Bonn niedaleko, a ona świetnie się nadaje na nauczycielkę albo może przedszkolankę. Babcia nauczyła ją gotować, więc niebawem będzie z niej prawdziwy ideał: dzieci i kuchnia… no, do kościoła niezbyt często chodzi cała rodzina, więc i jej można wybaczyć brak gorliwości chrześcijańskiej.

Tylko niech wreszcie podejmie decyzję!

∽

Klara siedziała w samolocie i miała klasyczne *déjà vu*. Po raz drugi podejmowała decyzję w ekspresowym tempie, z dnia na dzień, i leciała do Polski jak do pożaru. Było jej smutno. Liczyła na to, że z tym ojcem, którego dopiero co poznała i od razu polubiła, będzie mogła trochę dłużej się poprzyjaźnić. Jacek przed jej wyjazdem z Polski mówił, że nic nie zapowiada jakichś dramatów w najbliższej przyszłości! Kiedy wreszcie się do niego dodzwoniła, wyszedłszy z tamtego koncertu w Concarneau, powiedział tylko, że wszystko jej wyjaśni w Zachełmiu. Nie miał wątpliwości, że ona przyleci na pogrzeb.

No i prawidłowo ją ocenił. Właśnie leciała.

Oczywiście wszyscy chcieli lecieć z nią razem, a przede wszystkim tato numer jeden. Proszę, został w końcu numerem jeden i numerem jedynym... Babcia się pchała z uczuciami, Marianne ze swoim Ronanem, poczciwym chłopakiem. Nawet Hervé coś bąknął na ten temat, ale nie chciała nadwerężać jego nowego związku. Jeszcze by się świeża narzeczona pana Loussaut zdenerwowała.

Matka poprosiła ją tylko o zapalenie znicza od niej.

Klara podziękowała rodzinie wylewnie i poprosiła, żeby pozwolono jej jechać samej. To jej ojciec i jej żałoba.

– Kochanie moje – powiedział ciepło tata Vincent, objąwszy ją mocno ramionami. – Leć i bądź dzielna. Wiem, że będziesz. A jak ci się zrobi za ciężko, pomyśl o nas. Bardzo cię kochamy i jesteśmy z tobą. Ja wiem, że to tylko słowa...

– No coś ty, ja wiem, że nie tylko – siąpnęła Klara, mocno rozczulona.

– Oczywiście, że nie tylko – zgodził się tata. – Ja też trochę głupoty gadam, ale mi ciebie strasznie żal, dziewczynko.

– Tato, bo się rozmażę...

– Nie rozmazuj się. Słuchaj, malutka, gdybyś chciała trochę w tej Polsce posiedzieć, uporządkować sobie wszystko, to nie przejmuj się niczym, tylko siedź tam, jak długo zechcesz. Mówię to na wszelki wypadek. Czasem człowiek potrzebuje takiego rozliczenia z życiem. Tylko proszę, dzwoń do mnie, bo się będę denerwował. Nie musisz codziennie.

– Po co miałabym tam zostawać?

– Nie wiem, mówię ci to na wszelki wypadek. Jak dla mnie, ucieszę się, jeśli wrócisz jutro.

– Och, tato, nie wiesz, jak ty mi jesteś potrzebny do życia...

– Och, córko, ty mi też jesteś potrzebna. Leć i wracaj zdrowo.

Leciała teraz LOT-owskim embraerem dziesięć kilometrów nad ziemią i patrzyła na chmury. Gdzie jesteś, Tato Numer Dwa?

Kiedy była małą dziewczynką, myślała, że niebo jest właśnie nad chmurami. Na największej siedzi *Bon Dieu* i zarządza aniołkami... Cóż, w każdym razie jeszcze nie na tej wysokości.

Połączenie miała zupełnie dobre, w Warszawie czekała niecałe dwie godziny, a po następnej była już na wrocławskich Strachowicach. Pierwszą osobą, którą zobaczyła po wyjściu do hali przylotów był Jacek.

Trudno powiedzieć, że się ucieszyła, ale na pewno zrobiło jej się przyjemnie na jego widok. Wyglądał na strasznie zmarnowanego.

Zrobili powitalnego misia, ale to nie był ten sam serdeczny niedźwiadek, którego Klara pamiętała z dnia odlotu. Na tym samym lotnisku zresztą. Ten Jacek zamienia się w taksówkę Strachowice – Zachełmie i z powrotem... Naprawdę jest jakiś nieswój.

– Źle się czujesz? – spytała go po prostu, kiedy już odebrali bagaże i szli na parking.

– Ja? Źle? Czemu? No, dobrze na pewno nie. A co, głupio się zachowuję?

– Marnie wyglądasz. Przepraszam. Masz powód.

– Ty też nie skaczesz do góry, dziewczyno. Mój Boże, a ja mu dawałem jeszcze z pół roku...

– No więc co się stało?

– Opowiem ci na miejscu. Teraz muszę uważać na drogę. Ty mi lepiej mów, jak było na łonie rodziny.

– Zagonili mnie do roboty. Właściwie sama siebie zagoniłam. Narzeczony mnie rzucił. – Nie wiedziała, czemu tak od razu wyjechała z tym porzuceniem, jednak kontynuowała: – Wczoraj, przed tym koncertem, co to dzwoniłeś i nie mogłeś się dodzwonić.

– Bardzo mi przykro – rzucił tonem świadczącym, że wcale mu nie jest przykro. – To musiał być jakiś nieciekawy typ.

– Ty wiesz, ile czasu byliśmy z sobą? A ile czasu się znamy!

– Tym bardziej osioł. Dla mnie z każdym dniem jesteś, to znaczy byłaś, jak tu byłaś, rozumiesz, bardziej interesująca.

– Widzisz, a dla niego mniej. No więc on mnie rzucił, a ty zadzwoniłeś. I tak mi się to razem zbiegło.

– Naprawdę przykro mi – powiedział zupełnie innym tonem niż przedtem. – Słuchaj, Klaro, czy ty dziś wolisz spać w domu twojego ojca, czy u Bogusi? Bo ona, oczywiście, na ciebie czeka z kolacją. Właściwie to wcale nie czeka, bo jeszcze wcześnie. Robi tę kolację. Rozumiesz, o co mi chodzi.

– Rozumiem. Nie wiem, czego chcę. Zdecyduję na miejscu. Gdzie jest ojciec?

– W kostnicy. Nie w domu, nie bój się. Pogrzeb pojutrze. W Podgórzynie. To ta duża wieś na dole.

– Pamiętam. Ty wiesz, Jacek, wczoraj w południe zastanawiałam się, jak się ubiorę na ślub, miałam jakieś pomysły na bretońskie stroje regionalne… a dzisiaj rano szukałam czarnego na pogrzeb. Zresztą facet od ślubu też mnie właśnie rzucił.

– No tak to jest w życiu, większego banału ci nie wymyślę, wybacz…

– Tak mi się skojarzyło.

– Od razu ci powiem, żebyś trochę poszerzyła sobie zakres skojarzeń i w ogóle myślenia: Jerzy zostawił ci willę *Klarę*, tak więc źle mówiłem o domu twojego ojca. To twój dom.

– *Mon Dieu*! A co ja z nim zrobię?

– A nie wiem. Zrobisz, co zechcesz.

– Ty jesteś pewny?…

– Byłem świadkiem podpisywania testamentu u notariusza. Otwarcie pewnie zaraz po pogrzebie… w sensie, otwarcie testamentu. Jakieś pieniądze też ci zostawił. Na podatki i na drobne wydatki. Nie chciał, żebyś miała na starcie kłopoty ze spadkiem. Oczywiście możesz willę sprzedać. A możesz w niej zamieszkać.

– Zamieszkać? Oszalałeś? Przecież ja mam wszystko we Francji!

– Nie wszystko. Jedną porządną willę masz tutaj.

– Przestań!

– *Embarras de richesse*? Tak się u was mówi? Kłopot z nadmiarem?

– Tak. Mówisz po francusku?

– Znam kilka bonmotów, łaskawa pani dziedziczko.

– Pani co? Ach, dostaniesz w ucho!

– Nie strzelać do pianisty. Ani do kierowcy. Patrz, jaka ładna pogoda na twoją cześć. Musisz mi powiedzieć, tylko szczerze, czy się ucieszysz, jak zobaczysz nasze góry…

Ucieszyła się. Ją samą to zdziwiło, ale naprawdę zrobiło się jej miło, kiedy grzbiet Karkonoszy wyłonił się zza drzew na drodze. Powiedziała mu to i z kolei on się ucieszył.

– To znaczy, że też trochę jesteś tutejsza.

– Ta Śnieżka fajna jest! Nie można jej pomylić!

– No tak, bo jedna. Wystaje. Królewna. Góra wiatrów.

– My, Bretończycy, wiatrów się nie boimy – wydęła usta Klara.
– Jestem w połowie Bretonką…

Zastanowiła się przez chwilę. To samo powiedziała wczoraj do Hervé. A to przecież nie jest prawda!

– Nie, czekaj. Nie jestem Bretonką! Dopiero w tej chwili to do mnie dotarło!

– Jeśli masz bretońskie serce, to uważam, że jesteś. Bo tak w ogóle to jesteś całą Polką.

– No tak. Ale kocham moją Bretanię. Kurczę, a taka byłam dumna…

– Oj, nie narzekaj. Możesz dalej być dumna. I kochać swoją Bretanię. A jednocześnie lubić nasze góry. Twoje też. Kto ci każe się ograniczać? Kobieto, miałaś dwóch ojców, a ty się jakąś krainą przejmujesz?

Roześmiała się.

– Naprawdę tak myślisz?

– Oczywiście. Twoje korzenie są tutaj, a znowuż tamte wiatry cię wychowały, o co chodzi? Prawdziwa z ciebie obywatelka świata. A przynajmniej Europy.

– Europy – powiedziała stanowczo. – Jestem staroświecką Europejką. Azje ani Ameryki mnie nie interesują i mam nadzieję, że żaden ojciec w Nowym Jorku mi się nie objawi.

– Spluń trzy razy przez lewe ramię – poradził. – Tylko uważaj, bo ja tu siedzę.

∞

Dobrych rad dziadka i babci należy słuchać. Liesel – z zamiarem zostania w przyszłości nauczycielką – zapisała się na studia w Instytucie Geografii na Wydziale Matematyczno-Przyrodniczym Uniwersytetu w Bonn. Szkołę skończyła wcześniej *summa cum laude*, ku zadowoleniu rodziny. Najmniej entuzjastycznie przyjęła to mama. Oczywiście, była zadowolona, w każdym razie usiłowała robić takie wrażenie, ale Liesel czuła podskórnie jej chłód. Sprawiało jej to ból, a jednocześnie kazało darzyć coraz większą niechęcią doktora Horsta Strache. Mama była nim coraz bardziej zafascynowana, wyznaczono już nawet datę ślubu (w najbliższe Boże Narodzenie). Liesel czuła się trochę tak jak lalka, którą już się dostatecznie długo bawiono i trochę się znudziła, więc odstawiono ją na półkę, by zająć się czymś innym. Teraz ważna była suknia ślubna mamy.

Po raz pierwszy od wyjazdu z Saalbergu mama wspomniała o Hedwig. Przydałaby się teraz genialna krawcowa.

– Mieszka pewnie w naszym domu jak pani – przypuszczała rozgoryczona babcia. – Albo ukradła, co mogła, i pojechała, gdzie ją oczy poniosły. Do swoich Polaków. Może jeszcze kiedyś zobaczysz nasz domek, Liesel, my tego już nie doczekamy.

Zazwyczaj w oczach babci snującej podobne przypuszczenia pojawiały się łzy, a wtedy dziadek spieszył z pocieszeniami i znowu było wszystko w porządku.

Dziadek i babcia wciąż traktowali Liesel tak jak dawniej. Wciąż była wnuczką. Kiedyś nawet zastanawiała się, czy nie powiedzieć im o swoich spostrzeżeniach na temat mamy... że niby ta lalka odstawiona na półkę... ale ostatecznie zawstydziła się i nie powiedziała nic.

∾

Bogusia rzeczywiście czekała z czymś pośrednim między obiadem a kolacją. Jak zwał, tak zwał, było tego dużo i było bardzo smaczne. Zdaje się, że wrzuciła wszystko, co miała w domu, do brytfanny, i zapiekła, jak leci.

Klara postanowiła najpierw odetchnąć po podróży w gościnnym domu sąsiadów, a potem jednak iść spać do ojcowego. To znaczy – do własnego.

Z ganku domu Bogusi widać było zapalone światło w bokówce Lizy Kózki. Boże, Liza! Liza i jej lalki. Ciekawe, czy tato i o niej pomyślał... Jeśli nie, to co z nią będzie? Kto kupi dom z Lizą? A może ona ma się gdzie wynieść?

– Klaro, dołożę ci, dobrze? Mało zjadłaś.

– Myślisz?

– Myślę.

Bogusia jak zwykle miała rację. Klara przypomniała sobie, że właściwie ostatnio jadła jeszcze w Concarneau. Potem jakoś ją tak ścisnęło, że nie była w stanie niczego wziąć do ust. Wreszcie zaczynała czuć się normalnie.

– Gdzie są dzieci? Wyjechały gdzieś?

– Niestety, nie. Dzieci męczą Kazia. Ich rodzice poprosili o przedłużenie wolnego aż do końca września, więc dalej się nimi zajmujemy. Dziś ja przyjmuję ciebie, a tobie należy się spokój po podróży, więc Kazio zabrał je do Jeleniej Góry na rozpustę. Rozumiesz, lody, ciastka, wesołe miasteczko. Takie rzeczy. Tam jest dzisiaj jakaś impreza i będą fajerwerki, więc wrócą późno. A co, stęskniłaś się za nimi?

– A wiesz, że trochę! – Klara zaśmiała się szczerze.

– No to będziesz je miała, jeszcze ci się znudzą. Na razie jedz, pij i się relaksuj.

– Nie, nie, Bogusiu kochana, dość tego jedzenia, bo pęknę w szwach. Moja babcia tak mówi. Ja też czuję, że pęknę. Słuchajcie, ja bym poprosiła o jakąś kawę albo herbatę, może sobie razem siądziemy na powietrzu i opowiecie mi, co się działo z ojcem po moim wyjeździe. Myśmy kilka razy dzwonili do siebie, ale wiecie, jak to jest przez telefon. Ja przeważnie byłam zmordowana, bo strasznie dużo roboty miałam w domu...

Klarze wydało się, że Bogusia i Jacek wymienili porozumiewawcze spojrzenia. Oboje szybko zgodzili się na propozycję Klary.

Bogusia poszła robić herbatę, a Jacek wyniósł na ganek dodatkowe poduszki.

– Żeby cię ta trzcina nie gniotła w nic – powiedział, zapraszającym gestem wskazując jej rattanową kanapkę.

– Herbata – oświadczyła gospodyni, pojawiając się z tacą. – Jacek, weź ode mnie, proszę, to ciężkie. Przyniosłam jeszcze butelkę wina, bardzo dobre, różowe z Anjou. Odkąd cię poznaliśmy, zaczęłam kupować francuskie wina. To jest w sam raz do rozmowy i odpoczynku.

– Możesz stąd popatrzeć na swoje włości – uśmiechnął się Jacek, nalewając wino z ładnie oszronionej butelki do cienkich kieliszków.
– Twoje zdrowie, pani dziedziczko.

– Dziękuję. À votre santé!

Zapadła teraz cisza z gatunku kłopotliwych. Klara pomyślała, że może Bogusia z Jackiem czekają na jakieś pytania pomocnicze z jej strony, ale to nie było to. Mieli jakąś tajemnicę? Nie, to bzdura. Jaką?

A jednak mieli.

– Które z nas jej to powie?

Klara zamarła z kieliszkiem różowego wina w dłoni.

– Ty. Ty jesteś lekarzem.

– A ty najlepszą przyjaciółką…

– Jacek, proszę.

Jacek westchnął.

– Masz rację, Bogusiu. Ja jej to powiem, zwłaszcza że ja ją w to wszystko wciągnąłem. W sensie, namówiłem Jerzego…

Klara była już trochę zniecierpliwiona, poza tym wydało jej się, że Jacek trochę bredzi.

– Jacek, przestań. W co mnie wciągnąłeś, w ojca? Mów, o co chodzi.

– Powiem ci. Bogusiu, ja już tylko herbaty poproszę, będę jechał. No więc słuchaj, Klaro. Twój ojciec nie umarł z powodu choroby. To znaczy, oczywiście, z powodu choroby, ale to nie ona bezpośrednio go zabiła…

– Jacek, co ty mówisz?...

– Mówię, że twój ojciec, doświadczony lekarz, nie chciał czekać na śmierć, tylko... zgłosił się do niej sam.

Klara była przerażona.

– Jak to?! Jacek, Bogusiu! Jak to się stało?!

– Klaro, przepraszam cię, nie wiedziałem, jak ci to najłagodniej powiedzieć... Ale słuchaj, co jest najważniejsze. Nie cierpiał. Pamiętaj, że był doskonałym lekarzem, umiał leczyć... no i okazało się, że umiał też... wręcz przeciwnie. – Głos mu zadrżał. – Klaro... ja go rozumiem. Nie wiem, czy w jego sytuacji podjąłbym taką samą decyzję, ale rozumiem, dlaczego on ją podjął.

– Ja się domyślam, oczywiście... trochę rozmawialiśmy z ojcem o chorobie... ogólnie. Mówił różne rzeczy, ale ja nie sądziłam, że on sam... Właściwie co zrobił?

– Kroplówkę z morfiny. Usiadł przedwczoraj mniej więcej o tej porze, z widokiem na góry i zachód słońca, owinął się kocem, podłączył sobie kroplówkę i zasnął.

– Boże... kto go znalazł? I kiedy?

– Bogusia rano. Jechała do pracy. Wyszła z domu, a on tak siedział. Kroplówka zeszła do zera już dość dawno.

Bogusia podała Klarze kubek gorącej herbaty.

– Proszę, wypij. Jak się czujesz? Jacek, może jakiś łagodny środek...

Klara pokręciła głową.

– Nie trzeba, dziękuję. O Boże, biedny tato...

– Biedny – przytaknęła Bogusia. – Ale dzięki tobie przez jakiś czas był szczęśliwy. Nie kręć głową, mówił mi to. On się pożegnał z życiem, jeszcze zanim przyjechałaś.

– Dlaczego nie poczekał?

– Na ciebie? Tego nigdy nie będziemy wiedzieć. Może nie chciał już cierpieć, może bał się...

– Czego?

– Klaro, nie rozpamiętujmy jego motywów. Zrobił, jak zrobił. To była jego decyzja. Ja nie wiem, czy była dowodem odwagi, czy tchórzostwa, nie chcę wiedzieć. Ja jestem zwykłą pielęgniarką, moim zadaniem jest pomagać. Ale nie osądzam.

– Słuchajcie... kto jeszcze o tym wie?

Jacek uśmiechnął się krzywym uśmiechem.

– Nikt. Być może Liza Kózka, ale ona jak zwykle udaje, że jej nie ma. Jerzy zostawił kilka listów. Dla ciebie przede wszystkim, ale musieliśmy ci naświetlić sytuację, zanim ci go oddamy. Do Bogusi, do mnie. Do policji, na wypadek gdyby się wydało. Ale się chyba nie wyda. Klaro, ty, oczywiście...

– Oczywiście.

– Ze świadectwem zgonu nie było problemu, wszyscy wiedzieli o jego chorobie i o tym, że w każdej chwili mogło się wydarzyć... to, co się wydarzyło.

– Możecie mi dać jego list?

– Tak, jasne. Ale Klaro, mam do ciebie prośbę. Zanocuj dzisiaj u Bogusi. Będę o ciebie spokojny. Jutro, jeśli zechcesz, możesz pójść do siebie. Proszę cię, dzisiaj nie bądź twardzielką...

– Wy się naprawdę o mnie martwicie?

– I to podwójnie – odpowiedziała Bogusia. – Po pierwsze, ze względu na Jerzego... już teraz na pamięć Jerzego. A po drugie, z powodu ciebie samej. Już ci Jacek kiedyś powiedział: pasujesz do nas. Polubiliśmy cię wtedy, kiedy tu byłaś.

– Z wzajemnością.

– No więc umowa stoi? Zostajesz u mnie?

– Zostaję. Do jutra. A jutro zobaczę.

– Jutro już będziesz wypoczęta i należycie przytomna. Jacek, daj Klarze list, niech sobie tu posiedzi i poczyta, a my chodźmy jeszcze na moment do domu.

Chwilę później Klara została na ganku w towarzystwie jedynie dzbanka herbaty i koperty zaadresowanej zdecydowanym pismem: „Dla Klary, mojej Córki".

Serce biło jej mocno. Rozdarła kopertę i wyjęła pojedynczą kartkę.

Klaro, kochana dziewczynko. Żaden ze mnie pisarz, więc nie mogę Ci napisać, jak bardzo jestem szczęśliwy, że przyjechałaś, a zwłaszcza że okazałaś się właśnie taka. Śliczna, dobra i mądra. Całe lata sobie Ciebie wyobrażałem – i okazało się, że dobrze myślałem. Jestem idiotą, bo za późno Cię poprosiłem o spotkanie. Najważniejsze jednak, że się spotkaliśmy.

Kochana Córeczko, bardzo Cię przepraszam, że znów naraziłem Cię na stres. Nie będę jednak czekał ze spokojem na to, co moja choroba zechce ze mną zrobić. Są już pewne znaki na niebie i ziemi, których nie będę Ci opisywał, bo po co. Uwierz mi, przemyślałem to, co chcę zrobić. Wybacz mi, bo powoduje mną egoizm. Ale i Ty nie chciałabyś mieć ojca-rośliny. Nawet jeśli teraz myślisz inaczej. Zresztą i rośliną nie pobyłbym długo.

Oczywiście, odchodzę z żalem, ale i ze świadomością, że tak jest lepiej. Chcę, żebyś mnie zapamiętała, żebyś lubiła tę odrobinę pamięci o mnie.

Kochanie, zostawiam Ci testamentowo dom. Co z nim zrobisz, Twoja wola. Miło byłoby, gdybyś w nim pomieszkała choć trochę, ale jeśli wolisz, po prostu go sprzedaj. Zostawiam Ci też trochę pieniędzy, będziesz miała na podatki i inne potrzeby. Mam do Ciebie tylko jedną prośbę – nie skrzywdź Lizy. Nie sądzę, żeby wytrzymała w jakimś domu ponurej jesieni czy słodkiej starości. Spróbuj zrobić coś takiego, żeby mogła zostać tutaj. Ona w najmniejszym stopniu nie jest absorbująca.

Żałuję, że nie poznałem Twojego bretońskiego Ojca. Kłaniaj mu się ode mnie i podziękuj – on będzie wiedział, za co. Babcię Hanię też pozdrów i mamę też. Patrz, jaki się zrobiłem skłonny do przebaczania w obliczu Ostateczności.

Czy przywiozłaś mi obiecanego korrigana? Mam nadzieję, że tak. Znajdź dla niego dobre miejsce w domu – teraz już Twoim. Niech go pilnuje. I Ciebie. Bardzo chciałbym, żebyś była szczęśliwa. Będę tego doglądał z jakiejś chmurki.

A teraz nie smuć się. Uwierz mi: wiem, co robię. Pamiętasz Tennysona: „Niech to nie będzie smutne pożegnanie, kiedy rozwinę żagle".

Kocham Cię – no, po prostu musiałem to napisać.

Twój ojciec (to też musiałem).

❧

Ślub mamy, chociaż skromny i cichy, był jednak uroczystością wzruszającą. Mama wyglądała zjawiskowo w długiej błękitnej sukni, błękitnym toczku z takąż woalką w kropeczki, z bukietem ułożonym z niebieskich hiacyntów i drobnych szafirków. Nie przyznawała się do tego, ale miała nadzieję, że zostanie zapamiętana w Bad Honnef jako Błękitna Panna Młoda. Bardzo żałowała, że nie ma pod ręką Hedwig, która z pewnością poprawiłaby przyciasny gorsecik sukni i o wiele lepiej upięła woalkę na toczku, a toczek na jej złotych lokach. Horst Strache pasował do niej, wysoki, uśmiechnięty i elegancki w swoim ciemnoszarym surducie i sztuczkowych spodniach. Przywodzili na myśl dawne, przedwojenne, dobre czasy – tak w każdym razie poszeptywały co starsze panie.

Obiad weselny odbył się w miłej restauracyjce z widokiem na Ren. A wieczorem, już w domu cioci Hannelore, przy ściśle rodzinnej lampce wina, wyszła na jaw niesłychana rzecz: mama, która rzekomo po swoim pierwszym porodzie nie mogła już nigdy mieć dzieci – tak twierdzili wybitni lekarze! – otóż mama spodziewa się dziecka. Horst promieniał, kiedy oznajmiał nowinę. Prawdopodobnie właśnie w tym momencie przeżywał jakże oczekiwany tryumf nad wspomnieniem Otto Widmanna, którym to wspomnieniem przy każdej okazji denerwowała go piękna Herta. I cóż, że Otto był dzielnym SS-Sturmbannführerem, skoro nie dał jej drugiego dziecka? I w dodatku ją, Hertę, obarczył winą! Dzięki Horstowi sprawa ostatecznie się wyjaśniła. Teraz on stawał się najważniejszym mężczyzną w rodzinie. Naprawdę najważniejszym.

❧

Déjà vu Klary trwało nadal. Podobnie jak przy pierwszym swoim pobycie obudziła się w pokoju gościnnym sąsiadów, podobnie jak wtedy pomogły jej w tym dzieci, które przyszły z zaproszeniem na śniadanie. Oczywiście wygłosiły je w swoim stylu:

– Klara, złaź z leżanki, babcia robi grzanki!

– Klaro, Klaruniu, masz kuku na muniu! Puknij się w główkę, dostaniesz parówkę!

Tupot nóg na schodach – ten sam.

Nawet przy kuchennym stole siedział ten sam zestaw: Bogusia z Kaziem, Kinia i Minio oraz Egon i Erwin.

Wiadomo tylko było, że nikt więcej na to śniadanie nie przyjdzie.

Bracia zerwali się na widok Klary i uściskali ją powitalnie, bardzo serdecznie. Zapewnili o swoim żalu, współczuciu i ofiarowali każdą możliwą pomoc – gdyby tylko była potrzebna. Po czym całe towarzystwo na powrót zajęło się grzankami, parówkami, jajkami i rewelacyjnym białym serkiem.

Klara poczuła się jak w domu. Może nawet odrobinkę lepiej niż w domu, bo nie było tu owego napięcia, które istniało zawsze między mamą a tatą Wickiem. Tutaj jakoś nikt się nie napinał. Cudowne zjawisko.

– Bogusia nam wspominała, że dziś chcesz się przenieść do siebie – powiedział Egon jakby mimochodem, między czwartą a piątą parówką. – Zrobiliśmy dla ciebie po drodze małe zakupy, żebyś nie zginęła z głodu. Wiesz, podstawowe rzeczy do jedzenia, chleb, masło, takie różne.

Klara dopiero teraz zauważyła dwie sklepowe reklamówki załadowane do wypęku, stojące na stoliku koło drzwi. No, co za kochane chłopaki! To nadzwyczajne, że o niej pomyśleli. Chyba że Bogusia im kazała…

– Kochani jesteście. Ale ja tu widzę zapasy na dwa tygodnie…

– A kto wie, ile czasu posiedzisz? Podjęłaś już jakieś postanowienia?

Pokręciła głową.

– Za wcześnie na postanowienia. Nic jeszcze nie wiem. Pomożecie mi się przenieść?

– Po co pytasz?

Gospodarze nie protestowali, kiedy niedługo po śniadaniu Klara wstała od stołu i podziękowała za gościnność. Egon wziął reklamówki z zakupami, Erwin poszedł z nią na górę, po bagaż.

– Widzę, że tym razem wzięłaś pod uwagę możliwość dłuższego pobytu – sapnął, podnosząc z podłogi ciężką torbę. – Poprzednio miałaś jedną dziesiątą tego...

– A, tak się pakowałam bezładnie trochę. Nie pamiętam, co wzięłam. Ale masz rację, chcę tu trochę pobyć. Muszę przemyśleć kilka rzeczy.

We trójkę przeszli przez łąkę dzielącą oba domy. Klara poczuła wzruszenie, kiedy otwierała drzwi willi noszącej jej imię kluczem, który dostała od Bogusi.

Ależ to teraz jej willa! Jej własna! Więc nazwa całkowicie na miejscu!

Egon zaniósł reklamówki prosto do kuchni. Erwin z wielką torbą czekał na polecenia.

– Chyba będę spała na górze, w tym pokoju, co poprzednio – powiedziała Klara. – Muszę się rozejrzeć, przemyśleć tysiąc rzeczy. Napijecie się kawy?

Egon podszedł do niej i objął ją braterskim gestem za ramiona.

– Doceniamy twoją uprzejmość, Klaro. Ale przecież widać po tobie, że chcesz wreszcie zostać tu sama. No więc my się teraz oddalimy z wdziękiem, a ty pamiętaj, że wystarczy jeden telefon, a jesteśmy z powrotem. Zaniedbamy dla ciebie pracę zawodową, rodzinę i całą resztę.

Erwin zszedł z góry i objął ją z drugiej strony.

– My, twoi wierni rycerze, księżniczko. On ma rację, chociaż jest moim starszym bratem. Zawsze możesz na nas liczyć.

Nieco rzewną atmosferę, jaka się w tej chwili wytworzyła, przerwało nagle przeciągłe, trochę piskliwe wołanie:

– Egonie, usiądź na ogonie!

– Erwinie, idź podlewać dynie!...

Kinia i Minio przykleili się z dwóch stron do futryny otwartych drzwi i zawodzili cienkimi głosikami jak dwa cokolwiek wybrakowane duchy. Uzyskawszy pożądaną reakcję w postaci nagłego wzdrygnięcia się obecnych, natychmiast dali nogę.

– To my też pójdziemy – oświadczyli jednogłośnie bracia.

I poszli.

Klara odprowadziła ich do drzwi i te drzwi zostawiła otwarte, podpierając je klockiem drewna najwyraźniej do tego służącym. Wróciła do salonu i rozejrzała się.

Dziwne uczucie. Nigdy jeszcze nie była w swoim własnym domu. Zawsze był to dom rodzinny, owszem, swój, ale dzielony z matką, ojcem, siostrą, babcią wreszcie. Albo stancja u niezapomnianej Madame Marivon. Albo koszmarny kampus uniwersytecki, z którego na szczęście szybko udało jej się zwiać.

A to jest jej dom. Cały jej.

Podczas poprzedniego pobytu ojciec zwierzył się jej, że wprawdzie kupił dom, ale nigdy nie czuł z nim jakiegoś specjalnego związku. Chyba nawet za nim nie przepadał. Tak, z Jackiem też o tym rozmawiała. Samotność u siebie. Ulubione sprzęty, książki, obrazy na ścianach – i nikogo, żeby się tym podzielić.

Liza jako towarzyszka nie wchodziła w grę, ojciec mówił, że prawie nie opuszczała swojej części domu. Jakby jej nie było. Dopiero ostatnio pomagała mu, kiedy już był bardzo chory.

Liza. Ciekawe, gdzie jest i kiedy się ujawni?

– Dzień dobry, pani Klaro.

Mówisz i masz!

Tego powiedzonka nauczyli Klarę bracia EE.

Mówisz i masz. W drzwiach opuszczonych przez bliźniaki i braci stała wysoka kobieta otoczona słoneczną aureolą. Nie było widać jej twarzy, czy jest ładna, czy brzydka, stara czy młoda. Widać było tylko figurę. Znakomitą. No, na nią nikt nie mówił „Kuleczka"...

– Dzień dobry. Pani jest panią Lizą?

– Tak.

Kobieta weszła do pokoju i stanęła tak, że słońce oświetliło jej twarz. Była piękna. Miała regularne rysy, wielkie niebieskie oczy, miły uśmiech. Miły, ale jakiś taki… zgaszony. Nieobecny. Obojętny. Szaroniebieska spódnica i biała bluzka leżały na niej nienagannie. Na Klarze nigdy w życiu nic tak nie leżało. Przemknęło jej teraz przez myśl, że w jednym z robionych przez nią ogromnych dzianych płaszczy-gobelinów ta starsza dama wyglądałaby olśniewająco… z taką figurą, takim wzrostem…

– Jestem Liza Kózka. – Dama wyciągnęła rękę.

Uścisk dłoni miała konkretny, żadne tam miękkie łapki.

– Claire Autret. Znaczy Klara. Córka Jerzego.

– Tak, wiem. Pomyślałam, że będzie pani chciała znać swoją lokatorkę. Dom należy teraz do pani. Z pani ojcem mieliśmy taki układ, że nie wchodziliśmy sobie nawzajem w drogę. Przypuszczam, że i pani będzie to odpowiadało. Oczywiście, zapraszam do siebie, z pewnością będzie pani chciała obejrzeć cały dom.

– Nie wiem, czy w ogóle tu zostanę, pani Lizo. Raczej nie. Może napijemy się herbaty? Albo kawy?

– Dziękuję, jest pani bardzo uprzejma, ale nie tym razem. Myślę, że chciałaby pani teraz poukładać sobie wszystko i przemyśleć. Na grzecznościowe gesty szkoda czasu.

– To nie był żaden gest. – Klara trochę się obruszyła. – Chciałabym panią poznać bliżej. Porozmawiać. O ojcu…

Liza Kózka powoli pokręciła głową.

– Dużo bym pani nie powiedziała. Jak wspomniałam, żyliśmy obok siebie. Nie razem.

– Pomagała mu pani ostatnio, Jacek mówił, że się pani nim opiekowała.

– To było raczej oczywiste.

– Oczywiste, czy nie, dziękuję pani za to.

– Nie ma potrzeby dziękować. Pan Jerzy był bardzo porządnym człowiekiem. Źle się stało, że to właśnie on zachorował. Jest mnóstwo ludzi, którzy bardziej od niego zasługują na śmierć. Proszę tak na mnie nie patrzeć. Naprawdę tak myślę. Kary i nagrody nie są rozdzielane sprawiedliwie. Jeszcze jedno. Pewnie państwo się zastanawiają, pani i pani przyjaciele, czy ja wiem, jak umarł pani ojciec. Wiem. Rozumiem go. Rozmawialiśmy o tym kilka razy.

Klara na moment straciła oddech.

– *Mon Dieu*, pani mu to poradziła?!

Liza Kózka z wdziękiem machnęła ręką.

– Oczywiście, że nie. Nie ośmieliłabym się być niczyją doradczynią w podobnej sytuacji. Ale nie odwodziłam go od tego zamiaru. On sam najlepiej wiedział, co robi. Pani Klaro, proszę się nie obawiać, że ktoś się ode mnie o tym dowie. Z całą pewnością nie.

Klara, oszołomiona, skinęła głową. Miała nadzieję, że nie wypadło to nieuprzejmie.

– Jest coś, o czym powinna pani wiedzieć. Może będzie pani lżej. Pani ojciec odchodził pogodzony z sobą i bez żalu. Byłam przy nim… do pewnego momentu. Całkowicie biernie, proszę mi wierzyć. Tylko towarzyszyłam. On sam podłączył sobie tę kroplówkę. Mówił, że nie chce nikomu obciążać sumienia. Kiedy zasypiał, powiedział: „A jednak zostanie po mnie córka". Myślę, że to było dla niego bardzo ważne. To bardzo dobrze, że pani wtedy przyjechała. Pani ojciec odzyskał dzięki pani wiarę w sens życia. Pomimo że właśnie zamierzał je zakończyć.

Liza Kózka uśmiechnęła się pięknym uśmiechem i wyszła, pozostawiając Klarę stojącą na środku salonu w stanie już kompletnego oszołomienia.

∽

Pierwsze zwiastuny kolejnego odstawienia na półkę ze starociami nastąpiły niebawem po ogłoszeniu wielkiej nowiny o dziecku. Babcia Greta i dziadek Hans byli naprawdę przywiązani do Liesel – tyle lat już minęło, odkąd została ich wnuczką! Na dobrą sprawę jednak – ona nie była tak całkiem prawdziwą wnuczką. Nie była tą Lieschen, którą urodziła ich córka i która zmarła na zapalenie płuc w wieku pięciu lat. Była dzieckiem, które weszło do rodziny i do wielkiego narodu niemieckiego, aby ten naród wzmocnić swoimi aryjskimi genami. Zasługiwała na miłość, oczywiście. Ale teraz Herta miała urodzić kolejne dziecko, krew z krwi i kość z kości von Trota! Było jasne, że całe zainteresowanie dziadków skupi się właśnie na niej, na jej potrzebach, jej wymaganiach, jej zachciankach, a wreszcie na jej potomku!

I rzeczywiście. Kiedy mały Horst Adolf Otto Strache przyszedł na świat jako zdrowy, okazały noworodek, mama ostatecznie zapomniała o istnieniu Liesel, a dziadkowie prawie całkiem przestali się nią przejmować. Wszyscy oszaleli na punkcie nowego, jakże wspaniałego i dobrze rokującego członka rodziny.

Liesel cierpiała, ale dziadkowie mówili, że zawsze będą ją kochać, tylko teraz są zajęci, powinna to zrozumieć. No, niechże nie będzie dzieckiem!

Prawda, nie była nim. Była panną co się zowie, studentką Reńskiego Uniwersytetu Fryderyka Wilhelma w Bonn. Niebawem się usamodzielni, zacznie pracować, wyjdzie za mąż... jednym słowem – myśleli dziadkowie, a ona doskonale to rozumiała – będzie kłopot z głowy!

Liesel była trochę dziwną dziewczyną. Wysoka, piękna blondynka z niebieskimi oczami, doprawdy ideał aryjskiej urody. Ale te jej niebieskie oczy nie błyszczały tak, jak oczy innych studentek z Instytutu Geografii, a śliczny uśmiech nie miał tej spontaniczności. Bardzo prędko została jedną z najlepszych studentek, jednak chyba jej to specjalnie nie cieszyło. W każdym razie nie okazywała radości. Była bardzo spokojna, trochę zamknięta w sobie. Chodziła na studenckie zabawy i tańce, ale nikt nie widział jej na całego szalejącej na parkiecie. Trochę śpiąca królewna, a trochę – lalka.

– Nie martw się – mówili jej koledzy. – Lubimy cię taką, jaka jesteś. Teraz z ciebie taka nasza laleczka, ale my cię rozruszamy. Przekonasz się. Jeszcze z nami zaszalejesz. Zobaczysz.

Nie zobaczyła. Oni też nie zobaczyli. Liesel wcale nie chciała być szaloną dziewczyną, pełną demonstracyjnej radości życia. O wiele bezpieczniej było pozostać lalką.

Poczucie dziwności sytuacji nie opuszczało Klary. Obeszła dom, który już dobrze znała z poprzedniego pobytu, pootwierała okna, wpuściła do wnętrza światło i ciepło słoneczne oraz tę nieuchwytną prawie aurę zbliżającego się końca lata. Dokonała przy okazji niezwykłego odkrycia: ojciec sam, osobiście posprzątał po sobie. Ubraniowa szafa była pusta, a na jednym z wieszaków przyklejona była kartka: „Oddałem na PCK". Pościele, obrusy, pledy i inne domowe tekstylia – poprane i poskładane. W biurku idealny porządek, żadnych luźnych papierów, wszystkie dokumenty i popłacone rachunki w teczkach, osobiste drobiazgi typu spinki do koszuli czy dwa zegarki – jeden elegancki i drugi w typie sportowym – ułożone w drewnianym pudełku. Wszystkie książki ustawione na półkach w biblioteczce i na regałach. Żadnych osobnych stosików, zakładek ze starych pocztówek, zagiętych rogów.

Ależ to był pedant!

Albo nie chciał, żeby córka zbyt wiele o nim wiedziała. Ciekawe, czy miał dość siły, żeby samemu zrobić ten niesamowity porządek, czy Liza Kózka mu pomagała.

Tak czy inaczej, dom wyraźnie czekał na przyjęcie nowej właścicielki.

„Czy przywiozłaś mi obiecanego korrigana? Mam nadzieję, że tak. Znajdź dla niego dobre miejsce w domu – teraz już Twoim. Niech go pilnuje. I Ciebie".

Wędrując po opustoszałych pokojach, Klara zrozumiała właściwy sens tego fragmentu listu ojca. Ojciec chciał, żeby ona tu została. Nie powiedział jej tego wyraźnie, ale na pewno byłoby mu przykro, gdyby sprzedała willę. On ją kiedyś pokochał, mieszkał w niej wiele lat, wiele też lat miał nadzieję, że z kimś się tym domem podzieli. Nie udało mu się. Nadzieję przeniósł na córkę, do której dopiero pod koniec swego życia odważył się odezwać.

Ale przecież ona ma uporządkowane życie w Bretanii! Ma plany na przyszłość!

Czy naprawdę? Zdaje się, że zasadnicza część jej planów zawaliła się dwa dni temu.

Trzeba wszystko spokojnie przemyśleć.

Po pierwsze: korrigan.

Znalazła swoją torbę podróżną i z bocznej kieszeni wydobyła małego srebrnego stworka z niebieskimi oczami i czerwonym sercem.

– No i co, Czarodziejska Istoto? – zagadnęła stworka i wydało jej się, że ten spojrzał na nią przenikliwie. – Miałeś się nim opiekować i zawaliłeś na starcie. Chociaż może to i nie twoja wina. Za późno cię tu przywiozłam. W każdym razie teraz masz się opiekować tym domem. Gdzie chciałbyś zamieszkać?

Rozejrzała się dokoła. Nie, na piętrze nie. Na parterze. Parter jest ważniejszy. Paradny. Oficjalny. Reprezentacyjny.

Zeszła do salonu.

Oczywiście! Jedyne słuszne miejsce: okno z tym samym widokiem, na który spoglądał ojciec swojego ostatniego wieczoru. I wielu, wielu poprzednich.

Posadziła korrigana na doniczce z fuksją. Pasowali do siebie: Czarodziejska Istota i staroświecki kwiat z kwiatami jak purpurowe baletniczki. Oboje byli z innych czasów.

Słońce zaświeciło i odbiło się w czerwonej emalii.

To coś znaczy?

Klara nie darmo wychowała się w krainie pełnej legend i czarów. Potrafiła zauważać znaki i odczytywać je. Inna sprawa, czy później sprawdzały się jej przepowiednie… przeważnie nie do końca. Zawsze jednak miło obcować z Nienazwanym.

Błysk słońca w sercu korrigana stanowczo postanowiła uznać za pomyślną wróżbę. I wskazówkę, że skoro jemu tu dobrze, to ona musi raz jeszcze przemyśleć sprawę sprzedaży willi.

Bo tak z ręką na sercu (powiedzonko babci Any) – czy jej bretońskie plany są naprawdę nienaruszalne? Czy rzeczywiście chciałaby resztę życia spędzić na mikroskopijnej wysepce otoczonej wodami Atlantyku?

A przede wszystkim: czy chciałaby, żeby ta reszta życia zaczęła się już? Teraz? I trwała jeszcze, lekko licząc, pięćdziesiąt, a może i sześćdziesiąt lat?

Może – rozważmy to zupełnie teoretycznie – może warto posiedzieć tu kilka miesięcy, zobaczyć, jak się życie potoczy? Wtedy będzie też miała czyste sumienie wobec ojca, znaczy taty Jurka. W każdym razie przymierzy się do wypełnienia jego woli.

Przeszła do kuchni, wzięła z lodówki piwo (ach, ci kochani bracia!) i z otwartą butelką w ręce poszła na taras.

Zastanowiła się przez moment, czy nie przeszkadza jej świadomość, że ojciec umarł właśnie w tym miejscu? Nie, nie przeszkadza, odpowiedziała sama sobie. Ojciec tak bardzo kochał to miejsce i ten widok, że wybrał je sobie na ostatnie chwile życia.

Usiadła w trzcinowym fotelu, wypiła łyk piwa, z zainteresowaniem obejrzała nalepkę (całkiem dobre i jak najbardziej polskie… a mama twierdziła, że polskie piwa nie dadzą się pić). Podłożyła sobie pod nogi taboret z poduszką i zapatrzyła się na góry. Do wieczora było jeszcze wiele godzin, na razie góry pyszniły się bogatą zielenią… ciekawe, jak to będzie, kiedy przyjdzie jesień i zamaluje to wszystko na swoje brązy i żółcie…

Szkoda, że nie przywiozła drutów i włóczek. Mogłaby siedzieć na tym tarasie, patrzeć przed siebie i dziergać najpiękniejszy płaszcz, jaki kiedykolwiek zrobiła. A potem dałaby go w prezencie Lizie, która wychodziłaby w nim wieczorami na łąkę.

Z kolei ten pokój na górze, który urządziła Bogusia, jest po prostu wymarzony na pracownię jubilerską. Dużo naturalnego światła i ten sam wspaniały widok.

Ale nie ma oceanu.

Poza tym nie może tego zrobić tacie Wickowi!

I babci. I Marianne. I mamie chyba też…

I szkoda byłoby Bretanii. Ostatecznie, jak jej się wyspa znudzi, w każdej chwili może zamieszkać na stałym lądzie. Może nawet to będzie rozsądne, kiedy rodzice się zestarzeją.

Ależ ona dziś rozsądna!

No i tutaj byłaby zupełnie sama. Jest wprawdzie Bogusia i jest Kazio, są Egon z Erwinem i Jacek.

Jednak to nie rodzina przecież. Nie miałaby w nich takiego bezwzględnego oparcia jak w rodzinie.

– Klaro, landaro, możemy o coś spytać?

Obejrzała się w stronę głosu Kiniowo-Miniowego (bliźniaków znowu nie można było odróżnić, zresztą tak naprawdę odróżniała je chyba tylko Bogusia i to jeśli nie pozamieniali ubrań). Oboje zwisali na jakiejś belce, tak że głowy ledwie im wystawały sponad tarasowej podłogi.

– Możecie spytać, tylko chodźcie do mnie. Zejdźcie z tej wyżki, bo pospadacie.

– Nie pospadamy.

– A ty nas pogonisz.

– Nie pogonię.

– No dobrze.

Po chwili Kinia i Minio z tupotem bosych stóp pokonywali schody.

– Co ty pijesz?

– Piwo.

– Aha. Piwo.

– O to mnie chcieliście spytać?

– Nie. O co innego.

– Pytajcie.

Bliźniaki popatrzyły po sobie i zapytały jednym głosem:

– Czy twój tata straszy?

Klara zachłysnęła się piwem.

– Jak to straszy? I które z was jest które?

– Ja jestem Minio. Bo my widzieliśmy film, tam jeden pan umarł. To tak samo jak twój tata, nie? I on miał wielki dom, właściwie zamek. I w tym zamku straszył po śmierci.

– I taaakie zęby mu wyrosły. – Oczy Kini były już kwadratowe. – Ja jestem Kinia. On nimi zagryzał ludzi. Tymi zębami.

– Głupia jesteś! Nie zagryzał, tylko dziurki robił i wypijał im krew!

– Ale przedtem uciekł z trumny. Klaro, czy ty jesteś pewna, że twój tata nie uciekł? Bo jeśli uciekł, to mógłby przyjść też do naszego domu...

– I ja ci mówię, ty się nie śmiej! Bo on najpierw przyjdzie do swojego! Znaczy do tego. On jest teraz twój?

Klara najpierw się wyśmiała do reszty, a potem spytała:

– Babcia wam pozwala oglądać horrory?

– Pewnie, że nie – odparła Kinia tonem lekceważącym. – Ale jak babcia ma nocny dyżur, to my oglądamy. Dziadkowi się mówi, że już śpimy, a on się zamyka u siebie i czyta, a jak czyta, to nic nie słyszy. No to my... rozumiesz: myk do salonu i nastawiamy telewizor cichutko. Dziadek nic nie wie. A ty oglądasz horrory?

– Bo nie wiemy, czy one są oparte na faktach – podjął rozważania Minio. – Bo jeżeli są, to rozumiesz, nigdy nic nie wiadomo. No. Jak będzie z twoim tatą?

– Ale mój tata był sympatyczny, na pewno nikogo by nie chciał straszyć i w ogóle...

Bliźniaki pokręciły głowami.

– Tamten pan też był sympatyczny – wyjawiła Kinia. – Jak żył. A jak umarł, to przestał.

– Słuchajcie. – Klara przybrała ton naukowy. – Mam dla was dobrą wiadomość. Horrory NIE są oparte na faktach. To są wszystko wymyślone historyjki. Tak jak bajki.

– Bajki są wymyślone? – zdziwił się Minio. – To nie ma smoka na Wawelu? Ja byłem na Wawelu z tatą i mamą, i on się tam czaił, ten smok.

– Musieliśmy się cicho zachowywać – uzupełniła Kinia. – Żeby na nas nie wyskoczył z tym swoim śmierdzącym zianiem. A Czerwony Kapturek? Przecież są wilki. Ostatnio mama mówiła, że popierała wilki polskie. To znaczy że wysłali na nie jakieś pieniądze. Do jednej organizacji, ona się nazywa Wuwuef. No to na pewno dlatego, żeby wilki nie zjadały niczyich babć, tylko żeby miały na mięsko. Mielone, bo ono nie jest ze zwierząt.

– A z czego?

– Ze sklepu. W paczuszkach.

Klara spojrzała na bliźniaki podejrzliwie. Z tym mięsem trochę już przeholowały. Czyżby od samego początku zabawiały się niecnie jej kosztem?

Dwie pary niewinnych oczek wpatrywały się w nią wiernie.

– Już byś chciała, żebyśmy sobie poszli, prawda? – Kinia okazała domyślność.

– Nie przejmuj się, nie musisz nam tego mówić. Już idziemy. Ale możemy jeszcze kiedyś do ciebie wpaść?

– Zapraszam serdecznie – powiedziała Klara.

Tupiąc rozgłośnie na kilku schodkach tarasowych, Kinia i Minio oddalili się, aby szerzyć ferment w innych rejonach kraju.

Klara patrzyła za nimi z uśmiechem.

Małe potworki. Kto tak na nie mówił? Zdaje się, że wszyscy… W każdym razie bliźniaki dokonały czegoś dziwnego. Zanim pokazały się na tarasie, Klara chodziła po domu nieomal na paluszkach, żeby nie spłoszyć tego nieuchwytnego wrażenia, że ojciec wciąż jeszcze tu jest. Że pozostał dotyk jego dłoni na porządnie poukładanych dokumentach, jego spojrzenie na szybach okiennych, jego myśli, jego samotność… Kinia i Minio pojawili się niespodziewanie i odczarowali dom, taras i widok. Wszystko, co otaczało Klarę, było teraz zwyczajne, choć wciąż pełne uroku. Ciepły wiatr rozwiewał firanki w otwartych oknach i poruszał zielone zasłony, słońce odbijało się w szybach, nad Śnieżkę przypłynęła mała biała chmurka i przysiadła na samym jej szczycie.

Może właśnie w tym momencie ojciec „rozwinął żagle”, jak w tym wierszu, który chyba był dla niego ważny?

„Twarzą w twarz ujrzę mojego Sternika – tam, dokąd płynę".

Być może właśnie dopłynął.

Mały Horst Adolf itd. rozwijał się prawidłowo, ku słusznej dumie i radości rodziców oraz dziadków. Oczywiście, zaraz po ślubie mama przeniosła się do mieszkania swojego nowego małżonka. Przeniesienie Liesel nie było brane pod uwagę. Została jak dotąd u cioci Hannelore, razem z dziadkiem i babcią, którzy i tak większość czasu spędzali u państwa Strache. Ktoś przecież musiał pomóc młodej matce, być przy niej, wydawać okrzyki zachwytu na temat maleństwa. Sam mąż to o wiele za mało.

Liesel mieszkała więc tam, gdzie przedtem, jeździła do Bonn na zajęcia, czasem też odwiedzała mamę w jej nowym mieszkaniu na Rathausgasse, nawet niedaleko Uniwersytetu. Najchętniej wtedy, kiedy nie było pana domu, któremu nie do końca przeszły paskudne zwyczaje co do sekretnych obłapek w korytarzu. Trochę się od tego powstrzymywał zaraz po ślubie, ale po jakimś czasie przestał się powstrzymywać. Mama czasem to widziała i nie była zadowolona. Jakoś ją zawsze potrafił udobruchać i w ostateczności była zła na całkowicie niewinną Liesel.

Liesel, starym zwyczajem, rozmawiała o tym ze swoimi lalkami. Cóż innego mogła zrobić? Rozmowa z mamą nie wchodziła w grę, z dziadkami, zakochanymi w zięciu, też nie. Przyjaciółek od serca nie miała, była na to zbyt chłodna i zdystansowana. Koledzy i koleżanki ze studiów określiliby to prościej: była okropnie sztywna. Chyba z tej przyczyny nie miała też chłopaka.

Chociaż był taki jeden asystent, bardzo młody jak na pracownika naukowego, bardzo przystojny, może niezupełnie aryjskiej urody. Lubiła na niego patrzeć podczas zajęć i z przyjemnością stwierdzała, że i on rzuca na nią okiem. Była jednak już na trzecim roku i jak dotąd nic z tych wzajemnych spojrzeń nie wynikło.

Same studia ogromnie polubiła. Geografia była dla niej czymś pasjonującym. Cieszyła się na myśl, że za parę lat sama będzie jej uczyć dzieci w jakiejś szkole. To z pewnością bardziej fascynujące zajęcie niż opowiadanie lalkom o górotworze hercyńskim albo o wszystkich dopływach Renu, albo skąd się wzięły pustynie, albo dlaczego Sudety powinny być niemieckie, a nie polskie i czechosłowackie... Co to w ogóle jest Czechosłowacja? Ach, szkoda gadać. Kiedy Liesel pomyślała o Sudetach, o Riesenge-birge, które teraz nazywają się jakoś idiotycznie – Karkonosze, o Saalbergu, który teraz się nazywa Bóg wie jak... ogarniała ją prawdziwa złość. I nienawiść do przeklętych Polaków, którzy zagarnęli kawał Niemiec, wypędzili ludność, zagrabili dobytek. Zabili tatę, SS-Sturmbannführera Otto Widmanna...

Wiosna pięćdziesiątego dziewiątego roku była piękna – jak to nadreńskie wiosny. Liesel starała się jak najmniej myśleć o polityce, wojnie i Polakach – ot tyle tylko, ile wymagała tego wiedza na aktualnych kursach. *Der wunderschönen Monat Mai* sprawił, że miała ochotę rozwinąć skrzydła i polecieć... Doprawdy, nigdy dotąd nie doświadczała takiego poczucia swobody. Może kiedyś, kiedy była zupełnie mała, ale tego w żaden sposób nie potrafiła sobie przypomnieć. Gdzie, kiedy, z kim? Może nigdy.

Tego wtorku towarzyszyła koleżankom załatwiającym coś w rektoracie uczelni. Podczas gdy one biegały po pokojach, Liesel stanęła przy oknie w korytarzu i beztrosko wpatrzyła się w białe chmurki na błękitnym niebie.

– Lieschen?!

Już dawno nikt tak na nią nie mówił. Liesel odwróciła się od okna. Z sekretariatu rektora wyszły właśnie dwie kobiety. Jedna nieduża, szczuplutka blondynka, prawie po męsku ostrzyżona i bardzo ładna, druga roślejsza, czarnooka, z burzą czarnych włosów na głowie. Obie eleganckie, ale nie wyzywające. Mniejsza miała wielką torbę pełną jakichś papierzysk, które prawie jej się wysypywały, większa modny koszyczek w kolorowe paski.

To większa wydała okrzyk pełen zdumienia. Odwróciła się teraz do swojej towarzyszki i zaczęła coś mówić po polsku. Liesel rozumiała piąte przez dziesiąte, ale ta mowa coś jej przypomniała. Mowa i wielkie, sowie oczy kobiety... Ależ to Hedwig!

Poznała ją, jednak nie zareagowała. Nie wiedziała na dobrą sprawę, jak zareagować. Hedwig była przeklętą Polką. Ukradła im dom i wszystko. Ale kiedyś była dla niej bardzo dobra...

– Lieschen, nie poznajesz mnie? Lieschen, Elżuniu, to ja, Hedwig!

– *Guten Tag.*

– Elżuniu, ty całkiem zapomniałaś polskiego? – W oczach Hedwig pojawiły się łzy. – Boże, wiedziałam, że tak będzie, zrobili z ciebie Niemkę…

– Jadziu, czekaj – wtrąciła jej towarzyszka. – Ja mogę tłumaczyć…

Hedwig przeszła na niemiecki.

– Ja przecież mówię po niemiecku, tylko nie znoszę tego…

– To u nas udawałaś? – Liesel przypomniała sobie nieporadny niemiecki dawnej służącej.

– Pamiętasz mnie jednak… Udawałam. Głównie po to, żeby móc z tobą mówić po polsku. Ale i tak zapomniałaś. Trudno, to było do przewidzenia. Tyle lat… Lieschen, jakaś ty dorosła, jaka piękna! Tęskniłam za tobą, dziecino. Posłuchaj, musimy porozmawiać…

– Ty teraz mieszkasz w naszym domu? W Saalbergu?

– Nie, już dawno nie. Wyszłam za mąż. Dalej szyję. Mieszkam w Szczecinie.

– Stettin? Też niemieckie miasto…

– Teraz już polskie. Lieschen, proszę, siądźmy gdzieś, porozmawiajmy…

– Nie mam teraz czasu.

To była nieprawda, Liesel miała czas, ale nie wiadomo czemu bała się rozmowy z dawną służącą.

– Ja się jeszcze nie przedstawiłam – wtrąciła się mała blondynka. – Nazywam się Marta Perkowska. Jestem dziennikarką. Piszę reportaż tu, w Niemczech. Może siądziemy gdzieś, napijemy się oranżady i panie porozmawiają? Ja chyba wiem, co Jadzia chce pani powiedzieć. To bardzo ważne.

– Skąd pani wie?

– Rozmawiałyśmy o pani.

– O mnie?

– O pani, kiedy pani była jeszcze dzieckiem. Proszę! Widziałam tu niedaleko taki przyjemny ogródek z parasolkami…

– Tak, tu jest kawiarnia. Ale ja nie wiem… Hedwig, czego ty chcesz ode mnie? Polacy wygrali wojnę. Zabraliście nam wszystko. O co ci jeszcze chodzi? Ja nie chcę z tobą rozmawiać.

– Lieschen, ja ci opowiem, co się stało z waszym domem. Z rzeczami. Twoi dziadkowie na pewno chcieliby to wiedzieć. Oni żyją, prawda?

– Tak. No dobrze. Możemy usiąść na chwilę. Tylko muszę poczekać na koleżanki, powiedzieć, że nie idę z nimi…

Szczęśliwie na koleżanki nie trzeba było długo czekać. Wyłoniły się właśnie z perspektywy długiego korytarza, machając jakimiś papierami. Liesel powiedziała im, że spotkała znajomą i teraz idą razem na oranżadę. No więc do kina to ona tym razem nie pójdzie. Laura i Dorothe pokiwały głowami ze zrozumieniem i całe zadowolone ze swoich biurokratycznych sukcesów odfrunęły innym długim korytarzem.

Liesel w towarzystwie dwóch Polek (to właściwie chyba wstyd?!) wyszła z gmachu uniwersytetu na oblaną słońcem ulicę. Kawiarnia z ogródkiem znajdowała się rzeczywiście niedaleko, przeważnie okupowali ją studenci i personel naukowy uczelni. Kilka stoliczków było wolnych, usiadły więc przy jednym z nich i zamówiły coś do picia. Hedwig cały czas przyglądała się Liesel, co ją wprowadzało w stan nerwowego niepokoju. Najchętniej warknęłaby: „Nie gap się", ale nie wypadało.

– Skąd się tu wzięłaś? – Jakoś trzeba było zacząć tę rozmowę, a Hedwig wyraźnie zamurowało.

– To skomplikowana historia. Lieschen…

– Mam na imię Liesel.

– Liesel. Słusznie, przecież dorosłaś… Czy ty kiedykolwiek słyszałaś o obozach koncentracyjnych?

– Słyszałam. To propagandowa bzdura i proszę mi tym głowy nie zawracać.

Polki spojrzały na siebie i jak na komendę podwinęły rękawy bluzek. Na ręce Hedwig... Liesel pamiętała to jak przez mgłę, ale przypomniała sobie teraz – zawsze był taki niebieski numer: 10255. Marta miała w tym samym miejscu numer 11342.

– Co to ma być?

– To nasze numery obozowe – odrzekła Hedwig. – Z Ravensbrück.

– Bzdura!

– Nie, to prawda. Marta pisze dla polskiej gazety artykuły o nowym procesie takiej jednej... Herty Oberheuser. Ona tu studiowała, na tym uniwersytecie, dlatego przyjechałyśmy do Bonn. Miała wyrok. Wypuścili ją z więzienia i pozwolili znowu być lekarką.

– To chyba dobrze, że jest lekarką. Lekarze są potrzebni.

– W naszym obozie lekarze robili straszne eksperymenty na więźniarkach. Ona też. Liesel, jak będziesz chciała, to wszystko przeczytasz w gazetach. Chociaż nie wiem, czy u was o tym piszą. W każdym razie ja znałam Hertę bardzo dobrze.

– Hertę? Ty mówisz o mojej mamie?

– O twojej mamie! Dziecko, ja nie wiem, jak miała na imię twoja prawdziwa mama. I nie mówię o Hercie Widmann. Mówię o innej Hercie, Oberheuser. Nie zawracaj sobie nią teraz głowy. Powiedz, czy ty jeszcze pamiętasz swoją mamę?

– Znowu jakieś bzdury! Moja mama ma się doskonale. Wyszła drugi raz za mąż i ma synka, ślicznego chłopczyka.

– Moje gratulacje. Ale ja nie mówię o tej mamie. – Hedwig ze zdenerwowania nie potrafiła jasno się wyrazić. – Lieschen, przypomnij sobie, jak dawno temu przyjechałaś do Drezna z panem Widmannem, pamiętasz? Jaka byłaś zmęczona, zaraz poszłaś spać. Ja cię kładłam do łóżeczka. Na drugi dzień wszystko ci pokazywałam, cały dom. Miałaś takie piękne lalki. Jedna miała na imię Elżunia. Szyłam potem dla niej płaszczyki i sukienki...

– Ja wciąż mam lalkę Elżunię.

– Pamiętasz, skąd ją masz? Kto ci ją dał?

– Tato.

– Pan Widmann?

– No chyba tak…

– Lieschen. Elżuniu. Przypomnij sobie teraz, proszę, jak przyjechałaś do Drezna. To jest ważne. Pamiętasz?

Liesel przesunęła dłonią po czole. Coś pamiętała, ale niewiele. Tak, rzeczywiście, pamięta poranek i mieszkanie w Dreźnie, tak jej się wtedy spodobało, takie było duże i ładne… Hedwig ją ubierała…

– Pamiętam. Przyjechaliśmy samochodem.

– Skąd?

Czarna dziura. Skąd oni wtedy przyjechali?

– Nie wiem. Była wojna. Długo jechaliśmy. Dwa dni.

– No właśnie. Długo, bo z Polski. To znaczy, teraz tam jest Polska. Elżuniu. Nazywałaś się wtedy Schumacher. Dopiero potem byłaś Lieschen Widmann. Elżunia Schumacher. Gdzie tak się nazywałaś?

– Nie pamiętam. Ja się nazywam Widmann.

– Od wojny się tak nazywasz. Przed wojną byłaś Elżunią Schumacher. Pamiętasz mamę, tatę?

– Bomba spadła…

– Tak ci mówili… Słuchaj, ja wtedy nie mogłam powiedzieć ci wszystkiego, bo byłaś taka mała, taka mała, za mała… Teraz jesteś dorosła. Ja widzę, że oni ci zrobili pranie mózgu, to się chyba tak nazywa. Elżuniu. Była w czasie wojny taka organizacja, nazywała się Lebensborn…

– Lebensborn. Chyba już gdzieś tę nazwę słyszałam…

– Oni zabierali Polakom takie ładne dzieci jak ty i oddawali Niemcom.

– Nie rozumiem.

– Elżuniu, może ty teraz jesteś Liesel Widmann, ale przed wojną byłaś Elżunią Schumacher albo może nawet po polsku pisaną, Szumacher. Miałaś polską mamę, polskiego tatę i polski dom. Ukradli cię… jak lalkę.

∽

Klara chodziła po swoim domu i oglądała go pod zupełnie nowym kątem. A może nawet pod dwoma kątami. Pierwszy kąt był, powiedzmy, marketingowy. Co by trzeba zmienić, wyremontować, usprawnić, żeby willę jak najkorzystniej sprzedać. Klara nie miała dotąd żadnego doświadczenia w handlu nieruchomościami. O wiele łatwiejsze i przyjemniejsze było zwiedzanie w tym drugim aspekcie.

No bo jakby tak – niekoniecznie na zawsze, może nawet nie na długo – tutaj zamieszkać?

Swoją aktualną sypialnię zmieniłaby w pracownię. Wystarczyłoby właściwie sprowadzić wyposażenie. To biurko pod oknem z widokiem na Śnieżkę jest po prostu cudne. Za każdym razem, kiedy podnosiłaby oczy znad roboty, widziałaby kolorowe góry. Tak jak na wyspie widzi ocean.

Ten fotel... bardzo wygodny. Wszystkie meble w domu są wygodne, choć nie wszystkie tak ładnie od nowa obite jak u niej w pracowni.

Ej, w jakiej pracowni? W pokoju gościnnym!

Ale gdyby – hipotetycznie – tu zamieszkała, to sypiałaby na dole, w obszernym łóżku małżeńskim, w którym kiedyś sypiał ojciec, a przed nim... któż to wie? Jacyś przybysze ze wschodu, a jeszcze wcześniej Niemcy. Erwin uświadomił ją trochę w sprawie burzliwej historii tych ziem.

I co? I tak mieszkałaby tu sama?

Klara nigdy wcześniej nie myślała o wyjeździe z rodzinnego domu na wyspie. To było takie oczywiste, że zawsze będą razem. Ona i Hervé, mama, tata, babcia Ana...

Pierwszy wyłom został właśnie uczyniony.

Odszedł Hervé.

Układanka została naruszona.

Pierwszy raz w życiu Klara pomyślała o tym, że ogromna większość jej rówieśników wcale nie pozostaje w domach, z rodziną. Szukają własnego szczęścia.

Ale przecież tata bez niej...

– Claire!

– Klara!

Odwróciła się gwałtownie. W drzwiach stał ojciec, a zza jego ramienia wyłaniała się właśnie zadyszana babcia.

– Nie wierzę! Skąd wy tutaj?!

– Nie pasuje ci?

– Tato, chyba zwariowałeś!

Rzuciła mu się na szyję, uściskała babcię Anę, wróciła do ojca i jeszcze raz do babci.

– Właśnie o was myślałam. – Nie powiedziała, że myślała konkretnie o rozstaniu z nimi. – Jakim cudem...

– Nie cudem, tylko samolotem – sprostował ojciec. – Pomyśleliśmy z babcią, że będziemy cię wspierać jutro na pogrzebie.

– Ależ jesteście kochani! Mama z wami nie przyjechała?

– Ktoś musiał zająć się restauracją i turystami – wysapała babcia. – Zresztą twoja mama nie miała przesadnie wielkiej woli walki. Możemy wejść?

– Babciu!

Weszli i rozejrzeli się dokoła.

– Ładnie tu – pochwaliła babcia. – Ten widok to masz po prostu pierwsza klasa. Jeśli nie dostanę natychmiast herbaty, i to porządnej, to jutro będą tu dwa pogrzeby, uprzedzam was!

– Już robię! Jakieś jedzenie?

– Jedliśmy po drodze – rzekł ojciec. – Ale od rana pijemy jakieś straszne płyny. Cydru nie masz?

– Nie, tu się nie pija cydru, tylko piwo. Chcesz piwa? Dobre jest. Słuchajcie, tam jest łazienka, możecie na szybko umyć ręce i wejdźcie na piętro, są trzy pokoje, jeden mój, ten po lewej, zajmijcie pozostałe. Tam zresztą też jest łazienka. I wyjście na taras. Ja zaraz dojdę, zrobię babci tej herbaty.

Oprócz herbaty zrobiła talerz małych kanapek, wychodząc z założenia, że jeśli nawet jedli coś na lotniskach, to na pewno nie dostali tam nic smacznego. Ostrożnie wyniosła załadowaną tacę na taras. Rodzinka zdążyła się już zainstalować w wiklinowych fotelach i zapatrzyć na góry.

– Masz tu nieprawdopodobny widok – powiedziała babcia. – Ten dom był własnością Jerzego? Czyj jest teraz?

– Mój.

Babcia i ojciec zgodnie wydali okrzyki mające świadczyć o aprobacie, a wręcz zachwycie.

– Dom jak dom, ale te widoki – westchnęła babcia i zabrała się do tartinki. – Miałaś rację, dziecko, z tymi kanapkami. Jedliśmy dzisiaj same okropności.

– Które lepsze? – Ojciec oglądał dwie butelki przyniesione przez Klarę. – Tyskie – wysylabizował. – A tego nie wymówię.

– Żywiec. Oba dobre. Specjalnie przyniosłam oba, żebyś spróbował. Tylko one są gorzkawe, więc nie wiem...

– Ja lubię gorzkawe też. A teraz opowiadaj wszystko, co i jak.

Klara już od kilku chwil zastanawiała się, czy opowiedzieć im naprawdę wszystko, czy złagodzoną wersję. Spojrzała teraz na dwie kochane, poważne w tym momencie twarze i zdecydowała. Komu, jeśli nie im?

Słuchali z uwagą, babcia co jakiś czas wzdychała, aż w końcu oczy jej zwilgotniały.

– Zasługiwał na lepsze życie – osądziła, kiedy Klara skończyła. – Dobrze, że do niego przyjechałaś.

– Wszyscy tak mówią. Jego przyjaciele. Bardzo go tu lubili. On się nie skarżył na swoje życie, babciu. Kochał to, co robił...

– Ale samotność go żarła. Wicek, ty czasem nie bierz do siebie tego, co ja mówię, mnie nie chodzi o to, że Ewa wybrała ciebie, tylko że jego zostawiła. Rozumiesz subtelną różnicę.

– Oczywiście, moja droga.

– Ewa miała mnóstwo szczęścia, na które nie zasługiwała. Przykro mi to mówić o własnej córce. I dziewczynki też. To szczęście. Taki ojciec jak ty to skarb. No i zięć. Wiesz, jak cię lubię. Żal mi tylko porządnego człowieka. Szkoda, że nie złapał jakiejś dorzecznej pielęgniarki. Ale, ale... mówiłaś, że tu jest jakaś pielęgniarka i jego przyjaciółka?

– Tak, to Bogusia, ta, co tu mieszka. Z rodziną. Widzieliście jej dom, stoi bliżej lasu. Bardzo sensowna kobieta.

– Prawda, mówiłaś. Już pamiętam. Tyle nowości naraz. Poznamy ją?

– Na pewno. Tato, czemu nic nie mówisz?

– Myślę. Kochanie, wspominałaś, że twój ojciec zostawił ci ten dom, jakieś pieniądze...

– Tak.

– To raczej nie wrócisz do Francji z nami, bo my z babcią mamy zarezerwowany samolot za dwa dni. Chciałem, skoro już tu jesteśmy, zobaczyć kawałek Polski.

– Bardzo dobrze, powożę was po okolicy, pokażę coś ładnego. Ale rzeczywiście, muszę chwilę zostać. Te wszystkie formalności, rozumiecie.

– Żadna przyjemność – psyknęła babcia. – Masz jeszcze piwo?

– Jasne. Które babcia woli?

– Żywca. Pamiętam czasy, kiedy nie można go było dostać. Pijałam go głównie w wagonach restauracyjnych, jak jeździłam na delegacje do Warszawy.

Klara przyniosła z lodówki na wszelki wypadek trzy butelki. Ledwie zdążyła je otworzyć i nalać do trzech szklanic, zobaczyła Bogusię idącą przez łąkę.

– Patrzcie – powiedziała szybko. – To jest właśnie Bogusia, ta przełożona pielęgniarek u ojca w szpitalu. Chyba wiem, po co idzie.

– Przystojna i ładna – mruknął Vincent. – I zgrabna. Kobieta z klasą. Już mi się podoba.

Bogusia wspięła się na tarasowe schody.

– Dobry wieczór. Mój wywiad mi doniósł, że masz gości, Klaro. Przyszłam was zaprosić na kolację, bo pewnie niczego nie masz w domu. Albo masz za mało. A mnie się dzisiaj zachciało racuszków z poziomkami. I śmietaną. Jedna sąsiadka przyniosła nam całą kobiałkę poziomek. Z ogrodu, nie z lasu, ale i tak pyszne. Kazio zaraz będzie smażył.

Klara dokonała oficjalnej prezentacji. Zarówno tata Vincent, jak babcia Ana odnieśli się entuzjastycznie do racuszków z poziomkami. Co tam takie małe kanapeczki...

U Bogusi, oczywiście, siedzieli już Egon z Erwinem, którzy nie byli pewni, czy wypada im przeszkadzać Klarze. Pan domu w milusim fartuszku w biedronki mieszał ciasto w wielkiej misie. Kinia i Minio w świeżych dresikach (zapewne ze względu na gości) siedzieli za stołem i robili zmyłkowo dobre wrażenie. Brakowało Jacka.

– Jacek ma dzisiaj dyżur w szpitalu – wyjaśniła Bogusia. – Przyjedzie jutro na cmentarz. Rozgoście się i czujcie u siebie.

Klara zauważyła, że babcia Ana jest zachwycona zarówno nowym otoczeniem, jak i spotkaniem ze starymi znajomymi, braćmi EE. Ojciec najwyraźniej był zachwycony Bogusią i chyba tylko obecność Kazia powstrzymała go przed nieustannym czynieniem jej awansów. Bogusia – jako absolutnie normalna kobieta – była zachwycona francuską galanterią Vincenta. Egon i Erwin konsekwentnie zachwycali się Klarą. Wszyscy zaś jednakowo zachwyceni byli racuszkami z mnóstwem świeżych poziomek w środku i osobno.

Chyba jeszcze nigdy w życiu (dawne fascynacje Hervé podejrzanie szybko przestały się liczyć) Klara nie spędziła tak miłego wieczoru. Myślała o tym, kiedy ścieliła łóżka dla gości i kiedy sama szła spać, a księżyc zaglądał przez okno do jej pokoju.

Piętro niżej jego blask odbijał się w niebieskich oczach małego korrigana siedzącego na parapecie.

❧

Liesel wróciła do domu w Bad Honnef oszołomiona. Hedwig opowiadała jej dziwne rzeczy, po prostu nie do pojęcia. Ona, Liesel, zbyt wiele słyszała o niegodziwości Polaków, żeby teraz mogła tak po prostu uwierzyć dawnej służącej mamy. Przecież jeśli miała pięć czy sześć lat, kiedy ją – rzekomo! – zabrano prawdziwym rodzicom, to powinna choć trochę tych rodziców pamiętać. Sześciolatka to już nie jest małe bobo, które nic nie wie.

Wniosek: Hedwig i ta jej przyjaciółka, Marta, dziennikarka, kłamały.

Tylko po co miałyby kłamać?

Te ich numery na rękach!

Ależ to jest logiczne: numery świadczą o tym, że obydwie kobiety istotnie były więźniarkami jakiegoś obozu. Do obozu nie szło się ot tak sobie, tylko za jakieś przestępstwa. No więc logiczne, że obie były przestępczyniami przeciwko narodowi niemieckiemu. Kłamią, żeby z zemsty zrobić jej, Liesel, zamęt w głowie.

Chodziła po pustym domu i rozmyślała.

Hannelore wyjechała do jakiejś starej ciotki, dziadków nie było, pewnie siedzieli w Bonn, u mamy i małego Horsta. Liesel też tam dzisiaj miała iść, jednak po tym, co usłyszała, musiała pozbierać myśli. Jakoś się uspokoić.

Starym zwyczajem poszła porozmawiać z lalkami. Kiedy stała się dorosłą osobą, pozbyła się prawie wszystkich zabawek. Poszły do jakiegoś domu sierot. Zostały tylko Lieschen, Liesel, Hansel, Gretel… i Elżunia.

Elżunia.

Lalka Elżunia od wielu już lat istniała jako byt na poły abstrakcyjny. Była zawsze, choć nie wiadomo skąd się wzięła. Dlaczego takie dziwne imię, trudne do wymówienia?...

A otóż nie. Wcale nie trudne.

Pamięć Liesel zaczynała się mniej więcej od drezdeńskiego etapu jej życia. Przedtem była wyłącznie czarna dziura.

Drezno. Tatuś, oficer, często wyjeżdżał. Piękna mama. Ich zabawy w pokoju dziecinnym albo w stołowym na miękkim dywanie. Hedwig szyła wtedy sukienki dla mamy, dla Lieschen i dla lalek.

„Powoli, powoli, przyjdzie dziad do dzieci".

Liesel powiedziała to głośno.

Bez trudu. I zrozumiała, co mówi.

Tak, z Hedwig nie rozmawiała wtedy po niemiecku. Rozmawiały po polsku. Ale dlaczego?

Na to pytanie na razie nie było odpowiedzi.

– Elżunia.

Spojrzały na nią niebieskie oczy lalki, zupełnie bez wyrazu. Liesel wydało się jednak, że widzi w nich tajemnicę.

Klara spodziewała się, że pogrzeb ojca będzie cichy i skromny. W zasadzie taki był. Córka, gromadka przyjaciół, kilkoro kolegów, którym udało się urwać z pracy. I niespodzianka: tłumy ludzi, które pojawiły się nie wiadomo skąd. Ani Bogusia, ani Kazio, ani bracia nie znali nikogo. Jackowi niewyraźnie przypominały się niektóre twarze. Znaczy, pacjenci przyszli pożegnać pana doktora. Znaczy, pan doktor był w porządku. Proste wnioskowanie.

Przyszli, zostawili kwiaty i poszli. Bo cóż można było zrobić innego?

Żadna oficjalna stypa nie była przewidziana. Klara podziękowała wszystkim, zabrała ojca i babcię – w Polsce babcia życzyła sobie być znowu Hanią, co Vincenta wprawiło w niemały kłopot – i cała trójka pojechała poznawać okolice. Okolice jak gdyby specjalnie się wystroiły na przybycie gości z Francji: dzień był świetlisty, niebo błękitne z kilkoma dyżurnymi chmurkami, zieleń na górach i łąkach soczysta. Zaledwie zdążyli wyjechać z Podgórzyna, sosnowieckie jezioro zrobiło swoje i grzecznie odbiło łańcuch Karkonoszy, wzbudzając tym okrzyki zachwytu babci i pomrukiwanie Vincenta. Co do trasy, Klara została dokładnie poinstruowana przez braci, którzy bardzo się zaangażowali i też chcieli jechać, ale zostali delikatnie zniechęceni przez taktowną Bogusię, czującą, że ma to być ważna wycieczka rodzinna. Zaraz za jeziorem skręciła w prawo i pojechała górą, przez Sosnówkę i Karpacz, zjechała do Kowar piękną drogą biegnącą wzdłuż Czarnego i Kowarskiego Grzbietu, znów wspięła się na przełęcz i obrała kierunek na Kamienną Górę. Nakarmiwszy babcię i tatę Wicka u Leszka (okrzyki zachwytu i aprobatywne pomruki), zawiozła ich, jak łatwo się domyślić, do Krzeszowa (okrzyki, pomruki, oba kościoły, kawa w Pokusie). Nie pozwoliła im jednak zbyt długo siedzieć na kanapie przy kominku, bo bardzo chciała pokazać im Bramę Lubawską w popołudniowym świetle.

Zawsze miała dobrą orientację w terenie, więc teraz jechała jak po swoje. Ba, trochę nawet miała wrażenie, że oto za chwilę pokaże rodzince najpiękniejsze ze SWOICH włości. Żałowała tylko, że już nie będzie w tej pięknej dolinie fioletowych połaci łubinu, które tak ją zachwyciły, kiedy jechała tu poprzednio. Musiały dawno przekwitnąć. Ale przynajmniej światło będzie podobne.

Może załatwił jej to któryś z korriganów, a może rajska dolina odwzajemniła jej uczucie – w każdym razie kiedy już mała terenówka wyjechała z lasu na górce, Klara nie wytrzymała i krzyknęła z zachwytu (babcia wydawała swoje entuzjastyczne okrzyki przez cały czas). Jak okiem sięgnąć, otaczały ich łany purpurowych kwiatów. Nie były to jednak wiosenne łubiny, a wspaniale kwitnąca wierzbówka, odbijająca popołudniowe słońce.

Tym razem Vincent nie ograniczył się do pomruków, tylko wygłosił porządną mowę pochwalną. Klara pękała z dumy, a babcia oddała się rozważaniom na temat, jak to się stało, że mieszkając mnóstwo lat we Wrocławiu, a więc całkiem niedaleko, nie znała tak uroczych miejsc. Sama sobie zaraz odpowiedziała, że jeździła w inne góry, też niezłe, ale faktu to nie zmieniało w najmniejszym stopniu!

Do żadnych poważniejszych familijnych rozmów tego dnia nie doszło.

Nazajutrz pojechali oglądać drugą stronę i przez Szklarską Porębę dotarli do Świeradowa, gdzie Klara z pewnym trudem odnalazła położoną na stoku Chatę Izerską, w której bracia kazali jej nakarmić rodzinę pstrągiem pieczonym na kamieniu. Pstrąg był świetny i rzeczywiście pieczony na kamieniu, widoki z ogródka na góry wielkiej urody – a rodzina wciąż nie zabierała głosu na temat przyszłości.

W końcu Klara nie wytrzymała.

– Tato, babciu… Czemu nic nie mówicie?

– A w jakiej sprawie? – zainteresowała się fałszywie babcia, wyciągając ość spomiędzy zębów.

– No, w ogóle, babciu, w ogóle…

– W ogóle to bardzo mi się tu podoba. Wicek, a ty jak?

– Jestem zachwycony. Claire... Klara... czy tu jest obowiązek jedzenia tylko jednej ryby? Bo ja chyba zjadłbym drugą. Ana? Poradzisz?

Babcia przyjrzała się krytycznie rybiemu kręgosłupowi na swoim talerzu.

– Mmm... Małego. Małego pstrążka. Poproszę.

– Nie ma małych – powiedział ze sztucznym zmartwieniem gospodarz, który podszedł do nich przywołany energicznym machaniem trzech par rąk. – Same duże. Na pewno da pani radę, szanowna pani.

– Myśli pan? – Babcia dyskretnie wyjęła kolejną ość. – Takie same ościste wszystkie?

– Tak, niestety. Ale wie pani, małe byłyby o wiele bardziej ościste. A tak naprawdę to wcale nie jest dużo ości.

– Może i nie. Jadłam swego czasu leszcza... Wicek, powiedz: leszcz...

Vincent spojrzał na swoją filuterną teściową z wyrzutem.

– No dobrze, nie mów. To jeszcze trzy porcje prosimy.

– Ale ja już dziękuję – zaprotestowała Klara.

Gospodarz zawahał się. Babcia zamachała rękami.

– Żadne dziękuję! Teraz dziękuję, a potem będziesz nam głodnym okiem zaglądać do talerza. I mlaskać. Trzy porcje.

– No wiesz, babciu, ja nie mlaszczę! Tato, powiedz: mlaszczę... Nie, przepraszam. Babciu, piłaś piwo i tak ci się porobiło, a ja nie piłam, bo jadę, więc dlaczego mi się udziela twój humorek?

– Moja głupawka, chciałaś powiedzieć. To na pewno z powodu tej przyrody dokoła. Ja w Bretanii też tak miewam, jak się zapatrzę na krajobraz. Chciałaś o czymś z nami porozmawiać?

Klara łyknęła wody mineralnej i spojrzała na ojca numer... właściwie nie wiadomo którego. Wpatrywał się intensywnie w Sępią Górę, którą miał na wprost nosa.

– Tato...

Vincent z westchnieniem oderwał się od kontemplowania góry.

– Ja wiem, kochanie, wiem, o co ci chodzi. O ten dom. Co z nim zrobić. O niczym innym nie myślę, odkąd tu przyjechałem. Gdybym był egoistyczną świnią, którą nie jestem, a w każdym razie mam taką nadzieję… No więc gdybym myślał tylko o sobie, to bym powiedział: sprzedaj i wracaj do Bretanii, gdzie masz swój świat od zawsze. I byłbym najszczęśliwszym ojcem na ziemi. Ale nie jestem pewien, czy to najlepsze, co możesz zrobić. Gdybym miał twoje lata i był na twoim miejscu, to może spróbowałbym tu jakiś czas pomieszkać, zorientować się. Bo może tu jest jeszcze bardziej twój świat niż w Bretanii. Będzie mi cię strasznie brakowało, ale to przecież normalne, że dzieci odchodzą od swoich starych rodziców…

– Nie jesteś stary. A poza tym gadasz jakieś straszne komunały. A poza tym nie mam zamiaru od was odchodzić.

– Nie kusi cię, żeby tu posiedzieć kilka miesięcy? Mogę przywieźć twoje robótki ręczne, żebyś miała je obok siebie. Nie będziesz się nudziła. Chociaż ty i tak chyba nie potrafisz się nudzić.

– A co zrobisz z tą starszą panią? – wtrąciła babcia. – Nie wiem, czy uda ci się ją tak łatwo sprzedać razem z domem.

– Ona powiedziała, że ma zarezerwowane miejsce w jakimś domu starców czy coś…

Babcia gwałtownie uniosła oczy ku niebu.

– Dom starców! Wicek, proszę, obiecaj, że mnie nie poślesz do żadnego domu starców! To już mnie prędzej utop w Atlantyku, gdybym się stała jędzą nie do zniesienia…

– Masz to u mnie – odrzekł uprzejmie. – W każdym razie Claire ma problem z głowy. Przynajmniej jeden. Claire, zamów mi, proszę, jeszcze jedno piwo. Macham na tego gościa, ale on nie widzi. Ana, dla ciebie też?

– Jasne. Też duże.

Klara weszła do chaty, żeby zamówić piwo bezpośrednio przy barze, a babcia Ana, czy raczej Hania, położyła Vincentowi rękę na ramieniu.

– Bardzo cię lubię, zięciu. Naprawdę. Bardzo.

– Mów mi to jak najczęściej – westchnął. – Ja też za tobą przepadam, moja teściowo. Uwierz mi, wcale nie jest mi lekko namawiać Claire, żeby tu została. Bo może zechce zostać na zawsze i ja ją stracę? Ale tak sobie myślę, że jej się to przyda. Ta cała historia z jej prawdziwym ojcem... wszystko poszło tak błyskawicznie. A wyglądało na to, że się zaprzyjaźnią. Z tego, co opowiadała... mieli wiele wspólnego. On rzeczywiście musiał być bardzo chory. Ją to bardzo uderzyło, widzę. Może będzie lepiej, jeśli ona teraz to odreaguje jakoś powoli, rozumiesz mnie, a nie tak: sprzedać, skreślić, zapomnieć. Musi to sobie w głowie poukładać, przepracować. Na dodatek Hervé, ten osioł...

Babcia Hania błysnęła oczkami nieco złowrogo.

– Pętak i gamoń – powiedziała krótko. – Powiem ci, kochany zięciu, że wcale nie wiem, czy to nie było najlepsze, co mogło się zdarzyć. On ci się podobał?

Vincent skrzywił się.

– Zły nie był...

– Ale gamoń! Szkoda naszej dziewczynki dla takiego ślimaka. Wicek, ja ci mówię. Albo byłaby z nim nieszczęśliwa do końca życia, albo to małżeństwo z hukiem rozpadłoby się po roku. Dwóch. Trzech już by nie wytrzymali ze sobą.

– Masz rację – przyznał trochę smętnie. – Klara ma jak dla niego za bogatą osobowość...

Dziewczyna z bogatą osobowością pojawiła się w towarzystwie gospodarza i dwóch piw oraz dzbanka z herbatą.

– Plotkowaliście – skonstatowała, obrzuciwszy ich badawczym spojrzeniem. – I co wam wyszło?

– Że zrobisz, jak zechcesz – odrzekła szybko babcia Hania, która świetnie wiedziała, że gwarancję, żeby Klara czegoś nie zrobiła, dawało tylko namawianie jej do tego. – Duża już jesteś, musisz sama decydować. Nie zwalaj tego na swojego starego ojca.

Vincent chciał zapałać słusznym oburzeniem z powodu starego, ale właśnie nadjechały trzy potężne pstrągi i konwersacja na jakiś czas się urwała.

– Spotkałam Hedwig.

Babcia zamarła z żakietem w rękach. Właśnie przyjechali z dziadkiem od Herty i małego, a Liesel od progu przywitała ich taką wiadomością.

– Coś podobnego! Musisz nam wszystko opowiedzieć, tylko zrób nam, dziecko, kawy, bardzo cię proszę. Jakoś mnie zmęczył ten dzień. Hans?

– Ja też proszę kawę. Przywieźliśmy ciasteczka, rozłóż je na czymś. Też jestem zmęczony. Hedwig, nie do wiary!

Liesel zakrzątnęła się w kuchni i po kilku minutach cała trójka siedziała w przytulnym, mieszczańskim salonie, na pluszowej kanapie. Kawie w stylowej bawarskiej porcelanie towarzyszyła kryształowa patera z drobnymi ciasteczkami.

Całe to otoczenie mówiło Liesel, że wszystko, co opowiadała Hedwig, po prostu musiało być nieprawdą. Musiało.

– Opowiadaj, kochanie – poprosiła babcia, z wdziękiem biorąc podaną sobie filiżankę. – Czy Hedwig mówiła o naszym domu w Saalbergu? Czy on jeszcze istnieje?

– Istnieje, babciu. To znaczy, przetrwał wojnę. Hedwig mówiła, że jak tylko wojna się skończyła, weszli szabrownicy i powynosili wszystkie cenne rzeczy. Zostały tylko niektóre meble, te większe. Pewnie nie mieli ich jak zabrać. Hedwig bała się, że jej zrobią krzywdę, więc nie protestowała. Zresztą nie miała jak. Potem przyszły polskie władze, zmieniły nazwę… Hedwig mówiła, ale zapomniałam, jak to było… wiem: Szczęsnowo. Teraz jest jeszcze inaczej. Zachełmie chyba. Nieważne. W każdym razie wtedy, zaraz po wojnie, w naszym domu zamieszkali jacyś ludzie, którzy przyjechali ze wschodu, znaczy z Rosji, bo Rosja z kolei zabrała część tamtej Polski…

– Mój Boże, same okropności – użaliła się babcia.

Dziadek nic nie mówił, tylko postukiwał palcami o blat stołu w rytmie marsza.

– Ci ludzie pozwolili Hedwig zostać w domu – ciągnęła Liesel. – A potem zamieszkała tam jeszcze jedna rodzina, to razem dwie. W naszym jednym domu! I w tej drugiej rodzinie był taki inżynier, który zakochał się w naszej Hedwig. Pobrali się i wyjechali z Saalberga do Szczecina. Tak się teraz nazywa Stettin po polsku.

– Do czasu – warknął dziadek. – No, nie odzyskamy wszystkiego, to pewne. Ale żeby chociaż dom...

– Hansel, ty myślisz naprawdę, że tam wrócimy?

– Oczywiście, Gretchen. Oczywiście. To co Niemcom zrobiono, musi być wynagrodzone...

Tak zazwyczaj brzmiał wstęp do dziadkowych rozważań politycznych, których Liesel nawet nie starała się zrozumieć. Tym razem również starszy pan wdał się w zawiłe dywagacje, zakończone konkluzją o powrocie do Starego Porządku.

– Masz rację, w stu procentach masz rację – przytaknęła jak zawsze babcia. – Ale ja nie wiem, czy w naszych latach będziemy coś jeszcze zmieniać. Liesel, dziecko, a co ona robi teraz? I po co tu przyjechała? Przecież nie do nas, bo nie wiedziała, dokąd pojechaliśmy.

– Ona była razem z jakąś dziennikarką. Ta dziennikarka pisze o obozach koncentracyjnych. Mówiła, że ktoś z kierownictwa Ravensbrück studiował w Bonn, jakaś Herta Oberheuser. Dlatego były na uniwersytecie.

– Obozy! – prychnął dziadek. – Obozy były dla kryminalistów, przestępców! Nie chcę o tym słuchać. A w ogóle jestem zmęczony i zamierzam się położyć na godzinkę. Będę czytał książkę, ale jak znam życie, ona mnie uśpi. Obudźcie mnie na kolację, kobiety!

Babcia Greta i Liesel zostały same przy kawie i ciasteczkach. Był to doskonały moment, żeby babcia zaczęła się rozwodzić nad cudownością małego Horsta, ślicznego, zdolnego, mądrego chłopczyka, cała mamusia.

O Elżuni Szumacher Liesel nie odważyła się wspomnieć. A kiedy porządnie przemyślała sprawę, uznała, że najlepiej będzie w ogóle wymazać z pamięci spotkanie z Hedwig Bogacką. Czy jak tam się ona po mężu nazywa, co i tak jest zupełnie nieważne.

∽

Niezależnie od tego, co postanowi na przyszłość, Klara musiała zostać w Polsce jakiś czas, żeby pozałatwiać formalności związane z przejęciem spadku po ojcu. Niezawodni Egon z Erwinem podjęli się wszelkiej pomocy i nieśli ją ochoczo jak para skautów. Dla Klary było to bezcenne, oszczędzało jej bowiem przedeptywania ścieżek. Szła, można powiedzieć, na gotowe. Było to o tyle nieskomplikowane, że ojciec zostawił bardzo konkretny testament. Na jego mocy Claire Autret w kilka tygodni została właścicielką działki z nieruchomością we wsi Zachełmie, w gminie Podgórzyn, powiecie jeleniogórskim, województwie dolnośląskim oraz pewnej całkiem sporej sumy pieniędzy. Zapłaciła z niej wszelkie koszty notarialne i urzędowe, podatki i inne należności, których zażyczyło sobie państwo polskie, a jeszcze jej zostało. Jak oceniła Bogusia, mogła z tego spokojnie przeżyć we własnym domu rok, dwa, a jeśli byłaby bardzo oszczędna, to i trzy.

– Wiesz, Bogusiu, on był niesamowity, ten mój ojciec – powiedziała Klara pewnego letniego wieczoru, zanim jeszcze została posiadaczką; siedziały we dwie na tarasie i popijały herbatę z sokiem malinowym. – Nie wyobrażasz sobie, jak on wszystko po sobie posprzątał. Zostawił tylko dokumenty, żadnych prywatnych papierów, listów, zdjęć, nic. Komputer też wyczyścił. Jakby chciał… nie wiem jak to powiedzieć… zostać dla mnie takim nikim. Źle mówię. Ale rozumiesz.

– Rozumiem. On zawsze był taki. Nigdy nie chciał nikogo sobą absorbować, jakby nie wierzył, że komuś może sprawić to przyjemność. Nie masz pojęcia, ile ja się nad nim napracowałam, żeby pozwolił się z sobą zaprzyjaźnić. A pozornie był miłym, towarzyskim facetem. To znaczy miły był naprawdę, nie pozornie.

– Ale co, nie lubił ludzi?

– Lubił. Nawet bardzo. Tylko nie potrafił uwierzyć, że on też da się lubić. Nie wiem, jakim cudem tak szybko kupił Jacka.

– Powiedziałaś: kupił?

– Tak się u nas mówi. Zaakceptował. To było niesamowite, bo z kolegami lekarzami na ogół utrzymywał dystans. Pracowało tu kiedyś dwóch jego kolegów jeszcze ze studiów, no to oni byli chyba zaprzyjaźnieni. Tylko że potem tamci dwaj wyjechali, jeden do Szwecji, drugi do Stanów. No i Jerzy został… taki zdystansowany. Natomiast młodymi lekarzami opiekował się fantastycznie, wszyscy go uwielbiali. Tak samo pacjenci. Widziałaś te tłumy na cmentarzu.

– Widziałam. To on był trochę dziwakiem, ten mój ojciec…

Bogusia zdecydowanie pokręciła głową.

– Tylko w tym jednym. Wiesz, jaką miał ściśle tajną ksywę na oddziale? Doktor Nikt. Zero życia osobistego. Przynajmniej takiego, o którym dałoby się poplotkować.

– Ale ty wiesz o nim więcej, niż inni wiedzieli, prawda?

– Prawda. Chyba nam w tym pomogło sąsiedztwo. My naprawdę byliśmy przyjaciółmi. I brak mi go teraz. Jacek został ordynatorem, wiesz?

– Nie wiem. Nie pochwalił się. On też dużo o sobie nie mówi.

– Z tego, co nam zeznał, przyjechał gdzieś spod Warszawy, z Sochaczewa albo Żyrardowa, albo może z Grójca… Nie, z Grójca nie. Miał żonę, ale im nie wyszło, więc się rozwiedli bez większych zawirowań. On to chyba trochę jednak przeżywał, chociaż udawał, że wcale nie. Twój ojciec najpierw się nim zaopiekował, jak to miał w zwyczaju, kiedy przychodzili nowi lekarze, a potem szybko go zostawił samemu sobie. Uznał go za świetnego lekarza i chciał, żeby Jacek przejął po nim oddział. Tę naszą internę. No i tak się stało.

Zrobiło się chłodno, choć słońce jeszcze świeciło. Klara przyniosła z pokoju dwa zielone pledy i nowy dzbanek z herbatą.

– Bogusiu, te maliny od ciebie są boskie. Kiedy ty masz czas na robienie soczków?

Bogusia roześmiała się swoim ładnym, delikatnym śmiechem.

– Nie mam czasu. To sąsiadka robiła, ze swoich malin. Poznam cię z nią. Ona zawsze robi strasznie dużo przetworów i potem sprzedaje, jak kto chce kupić. À propos, ty masz już jakieś konkretne plany?

– Jeszcze się zastanawiam. Ty wiesz, że mój własny ojciec namawiał mnie, żebym tu została jakiś czas? Mój francuski ojciec... On uważa, że powinnam spróbować. Bo skoro już mam ten dom... To znaczy nieformalnie, ale formalnie też go zaraz będę miała. I tak chciałam tu zostać z ojcem, znaczy z Jerzym, aż do końca. Jacek dawał mu jakieś pół roku. Ja byłam przygotowana na te kilka miesięcy tutaj, w Polsce. Ojciec zdecydował inaczej, odszedł sam. I teraz nie wiem, sprzedawać dom od razu, czy trochę pomieszkać?

– Pomieszkać – odrzekła stanowczo Bogusia. – Wicek ma rację. Zawsze warto czegoś nowego spróbować. Przezimuj, a potem zadecydujesz.

– Ja bym się chyba trochę bała zimy w górach.

– Przestań! Zimy na środku Atlantyku się nie boisz? Ja sobie wyguglałam tę twoją wyspę, nawet z waszą restauracją, wiesz, że jest zaznaczona? Mówiłaś, że mieszkacie nad nią. No to moim zdaniem te fale biją ci prosto w okno!

– Czasami tak jest – przyznała Klara. – Takich naprawdę wielkich sztormów się boję.

Opowiedziała Bogusi ulubioną historię babci Pierrette o groźnym sztormie, który zalał całą wyspę.

– O, do licha – mruknęła Bogusia z niejakim podziwem. – A dlaczego nie przeniesiecie się wszyscy razem na stały ląd?

– Rząd nawet nam to proponował kilka razy – westchnęła Klara. – My, mieszkańcy wyspy, nie chcemy się przenosić, bo jesteśmy dumni z naszej wyspy i naszych dziadków. Jak stoisz z historią?

– Różnie. Bo co?

– Bo może słyszałaś, że w czterdziestym roku de Gaulle ogłosił w Anglii taki apel, zawołał Francuzów, żeby u jego boku... to się tak mówi po polsku? Żeby poszli na wojnę z Niemcami. No i wtedy wszyscy mężczyźni z Île-de-Sein wsiedli na łódki i popłynęli do de Gaulle'a. Było ich stu pięćdziesięciu, a wszystkich w ogóle było sześciuset. I wtedy de Gaulle powiedział, że w takim razie chyba Île-de-Sein jest jedną czwartą Francji. Bardzo jesteśmy z tego dumni. Dziadek taty Wicka też tam był wtedy.

– To ja też byłabym dumna. Ale te sztormy…

– No właśnie, te sztormy. Bo tak w ogóle to ja bardzo kocham Bretanię.

– Wcale ci się nie dziwię. Ja sobie nie tylko twoją wyspę zobaczyłam w Internecie, ale dużo więcej. Chciałabym tam kiedyś pojechać, zobaczyć te skały i ten ocean.

– Pojechać, zobaczyć to zawsze można. Wiesz, że masz u nas dom zawsze, kiedy tylko zechcesz. Albo u naszych krewnych i przyjaciół na stałym lądzie. Ale w moim przypadku chodzi o zostanie na dłużej…

– A co to jest kilka miesięcy? Potem zdecydujesz.

Klara szczelniej owinęła się pledem.

– Mam opory – westchnęła. – Nigdy nie ruszałam się z Bretanii. Albo siedziałam na wyspie, albo w Quimper, na studiach. Jestem matematyczką, wiesz?

– To możesz dzieci wszędzie uczyć, u nas też. Zresztą na razie nie potrzebujesz pracować. Z wyliczeń twojego ojca wychodziło, że będziesz miała pieniądze.

Klara podrapała się łyżeczką w czoło.

– No nie wiem. Boję się takich zmian. Wszystko już miałam ładnie poukładane…

Bogusia pokręciła głową.

– Ładnie poukładane to mogą być kwiatki w wazonie. Nie powiesz mi, że nic w twoim życiu już się nie zmieni. Poukładałaś i następne trzydzieści lat będziesz robić to samo? Codziennie? A potem jeszcze dziesięć? Chcesz, to powiem ci, jakie ja mam plany. Tylko na razie to jest ścisła tajemnica. Ujawnię się, jak już będę wiedziała, że mi się uda.

– Nic nie powiem, słowo!

– No to słuchaj: złożyłam aplikację o pracę na statku. Jeśli wszystko pójdzie dobrze, to wiosną wypłynę na szerokie wody.

Klara zrobiła wielkie oczy.

– Na statku? Jako co?

– Jako pielęgniarka – wyjaśniła spokojnie Bogusia. – Posłuchaj, to nie jest zwykły statek. To fregata, wielki żaglowiec. Pływają na nim studenci z Akademii Morskiej. Ponad setka praktykantów. Mieliśmy kiedyś przypadkiem pacjenta z Gdyni, zakochanego w Darze po dziurki w nosie. Dosłownie o niczym innym nie chciał rozmawiać. I tak sobie wtedy pomyślałam: pracowałam kilka lat w Danii, pracowałam w Stanach, a dlaczego nie popracować na morzu? Zaczęłam się dowiadywać, no i okazało się, że normalnie pływa z nimi lekarz i pielęgniarz, a ostatnio ten pielęgniarz im się wykrusza. To znaczy jeszcze pływa, ale tylko do końca tego sezonu. Złożyłam papiery w Akademii Morskiej w Gdyni i czekam na odpowiedź. Jeszcze nie wiem, co z tego będzie, bo oni by woleli mężczyznę. Mam nadzieję, że pobiję go na kwalifikacje.

– Niesamowite!

– Dlaczego? Całe życie zasadniczo siedzę w górach, teraz warto by zobaczyć morza i oceany. Obce porty. Patrz, Klaro, u ciebie mogłoby być odwrotnie. Całe życie na oceanie, spróbuj teraz, jak smakują góry. W każdym razie zaryzykuj te kilka miesięcy. Co ci szkodzi?

– Muszę jeszcze pomyśleć. Jak się nazywa ten twój statek, mówiłaś?

– Dar Młodzieży.

Tego wieczoru Klara, zanim poszła spać, otworzyła komputer i znalazła w Internecie Bogusiny statek marzeń. Widywała już takie wspaniałe żaglowce i zawsze podziwiała ich urodę, kiedy pruły fale pod pełnymi żaglami… tak było kiedyś w Breście, gdzie odwiedziła przyjaciółkę, a właśnie trwały jakieś wielkie regaty i statki wychodziły z portu w fantastycznej paradzie. No to nie ma się co dziwić Bogusi, że ją ciągnie pod takie żagle.

A ona sama? Nawet ją ciągnęło do tych gór, ale trochę się bała zostać tu bez niezawodnego oparcia w rodzinie.

– Może byś mi w końcu udzielił jakiejś mądrej rady, Czarodziejska Istoto?

Korrigan na parapecie jak zwykle zachował dyplomatyczne milczenie i tylko światło księżyca mrugało w jego błękitnych oczkach.

∽

Hedwig Bogacka, która teraz nazywała się Jadwiga Sołtysik, zostawiła Liesel swój adres w Szczecinie. Liesel nie miała najmniejszego zamiaru z niego skorzystać. Jak wiemy, wszystko, co opowiedziała jej dawna służąca, postanowiła usunąć ze świadomości. Nawet nieźle jej to wyszło. Najmniejszy ślad myśli, że mogła być kiedyś dawno kimś innym, przywykła wyrzucać z umysłu natychmiast, jak niepotrzebne śmiecie.

W rodzinie wszystko działo się jak najlepiej, tylko dziadek zaczął trochę narzekać na serce. Został jednak oddany w opiekę najlepszych kardiologów w Bonn (babcia nie wierzyła w lekarzy z Bad Honnef) i sytuacja wróciła szybko do normy. Mały Horst rósł jak na drożdżach ku radości rodziców i dziadków, a nawet siostrzyczki Liesel, która przestała odczuwać gorycz z powodu zagarnięcia przez chłopca rodzinnych uczuć. Miała teraz dużo zajęć, wreszcie znalazła sobie sympatyczne towarzystwo, z którym wyjeżdżała na różne przyjemne wycieczki w góry Harzu albo w Alpy. Nazywali to praktycznym studiowaniem geografii.

Jednym z uczestników tych wypraw był starszy od Liesel o rok Theo Bahlow, student tego samego wydziału. Imponował kolegom, a zwłaszcza koleżankom, kondycją fizyczną i umiejętnością biegania po skałach. Dziewczęta po prostu wychodziły ze skóry, żeby mu dorównać. Wykazywały przy tym sporą naiwność, bowiem żadnemu mężczyźnie nie zależy specjalnie na tym, żeby kobieta mu dorównywała. Siłą rzeczy potomek alpejskich górali zwrócił uwagę na cichą i skromną Liesel, która w co bardziej stromych miejscach prawie przymykała oczy ze strachu, ale potem dzielnie przełamywała słabość i szła dalej wcale nie wolniej niż reszta. Wrażenie delikatności tej uroczej istoty ugruntowało się niebawem bardzo porządnie w głowie przystojnego Theo. Po trzeciej, czy może nawet już po drugiej wyprawie Liesel, sama nie wiedząc kiedy i jak, sprzątnęła tego zabójczego bruneta sprzed nosa swoim krzepkim i wysportowanym koleżankom. To ona chodziła z nim teraz na spacery po uliczkach starego Bonn, do kina, na koncerty jazzowe i potańcówki. Był świetnym tancerzem, a i ona doskonale tańczyła.

Jak widać, właściwie wszystko im się pięknie zgadzało!

Któregoś pięknego wczesnojesiennego wieczoru przechadzali się po alejkach uniwersyteckiego ogrodu botanicznego, rozmawiając o muzyce Beethovena, o której Liesel nie miała pojęcia, ale udawała, że ma, bo Theo go lubił, a poza tym uważał, że jeśli się mieszka w Bonn, to po prostu nie można nie mieć pojęcia o Beethovenie. Właśnie udało jej się zwekslować na jazz nowoorleański i już, już poczuła się na bezpiecznym gruncie, kiedy Theo całkiem niespodziewanie zadał jej pytanie:

– Ilse… – Tak ją nazywał. – Ilse, jak myślisz, czy my pasujemy do siebie? Ty i ja?

– A ty jak myślisz? – zapytała chytrze.

– No właśnie wydaje mi się, że tak – powiedział, bawiąc się jej złotym lokiem (pracowicie nakręcała włosy na papiloty, chcąc wyglądać jak hollywoodzka gwiazda). – Bo patrz: oboje lubimy te same rzeczy, to znaczy góry i muzykę, i tańce… Studiujemy to samo, mamy podobne poglądy polityczne. – Theo był zajadłym Polakożercą, co wyssał z mlekiem matki, której dwaj bracia zginęli podczas tego idiotycznego powstania w Warszawie. – A poza tym podobasz mi się. Czy ja ci się podobam? Jakoś nigdy mi nie mówiłaś…

Liesel mogła mu odpowiedzieć, że nie łaziłaby po zimnym ogrodzie i nie całowała się szaleńczo z kimś, kto by jej się nie podobał, ale nie chciało jej się mówić tego wszystkiego.

– Przecież wiesz – bąknęła i spuściła oczy.

Miała bardzo długie rzęsy.

Theo poczuł w sobie mężczyznę i obdarzył ją długim pocałunkiem. Czego by nie mówić o jego intuicji, całował cudownie. Tak, pomyślała Liesel w połowie tego pocałunku, podobasz mi się, chłopcze. Pociągasz mnie, zwłaszcza że czas najwyższy byłby stracić wreszcie cnotę...

Theo miał na myśli coś więcej niż pozbawienie jej cnoty (nie przypuszczał zresztą, że ona do tej pory jej się nie pozbyła).

– Bo widzisz – kontynuował przerwany wywód. – Ja raczej nie będę geografem. A nawet chciałem, cholera... No, trudno. Ojciec zamierza mi przekazać rodzinny interes, nic wielkiego, nieduża firma spedycyjna, ale dobrze prosperuje, no i uparł się, że dopóki pozostanę kawalerem, to nic z tego nie będzie. Jego zdaniem tylko człowiek żonaty jest człowiekiem odpowiedzialnym. Ilse, kochanie, nie chciałabyś przypadkiem zostać moją żoną?

∽

Zanim jeszcze została panią na włościach, Klara zdążyła całkiem nieźle poznać okoliczne góry. Niezawodni bracia EE dostarczyli jej mnóstwo map i przewodników, w które wgłębiała się wieczorami, od rana zaś (uczciwie mówiąc, niezbyt wczesnego) pakowała mały plecaczek, zakładała porządne buty i maszerowała szlakiem, który na mapie wpadł jej w oko. Do dalszych dojeżdżała samochodem. Plecaczek i buty kupiła w sklepie wskazanym przez Bogusię, kurtkę stosowną miała, jako że w Bretanii, podobnie jak w górach „zawsze należy być przygotowanym na zmoknienie" (Bogusia z upodobaniem cytowała to określenie z jakiegoś starego przewodnika po Tatrach). Bracia byli nieutuleni w żalu, niestety, nie mogli jej towarzyszyć – wakacje i urlopy skończyły się definitywnie. Wynagradzali to sobie w weekendy, ale Klara wolała wycieczki w dniach powszednich, bo na szlakach było wtedy mniej turystów. I tak było ich stosunkowo niewielu, lato się kończyło.

Przy wodospadzie Szklarki tłok był zawsze, niezależnie od sezonu. Wszystkie grupy miały w programie umożliwienie wycieczkowiczom zrobienia sobie fotki na tle oryginalnej w kształcie kaskady. Nie zważając na kłębiących się ludzi, Klara posiedziała tam z godzinkę, gapiąc się w wodę. Jak wiadomo, lubiła wodę. Zazwyczaj kiedy chciała w nią popatrzeć, miała do dyspozycji ocean. Tu wody było znacznie mniej, za to wykazywała szaloną aktywność. Skakała po kamieniach, pieniła się, bulgotała, mruczała, połyskiwała w blasku słońca przedzierającego się przez korony drzew, jednym słowem, robiła mnóstwo sztuk. Prawdę mówiąc, Klara była zachwycona. Nie robiła zdjęć, ponieważ uważała, że są chwile i widoki należące tylko do niej – ona je zapamięta, a inni widzieć ich nie muszą.

Siedziałaby tam może dłużej, ale jakiś młody człowiek w czerwonym polarze, ewidentnie pozujący na przewodnika albo ratownika, którym wcale nie był, zaczął ją podrywać. Było w nim coś, co się Klarze nie podobało, jakieś cwaniactwo, niemiły błysk w oku. Odpowiedziała mu coś zdawkowo i z żalem podniosła się z kamienia, na którym przysiadła.

Na parkingu nieopodal zostawiła samochód, lecz nie chciało jej się jeszcze wracać do Zachełmia. Ani w ogóle jechać. Chciało jej się połazić. Rozgrzany sierpniowym słońcem las wręcz zapraszał. Pachniał. Kusił. Na jednym z drzew Klara zobaczyła namalowane kolorowe paski turystycznego szlaku. Nie planowała pójścia tędy, ale skoro jest szlak, to nie zabłądzi. A odczepi się od cwaniaczka.

Poszła.

Las był rzeczywiście rozkoszny. Na szlaku pusto. Słońce mżyło przez liście buków, igliwie jodeł. Klara wiedziała, że to jodły, a nie na przykład świerki, bo Egon swego czasu uświadomił ją dendrologicznie.

Ils ont des chapeaux ronds,
Vive la Bretagne!
Ils ont des chapeaux ronds,
Vive les Bretons!

Klara zanuciła sobie pod nosem bretońską piosenkę. Bosko. Nikt jej nie słyszy. Może jakieś zające. Ciekawe, czy są tu zające? Albo sarny. Albo coś. Jakieś tutejsze korrigany.

Właściwie to nawet dobrze, że jest wtorek i bracia są w pracy. Klara miewała czasem takie dnie, kiedy lubiła być sama ze sobą. Ewentualnie z jakąś przyrodą. No, tutejsza przyroda to była ekstraklasa. Super. Mega. Lalala. Korrigany po prostu muszą tu być. Rzuciła plecaczek pod jakąś rozrośniętą jodłą i siadła obok.

Co ona właściwie robi? Dlaczego postanowiła tu zostać, nawet na te kilka miesięcy? Przecież będzie tęskniła za rodziną. Już tęskni. Będzie sama w dużym domu. Liza się nie liczy, bo siedzi schowana w swoim dołku, a kontaktują się tylko w sprawach zakupowych. Urządziła tam sobie małą kuchenkę w dawnej kanciapce na szczotki i praktycznie stała się niewidzialna. Nie licząc tych zakupów, oczywiście.

Bogusia wyjedzie. No, to jeszcze nie jest powiedziane. Ale pewnie tak. Ale dopiero na wiosnę. Ale...

Będą Egon z Erwinem i dzieci Bogusi, to znaczy jej córka Justyna i zięć Bernard. Podobno bardzo mili ludzie, tylko strasznie zapracowani. Oboje asystenci na uniwersytecie. To znaczy w jeleniogórskiej filii. Kinia i Minio. Haha. Liza. Jeszcze większe haha. Jacek.

Jacek gdzieś się zapodział. Pewnie po prostu pracuje. Został ordynatorem i ma mnóstwo obowiązków. Nooo, to przecież nie bez przerwy! A może źle jej się wydawało, kiedy pomyślała, że już są u progu pięknej przyjaźni? Jacek przyjaźnił się z jej ojcem, a to nie znaczy, że musi z nią też. Ostatni raz widziała go na pogrzebie. Był bardzo przygnębiony, czemu trudno się dziwić. Szkoda, że zniknął tak bez śladu.

Wstała energicznie i otrzepała się z paprochów.

Dość jałowych rozważań! Podjęła decyzję i nie będzie się teraz mazać, na litość boską!

Rozejrzała się wokoło. Las nadal był rozkoszny, prześwietlony słońcem i ciepły. Szlak prowadził teraz lekko w górę, czemu w zasadzie nie należało się dziwić, bo w górach szlaki prowadzące po prostym są rzadko spotykane. Klarę, przyzwyczajoną do bretońskich równin, wciąż bawiły podobne konstatacje. Właśnie zaczęła się zastanawiać, czy iść dalej w nieznane (mapy zostały w samochodzie, bo zamierzała tylko zobaczyć wodospad Szklarki i jechać dalej, do kolejnego, czyli wodospadu Kamieńczyka), kiedy las się skończył. Klara znalazła się na polanie, dość obszernej, zalanej słońcem. Ujrzała na niej kilka zabudowań dość nonszalancko rozrzuconych. W każdym razie nie wypatrzyła tu żadnego porządku. Na dziedzińcu były jakieś ławki, co chyba oznaczało miejsce turystyczne. Po lewej stronie, pod rozłożystym drzewem (Klara nie była pewna, co to jest) stało coś, co wyglądało na drewniane dyby... nie, to bez sensu... a jednak dyby! Szutrowa ścieżka wiodła w głąb zabudowań. Masywne kamienne ściany zrobiły na Klarze wrażenie. Ciekawe, co to za obiekt. Żywej duszy w każdym razie nie ma...

Dziewczyna zeszła tą ścieżką kilka kroków, wciąż znajdując się w obrębie zabudowań. Kolejne budowle miały szklane ściany, a za nimi – Klara aż westchnęła z zachwytu – za nimi znajdowały się dziesiątki i setki brył rozmaitych minerałów i półszlachetnych kamieni. Z racji swojego jubilerskiego zawodu czy też hobby znała się na nich całkiem nieźle. Poczuła się teraz, jakby spotkała starych znajomych. Wielkie druzy ametystowe, szczotki kwarcowe, kryształy siarki, kolorowe agaty, krzemienie, jaspisy, malachity, karneole, opale, chalcedony, Bóg wie, co jeszcze! Miała wrażenie, że za szklanymi drzwiami znajduje się jakiś sklep, ale na drzwiach wisiała kłódka. Poszła więc dalej wśród ogromnych gablot wypełnionych skarbami i znalazła kolejne drzwi. Te nie były zamknięte i Klara znalazła się w ciemnawym pomieszczeniu. Stół zawalały również kartony z kamieniami. Na ścianie wisiały dziwne czerwone stroje podobne do habitów z kapturami. W kącie stał wielki bęben i kilka mniejszych.

Teatr? Siedziba sekty? Miejsce czarodziejskie?

Klara, dziewczyna z magicznej Bretanii, wolała myśleć, że to trzecie. Stała na środku pokoju i uśmiechała się. Taka atmosfera odpowiadała jej, jak najbardziej!

Teraz powinien pojawić się Wielki Mistrz (na razie nie wiadomo czego, ale Mistrz na pewno).

– Kogo tam diabli przynieśli?

W otworze w ścianie przegradzającej pomieszczenie, który wyglądał jak okienko recepcyjne w hotelu, pojawiła się górna część barczystej sylwetki brodatego mężczyzny w skórzanej kamizeli i takimż kapeluszu. Klara zorientowała się, że Wielki Mistrz porusza się na wózku.

Mag w stetsonie powtórzył tubalnym głosem zapytanie i w tej samej chwili zauważył gościa.

– A ty, dziecko, skąd jesteś? Konkurencja cię nasłała? Gadaj zaraz!

– Dzień dobry – powiedziała grzecznie, nieco rozśmieszona oryginalnym przyjęciem. – Absolutnie żadna konkurencja. Przyszłam do pana zupełnie przypadkowo. Szlak mnie przyprowadził.

– Wszyscy tak mówią! – Mistrz uderzył pięścią w blat. – A potem, jak postoją w dybach, to już mówią coś innego. Skąd jesteś, dziewczyno? Mów prawdę.

– Z Île-de-Sein – zachichotała.

Groźny gospodarz tego całego kamieniska wprawiał ją w dobry humor.

– To gdzieś we Francji, sądząc z twojego akcentu? – Głos mu złagodniał, ale tylko trochę.

– W Bretanii, Mistrzu. – Nie wytrzymała i nazwała go tak, a on się zdziwił.

– A ty skąd wiesz, że jestem Mistrzem?

– Bo pan wygląda – roześmiała się. – A Bretania jest czarodziejską krainą, my tam rozpoznajemy bratnie dusze. U was się mówi „bratnie dusze", prawda? Dobrze zapamiętałam?

– Doskonale. Rozgość się i opowiadaj.

– Ale co mam opowiadać?

– O swojej Bretanii. Nie byłem tam.

– Ale wie pan, gdzie Bretania leży?

– Wiem. Na końcu świata. Finistère.

– No właśnie. Ja mieszkam na samym końcu tego końca. Już nie na stałym lądzie, tylko na takiej malutkiej wysepce...

Opowiedziała pokrótce o Île-de-Sein, o swojej pięknej, czarodziejskiej francuskiej ojczyźnie. Mistrz słuchał uważnie.

– To ty, dziecko, rzeczywiście, jesteś dla nas jak siostra. Słyszałaś o Walończykach?

– Walończycy? Ach, *Wallons*! Tak, słyszałam. A co?

– A wiesz, że ta ziemia zawiera skarby niezmierzone?

– Trochę wiem, przyjaciele mi opowiadali. To te minerały w gablotach są tutejsze?

– Częściowo, tylko częściowo. W każdym razie pierwsi, w dawnych wiekach, poszukiwali ich u nas Walończycy. Albo Walonowie, różnie się mówi. Przybywali tu, zamieszkiwali, szukali skarbów. I znajdowali. My tutaj założyliśmy bractwo walońskie i uczymy ludzi, wtajemniczamy...

– I zakuwacie w dyby? – roześmiała się.

– Czasem trzeba, żeby nabrali pokory.

– A gdzie ci ludzie?

– O, my jesteśmy nowoczesnym bractwem, do nas trzeba się umawiać telefonicznie. Dzisiaj jest dzień bez turystów, chwalić Boga. Czasem trzeba odpocząć. Na dziś jakoś nikt się nie zamówił. A ty, dziecko, napijesz się piwa?

No, żeby Mistrz waloński zapraszał na piwo! Ale właściwie – czemu nie?

Mistrz wyciągnął z jakiegoś zakamarka dwa chłodne, choć niekoniecznie walońskie żywce. Stuknęli się butelkami i pociągnęli po łyczku.

– Turystycznie przyjechałaś, dziecko?... Jak ci na imię?

– Klara. Claire.

– Jasna. Pięknie. No więc, turystykę uprawiasz?

– I tak, i nie. Umarł mój ojciec i zostawił mi w spadku dom w Zachełmiu. Na razie załatwiam wszystko w urzędach, a tak naprawdę czekam na terminy i zwiedzam okolice. Jeszcze nie wiem, czy tu zostanę. Panie Mistrzu, czy u was można kupić kamienie?

– Oczywiście. Podobają ci się?

– Nawet się na nich trochę znam. Bo ja, proszę Mistrza, robię biżuterię. Artystyczną. Widziałam tu taki piękny *quartz fumé*, nie wiem, jak to po polsku... Zadymiony kwarc? I inne też...

– Kwarc dymny. Lubisz kwarc dymny? Kobiety wolą bardziej kolorowe kamienie.

– Kocham kwarc dymny. Inne też.

– Ten wisiorek sama robiłaś?

Tym razem Klara nie miała na szyi korrigana panów Pourbaix, tylko własnego pomysłu ażurowy medalion symbolizujący morskie fale, z okruchem lśniącego labradorytu.

– Tak. Nazywa się *Ocean Dream*. Podoba się panu?

– Bardzo ładny.

– To ja go panu dam. – Klarze czasem zdarzały się takie spontaniczne gesty. – Niech zostanie u pana jako pamiątka. Chyba mamy wiele wspólnego.

Zdjęła medalion i podała go przez ladę Mistrzowi. Wziął i przyjrzał mu się dokładnie. Pokiwał głową.

– Naprawdę piękny. Znaczy, masz talent, dziewczyno. No to w ramach przyjaźni walońsko-bretońskiej też dostaniesz ode mnie prezent.

Wyjechał swoim wózkiem zza ścianki, przecisnął się z niejakim trudem przez drzwi i podjechał do jednej z gablot. Otworzył ją i wyjął wspaniały kryształ dymnego kwarcu, trafiając bezbłędnie w ten, który zachwycił Klarę.

– Ten miał być?

– Skąd pan wiedział?

– My, mistrzowie walońscy, dużo wiemy. Mnie też się najbardziej podobał. Jest tutejszy, ze Strzegomia. Patrz, jak ładnie wybarwiony.

Będę szczęśliwy, jeśli go zachowasz. Mówiłaś, zdaje się, że zamierzasz tu zostać, u nas, w Karkonoszach?

– Mówiłam, że jeszcze się nie zdecydowałam.

– Nie zastanawiaj się. Ta kraina woła cię do siebie. Nie słyszysz? To się wsłuchaj. Wyjdź na powietrze, spytaj gór. One ci powiedzą. Ja teraz będę musiał zniknąć, źle się czuję. Jak widzisz, nie jestem w pełni formy. A ty przychodź do nas, zrobimy z ciebie wiedźmę walońską.

– Ja już jestem wiedźmą, bretońską – zaśmiała się. – Życzę zdrowia. I dziękuję za wszystko: piwo, kryształ i dobre rady.

– Wszystkiego najlepszego – odpowiedział i zniknął razem ze swoim wózkiem.

Klara została sama, z bryłką dymnego kwarcu w dłoni. Przyjrzała mu się dokładnie. Trzy duże, niezbyt ciemne, szarobrązowe, sześcioboczne kryształy odłamane z większego kawałka kwarcowej szczotki. Podniosła kamień do słońca. Wewnątrz kryształów pojawiły się błyski kolorowego światła. Jak to się nazywa? Opalescencja, iryzacja? Jakoś tak. Tęcza wewnątrz minerału.

Włożyła kwarc do plecaczka, pooglądała jeszcze jakiś czas kamienie w gablotach i wróciła na szlak, który ją tu przywiódł. Nie ma co kombinować, najprościej będzie zejść nim na ten parking blisko wodospadu.

∽

Termin ślubu Liesel i Theo wyznaczono na kilka tygodni po zakończeniu studiów przez oboje. Wypadało złożyć familijne wizyty – obie rodziny były całkiem zadowolone z wyboru dokonanego przez swoje latorośle. Theo zrobił doskonałe wrażenie zarówno na mamie, jak i na dziadkach Liesel. Podobnie ona – spodobała się państwu Bahlow zarówno z urody jak i ze spokojnego, kulturalnego sposobu bycia.

Po ślubie państwo młodzi mieli zamieszkać w obszernej willi rodziców Theo – było w niej miejsca jeszcze na dwie co najmniej rodziny, i to rozwojowe. Liesel zastanawiała się, jak im się ułoży z teściami, ale w sumie miała nadzieję, że wszystko będzie dobrze. Pani Julia Bahlow była eteryczną brunetką skoncentrowaną na sobie i swojej kolekcji płyt z muzyką klasyczną. Pan Ernest Bahlow, wiecznie zajęty biznesmen, po ślubie dzieci zamierzał oddać wychuchaną firmę spedycyjną synowi, a potem zabrać ukochaną żoneczkę w bardzo długą podróż po Europie, żeby sobie słonko posłuchało na żywo tych wszystkich orkiestr i solistów, którymi tak się zachwyca. Oczywiście, nie natychmiast po ślubie – trzeba było najpierw syna porządnie wprowadzić w sprawy firmy, nauczyć tego i owego – gdyby młody osioł nie uparł się studiować geografii, tylko poszedł na ekonomię, nie byłoby teraz problemu. Ale i tak nie powinno go być, będzie miał zastępcę z głową. A zdolny jest, to się szybko wciągnie.

Mama chciała, żeby Liesel poszła do ołtarza w jej niebieskiej sukni, która wciąż była piękna, a zawsze co nieco by się zaoszczędziło... ale babcia Greta obruszyła się na taką propozycję. Dziecko ma mieć własną suknię, i to białą! Owszem, może być skromna, nawet lepiej, żeby była, ale musi być nowa. Dziadek, śmiejąc się dobrotliwie, zobowiązał się sfinansować cały strój ślubny – z welonem i bukietem włącznie.

Do mnóstwa obowiązków związanych z ostatnimi zajęciami na studiach Liesel doszło więc jeszcze zbieranie wyprawy ślubnej. To akurat nie było nieprzyjemne. Suknia szyła się cudowna, długa, prosta, bez żadnych głupich falbanek czy jedwabnych róż na biuście. Jedyną ozdobą miały być brukselskie koronki przy dekolcie. Dziadek, ten najlepszy z dziadków, obiecał wnuczce welon z takich samych koronek, strasznie drogi. Liesel miała trochę wyrzutów sumienia, ale pocieszała się, że będzie to krótki welon... za taki do ziemi dziadek zapłaciłby majątek.

Wyszła właśnie z budynku uniwersytetu po jednym z ostatnich seminariów. Była umówiona do krawcowej na przymiarkę. Ostatnio suknia odrobinę cisnęła ją w gorsie, wymagała więc poprawki.

W pierwszej chwili po wyjściu z budynku Liesel prawie przestała widzieć. Kiedy jej oczy przywykły do słonecznego światła, zobaczyła osobę, która wydała jej się znana.

– Dzień dobry – powiedziała osoba po niemiecku, ale z nieprawidłowym akcentem. – Jestem Marta Perkowska. Poznałyśmy się w zeszłym roku. Mam dla pani wiadomości.

Liesel odskoczyła gwałtownie. To była ta dziennikarka, która przyjechała tu z Hedwig.

– Nie chcę żadnych wiadomości – warknęła. – Proszę odejść.

Sama jednak nie ruszyła się z miejsca. Marta Perkowska chwyciła ją za rękę.

– Liesel, nie interesuje cię, kim jesteś? Co się dzieje z twoimi rodzicami? – Przeszła na polski. – Pamiętasz Grodziec? Górę Dorotkę? Pamiętasz tacimka? Tacimek. Ta-ci-mek…

Liesel zrobiło się słabo. Dziennikarka pociągnęła ją na stojącą w pobliżu ławkę.

– Zrozumiałaś wszystko, co mówię, prawda?

Liesel kiwnęła głową.

– Tak. Ale proszę, mówmy po niemiecku. Ja już nie umiem mówić po polsku.

Marta przeszła z powrotem na niemiecki.

– Dobrze. No więc słuchaj. W zeszłym roku pisałam reportaż o obozie w Ravensbrück, a teraz piszę o organizacji Lebensborn. Słyszałaś kiedy tę nazwę?

Liesel pokręciła głową.

– To była organizacja, która miała za zadanie poprawić jakość rasy niemieckiej. Wiesz, że Niemcy mieli obsesję na punkcie czystości rasowej… Nieważne. W każdym razie w Lebensbornie młode, czyste rasowo kobiety były zapładniane przez niemieckich oficerów…

– Co ty za bzdury opowiadasz?

– Słuchaj dalej. To była jedna metoda. Druga metoda była okrutniejsza. W okupowanej Polsce zabierano rodzicom dzieci, które miały tak jak ty jasne włosy i niebieskie oczy. I były całkiem zdrowe.

Liesel spróbowała wstać.

– Nigdy w to nie uwierzę.

– Nie uciekaj, proszę. Mieszkałaś w Grodźcu. Nazywałaś się Elżunia Szumacher. Miałaś mamę, tatę i dwie pary dziadków...

Liesel siedziała jak skamieniała. Ta koszmarna żurnalistka opowiadała jej jakieś niebywałe rzeczy... a jednak ona coś z tego rzeczywiście pamiętała. Tata. Nie, nie tata, tacimek. Rzeczywiście, kiedyś, może w przeszłym życiu, mówiła tak do ojca. Ale tym ojcem nie był SS-Sturmbannführer Otto Widmann, a mama nie miała na imię Herta...

– Twoja mama miała na imię Anna. Ma nadal zresztą. Ojciec nazywał się Anzelm Szumacher. Niestety, nie żyje. Zginął w Auschwitz.

Marta opowiadała dalej, opowiadała o szczegółach z dzieciństwa Liesel, kiedy rzeczywiście wołano na nią „Elżunia", kiedy mama biegała na górę Dorotkę do kościoła, żeby się pomodlić o pomyślność rodziny...

– Skąd ty to wszystko wiesz? Zmyślasz.

– Nie zmyślam. Twoja mama zaraz po wojnie chciała cię znaleźć przez Czerwony Krzyż, ale jej się nie udało. Ja też się skontaktowałam z Czerwonym Krzyżem i tam się dowiedziałam, kto szukał Elżuni Szumacherówny. Byłam u twojej mamy. Rozmawiałam z nią. Mam dla ciebie jej adres. Boże, dziewczyno, czy ty nie rozumiesz, co ja do ciebie mówię?

– Rozumiem, ale ci nie wierzę. Jestem Niemką, od urodzenia...

– Nie wierzysz w to, co mówisz. Słuchaj, opowiesz mi o swoim obecnym życiu?

– Wynoś się.

Dziennikarka spojrzała na nią uważnie i chyba zrozumiała, że z Liesel więcej pożytku dla swojego reportażu mieć nie będzie. Wyjęła z torebki egzemplarz gazety i kartkę z notesu.

– Weź to. Tu jest mój reportaż o Ravensbrück. Może jakoś uda ci się go przeczytać. A tu adres twojej rodziny. Twoja mama nie mieszka już tam, gdzie przed wojną. Mieszkają z twoimi dziadkami na Boleradzu. Zapamiętaj: Boleradz dwadzieścia siedem.

Wrzuciła gazetę i kartkę do koszyka Liesel.

– Trzymaj się – powiedziała po polsku. – Boleradz dwadzieścia siedem.

Liesel nie odpowiedziała. Siedziała na ławce, wpatrzona w donicę z pelargoniami. W jej głowie wirowała piosenka:

Na Boleradzu, na przykopie
niedotykane ziele,
na Boleradzu ładni chłopcy,
ale ich niewiele…

∽

Kawałek dymnego kwarcu znalazł miejsce na tym samym parapecie, na którym zamieszkał wcześniej korrigan.

Klara obeszła już wszystkie ważniejsze szlaki karkonoskie, dwa razy była na Śnieżce, schodziła Łomniczką i Sowią Doliną, obejrzała Śnieżne Kotły od góry i od dołu, odwiedziła Słonecznik i Pielgrzymy, Wielki i Mały Staw, piła herbatę i jadła jakieś kasze i pierogi w Domu Śląskim, Strzesze Akademickiej, Samotni i schronisku na Szrenicy, widziała źródła Łaby i mokradła na wysokości tysiąca trzystu metrów, spędziła pół dnia, opalając się na Bażynowych Skałach, i drugie pół, zbierając grzyby na stokach Rudzianek.

Nadal nie wiedziała, czy chce tu pomieszkać dłużej, czy woli wracać do Bretanii. Góry, wbrew zdaniu walońskiego Mistrza, jakoś nie chciały pomóc jej w podjęciu decyzji. To znaczy ona ją już podjęła, tę decyzję, ale jakby co, to przecież każdą decyzję można cofnąć, zmienić… Oczywiście, Egon i Erwin namawiali ją usilnie, aby została, ale ona wciąż zastanawiała się, jak będzie żyć bez rodziny i bez oceanu.

Bo jeśli chodzi o byłego gruchanta, to kiedy ochłonęła, zdziwiła się niepomiernie, ponieważ ostatecznie wyszło na to, iż porzucenie jej przez narzeczonego przyniosło jej coś w rodzaju ulgi. Ten poczciwy gamoń Hervé nudził ją właściwie już od czasów studenckich, ale jakoś tak się wtedy w Quimper poukładało, no i zostało. Owszem, snuła plany, chciała się wbijać w strój bretoński (bez sensu, przecież okazało się, że nie ma w żyłach ani kropli krwi bretońskiej!), układała życie sobie i jemu. *Bon Dieu*! I omal nie wylądowała na całe życie przy facecie tak przewidywalnym jak tabliczka mnożenia! Musiałaby codziennie słuchać, jak on siorbie kawę!

Wędrówki po górach przynosiły jej mnóstwo radości i poczucia swobody. Zaczęła mieć wrażenie, że na wyspie żyła jak w więzieniu, zamknięta w murach falochronów. Mogła, rzecz jasna, popłynąć na stały ląd i objeżdżać do woli całą Bretanię, co zresztą robiła dość często. Ale kiedy ocean się wściekał, to jej od siebie nie puszczał. I już.

– Góry też potrafią nie puścić – zauważył Egon, przyrodnik i tubylec. – Czasem tak zawali śniegiem, że kilka dni trzeba czekać na pług. Umiesz jeździć na nartach, Klaro?

– Nie umiem. A muszę?

– Tutaj warto – powiedział Erwin i uśmiechnął się szeroko. – Nauczymy cię, nie martw się.

Siedzieli na tarasie, popijali piwo i gapili się na Śnieżkę. Ściślej mówiąc, piwo popijała tylko gospodyni, choć to bracia je przywieźli. Oni jednak mieli niebawem wracać do swoich domów samochodami. Dziś przyjechali oddzielnie i okazało się, że Erwin dysponuje jeszcze bardziej rozklekotaną terenówką niż jego brat.

– Ale ja nie mam nart.

– Nie szkodzi. Załatwimy ci. – Erwin ignorował mnożenie przez nią sztucznych trudności. – Obaj jesteśmy świetnymi instruktorami.

– Ja jestem lepszy – rzekł skromnie Egon. – Czy ja dobrze myślę, że w twojej krainie w ogóle śnieg nie pada?

– Czasem pada, ale bardzo rzadko. My tam mamy Golfstrom, on nam grzeje klimat. Palmy u nas rosną. Gdzieniegdzie.

– Chyba będziesz miała gości. – Erwin wskazał dwie małe figurki nadchodzące od strony drogi do wsi. – Gdzie one łaziły?

– Coś ci niosą. Ani chybi jakieś dary.

Kinia i Minio zbliżali się coraz bardziej i po chwili można już było rozpoznać, że to, co niosą, to spory kosz.

– Grzyby! – ucieszyła się Klara. – Tylko czy oni wiedzą, które są dobre? Egon, ty wiesz!

Parę dni wcześniej, kiedy Klara przyniosła torbę grzybów nazbieranych na Rudziankach, Egon wyrzucił połowę, przy niektórych lekko nawet blednąc. Twierdził potem, że są śmiertelnie trujące. Podgrzybki, maślaki i dwa prawdziwki pozwolił jej udusić w maśle na kolację. Wystraszył ją jednak do tego stopnia, że nie chciała nawet dotykać ryzykownych grzybków. Kolację zrobił Erwin i zjedli ją we trójkę.

Kosz Kini i Minia był przykryty ścierką i nie było widać, co jest w środku. Dzieci wtaszczyły go po schodach na taras, postawiły, przywitały się grzecznie i wlepiły wielkie oczy w Klarę. Jak zwykle nie dało się ich odróżnić; oboje mieli na sobie niemożliwie brudne dżinsy (rano były jasnoniebieskie) i niegdyś białe T-shirty.

O dziwo, dzieci nie mówiły wierszem. Mało tego, przywitawszy się, zamilkły, jakby nie mogły słowa z siebie wydusić. Widać po nich było, że targają nimi jakieś straszliwe emocje.

– Co się stało? – spytała Klara. – Czemu nic nie mówicie?

Kinia i Minio spojrzeli po sobie.

– KLARO – powiedziało jedno z nich wielkimi literami. I znowu zamilkło.

– No, musisz – wyszeptało drugie i też się zamknęło.

– Co muszę? – drążyła Klara.

Nastąpiły dwa dramatyczne i synchroniczne stęknięcia.

– No, co muszę? – Klara wykazywała nadludzką cierpliwość.

– Uratować mu życie – wychrypiało niemal niesłyszalnie pierwsze.

– Bo nasz tata ma alergię – jęknęło drugie.

– Mam uratować waszego tatę?

– Nie!

– A kogo? Które z was jest które, tak nawiasem?

– Kinia – przedstawiło się szeptem pierwsze.

– Minio – dodało drugie, już właściwie niepotrzebnie.

– No więc kogo mam ratować? To pilne?

– Jego – wyszemrała Kinia.

Minio ściągnął ścierkę z kosza.

W koszu spał pies. Ściślej – szczeniak. Zwinięty w precelek, wielokolorowy, zapewne wielorasowy, po prostu klasyczny wiejski sierściuch.

– O, pies! – Klara dokonała odkrycia Ameryki. – On jest chory? Umiera? To trzeba z nim do weterynarza… Ja zawiozę, oczywiście…

– Czekaj, Klaro – wtrącił Erwin. –To chyba jest prostsze. Jakaś suka się oszczeniła i właściciel pozbywa się szczeniaków. Tak, dzieciaki?

Dwa energiczne kiwnięcia głową.

– To Norka starego Wardęgi. – Minio siąpnął spektakularnie nosem. – Miała tylko trzy szczeniaki. Dwa już wzięli. A tego Wardęga chciał zabić. Powiedzieliśmy, że mamy dla niego dom.

– I zabraliśmy. Ale nasz tata ma alergię, dlatego my nie możemy mieć psa. Na kota nie ma, a na psa ma. Klaro, poczwa… Klaro, weź go. Ktoś go musi wziąć.

– Ale dlaczego ja?

– Bo tu wszyscy już mają – wyjaśnił niecierpliwie Minio. – Klara, on już jest trochę odchowany, bo ktoś miał go od Wardęgi wziąć, ale nie wziął. On ma trzy miesiące. Klaro, weź go…

– Bo stary Wardęga naprawdę go zabije!

Klara była w lekkim popłochu. Co ona zrobi z psem?!

Pies tymczasem uznał, że pora wstawać. Otworzył oczka, ale nie były one jeszcze specjalnie przytomne. Usiadł w koszu i ziewnął strasznie, odsłaniając ząbki jak szpileczki i wydając jakiś dziwny, rozpaczliwy dźwięk. Ostrożnie wyszedł z kosza, tylko raz się przy tym potykając o własną łapę.

– Fajny jest, nie? – Kinia agitowała, jak mogła, ale dorośli milczeli.

Szczeniak otrząsnął się, stając dla większej pewności na rozkraczonych łapach, i podjął decyzję. Pomaszerował prosto do Klary, zwalił jej się na stopy i znowu przysnął.

– O kurczę – mruknął Erwin. – Mądry psiak. Wybrał ciebie.

– Ale co ja tu zrobię z psem?!

– Będziesz go kochać – poinformował ją Egon. – Patrz, fajny jest. Szkoda by go było na zabicie.

– Myślicie, że ten Wardęga naprawdę?...

Egon kiwnął głową.

– Myślę, że naprawdę. Ja go znam. To taki wściekły dziadek, mieszka tam, pod tamtą górą. – Wskazał dłonią kierunek. – Dzieciaki, wy tego psa od samego Wardęgi niesiecie?

– No.

– Kawałek drogi w sumie. Ej, ty, mały, nie śpij tak. Nie wypada...

Egon pochylił się do stóp Klary (zrobił to z przyjemnością) i potarmosił małego za kosmaty kark. Szczeniak wstał, zrobił kilka chwiejnych kroków donikąd, rozejrzał się i podreptał z powrotem do Klary. Wspiął się na tylne łapki, przednie oparł jej na kolanach i zajrzał jej głęboko w oczy.

No i tym ją załatwił na amen.

Nie wytrzymała, wzięła go na ręce i natychmiast została solidnie wycałowana po wszystkim, do czego tylko psiak dosięgnął. Wzdychał przy tym i popiskiwał.

– Ty rozumiesz, co on mówi? – Erwin śmiał się do rozpuku. – On mówi: jak to dobrze, że jesteś, kochana mamusiu...

– Przestań, co ty wygadujesz! Jaka mamusiu?

– On jest mały, zabrali go od mamy, to sobie znalazł mamusię zastępczą. Klara, no i co? Mogłabyś go nie wziąć?

Malec wtulił pyszczek w szyję swojej nowej mamusi i posapywał z zadowoleniem.

– Ależ przylepa. To suczka? – Egon usiłował zajrzeć psu pod ogon, ale nie miał szans. Pies znieruchomiał, przyklejony do Klary.

– Wardęga mówił, że pies – pospieszył z informacją Minio. – Imienia jeszcze nie ma.

– Monty Python – powiedział stanowczo Erwin. – Ten pies to całe Ministerstwo Głupich Kroków. Klara, weź go. Jakbyś zmieniła zdanie i wyjechała, znajdziemy mu jakiś dom.

Klara postawiła psie wcielenie Monty Pythona na ziemi, a on pocwałował za jakimś zapóźnionym motylkiem. Co jakiś czas wykonywał skoki na wszystkich czterech łapach naraz albo przysiadał na ogonku i szukał zagubionego motyla. Dostrzegał go i pędził dalej. Przewrócił się o jakiś patyk, upolował ten patyk i rozprawił się z nim bezpardonowo. Ostatecznie wrócił na świeżo ulubione stopy i tam postanowił troszkę odpocząć.

– Pani Klaro, proszę wziąć tego pieska. Ja pani pomogę się nim zająć. Jak pani będzie wychodzić albo wyjeżdżać bez niego, to ja zawsze się nim zaopiekuję.

Liza Kózka stała obok tarasu i przyglądała się popisom małego.

– Myśli pani?

Liza Kózka jak nie musiała, to nie mówiła, teraz więc ograniczyła się do skinienia głową. Za to z przekonaniem.

❧

Na Boleradzu, na przykopie
niedotykane ziele,
na Boleradzu ładni chłopcy,
ale ich niewiele...

Liesel z całych sił starała się pozbyć tej pioseneczki z pamięci, ale ona już się tam rozsiadła, rozpanoszyła, dotarła do najgłębszych zakamarków świadomości i przywoływała najdawniejsze wspomnienia.

Liesel już wiedziała, że one obydwie, Hedwig i ta dziennikarka, mówiły prawdę.

Było to dla niej niesłychanie wprost upokarzające. Więc ona, Elisabeth Widmann, należy do tego podnarodu ludzi podłych, zdradliwych, złych? Polacy to bardzo źli ludzie – ileż razy słyszała to zdanie od babci, dziadka, rodziców! Polacy wywołali drugą wojnę światową, przez nich wydarzyło się tyle nieszczęść! Gazety też o tym piszą. Przez nich trzeba było zostawić dom, meble, sprzęty i uciekać z Saalbergu, przez nich umarło Drezno…

I ona ma być Polką?

Ale przecież mama i dziadkowie doskonale wiedzą, skąd ona się wzięła. Dlaczego więc nigdy nie było o tym mowy?

Jakby oblała ją fala ciepła.

Wychowali ją na porządną Niemkę. Nie chcieli, żeby wiedziała. Nie chcieli, żeby cierpiała, tak jak teraz cierpi. Przez dwie głupie polskie baby…

Musi uszanować ich decyzję. Nie ma najmniejszego sensu wyciąganie tej sprawy na rodzinne forum. Po cóż oni teraz mają cierpieć?

Karteczkę z adresem Anny Szumacher wyrzuciła do kosza na śmieci.

Gazety nie wyrzuciła, ale i nie czytała.

Bez sensu.

Na Boleradzu, na przykopie…

Na Boleradzu, pod numerem dwadzieścia siedem.

∽

– Cześć, tatku.
– Claire, kochanie moje! Długo nie dzwoniłaś!
– A, bo dojrzewałam, tato.
– Rozumiem. Dojrzałaś do pozostania?
– Na razie tylko do wiosny. Skoro już się okazało, że to mój Stary Kraj, to niech ja go trochę poznam. Tak od środka, rozumiesz.
– Rozumiem. Jak ci się mieszka?
– Rewelacyjnie. Ten dom jest cudny, tato. Słuchaj, mam psa! Uratowałam mu życie. Szczeniak, straszny głupek. Tylko jeszcze

nie wiem, czy ma się nazywać Monty czy Python. Uczę go wychodzenia na siusiu. Bardzo pojętny. Ale na razie leje w domu.

– Duży będzie? Będziesz miała obrońcę.

– Nie wiem. Egon mówi, że ma spore łapy, to może urośnie. Co u mamy?

– U mamy...

– Tato, czemu masz taki dziwny głos?

– Dziwny? Nie, nie dziwny.

– Tato, nie denerwuj mnie. Mama się załamała? Macie jakieś kłopoty? Tato, czemu się śmiejesz?

– Oj, bo ty od razu dramatyzujesz. Ja ci powiem, ale to musi zostać między nami, córeczko.

– Oj, tato! Bo zaczynam się domyślać!

– To powiedz, czego się domyślasz. Tobie będzie łatwiej.

– Mama się zmieniła? Na lepsze?

– Skąd wiesz?

– Tato, ja myślę, że dopóki żył mój ojciec, to mama nie miała spokoju... rozumiesz...

– Jeśli chcesz powiedzieć, że ona go wciąż kochała, to masz rację. I to jej przeszkadzało kochać mnie.

– Nie gadaj, tatku! Zaczęło się wam układać?

– Tak jakby.

– Ale sama do ciebie przyszła? Nie uwierzę. Miałeś w tym swój udział!

– Miałem, miałem. Zaproponowałem rozejm i... tego... nowe życie.

– Tatku, uwielbiam cię! Zawsze wiedziałam, że jesteś najmądrzejszy na świecie! Koncyliacyjny tatunio! Zawsze umiałeś likwidować napięcia!

– No, tym razem zajęło mi to sporo czasu...

– Oj, nie gadaj. Ale słuchaj, to nawet lepiej, że ja tu jestem. Macie prawie cały dom dla siebie na ten nowy miodowy miesiąc! Może jeszcze babcię wyślijcie do Audierne...

– Wykluczone. Ktoś musi obiady gotować.

– Boże, co za cynizm! Tato, mam prośbę. Mógłbyś pchnąć na jakieś cargo moją pracownię?

– Druty czy jubilernię?

– Wszystko. Wiesz, że ja robię na zmianę, raz to, raz to.

– Dobrze, kochanie. Pchnę cargo. A teraz, nie bacząc na koszty, opowiadaj mi, gdzie już byłaś i co widziałaś.

∾

Wśród wielu pięknych prezentów ślubnych, jakie młodzi państwo Bahlow dostali od rodzin i przyjaciół, było coś, co Liesel ucieszyło szczególnie. Nie przyznała się do tej radości, żeby Theo się z niej nie śmiał. Była to lalka, podarek od pani Julii Bahlow, teraz już teściowej. Spora kanapowa lalka o złotych lokach i niebieskich oczach, ubrana w zielone aksamity.

– Nie masz pojęcia, jak się cieszę, że tu jesteś – powiedziała do niej panna młoda, sadowiąc ją na stercie webowej pościeli (prezent od babci Friedy ze strony Theo). – Właśnie cię potrzebowałam. Będziesz miała na imię Ilse. Ja też jestem Ilse. Mój mąż tak do mnie mówi. Za parę dni poznasz Elżunię, Lieschen, Liesel, Gretel i Hansa. Na razie wszyscy są jeszcze spakowani. Właściwie powinnam postarać się o męża dla ciebie. Zobaczymy, co się da zrobić. Chociaż z drugiej strony, po co ci mąż, moja droga? Chyba tylko po to, żeby jakoś się usamodzielnić. Jeśli komuś na tym zależy, bo mnie chyba nie zależało aż tak. No ale ja już miałam taką sytuację, że chyba lepiej było się zdecydować. A teraz trochę mi tęskno za dziadkami. Mama już dawno myśli tylko o małym Horście. Theo mówi, że mnie kocha, ale nie wiem, jak to jest, bo zawsze się przy tym śmieje. A te wszystkie sprawy łóżkowe są kompletnie przereklamowane. Ja w każdym razie myślałam, że będę miała z tego więcej przyjemności. Poza tym Theo okropnie chrapie i nie dość, że mnie boli, no wiesz, to jeszcze potem zasnąć spokojnie nie mogę. Uwierz mi, kochana, dobrze jest, jak jest.

Na północnych Biskajach szalał sztorm. Ogromne fale wdzierały się w ulice miasteczka na Île-de-Sein, niosąc ze sobą zerwane z cum łodzie, jakieś deski, skrzynki, mnóstwo różnych dziwnych przedmiotów. Klara znajdowała się na Bulwarze Wolnych Francuzów i usiłowała dojść do domu. Wściekle wiejący wicher zatrzymywał ją i dusił, jakaś zbłąkana skrzynka po rybach uderzyła ją prosto w twarz.

Otworzyła oczy. Na jej piersiach siedział szczeniak z oczkami pełnymi żywej radości, że oto odnalazł w falach kołdry swoją ukochaną mamusię. W pysku trzymał kapeć i pukał ją nim prosto w nos.

– Pajton, ty głupku! – jęknęła. – Złaź natychmiast!

Pajton, usłyszawszy głos mamusi, po prostu oszalał ze szczęścia. Złożył pospiesznie kapeć na jej policzku, zastanowił się przez moment, zepchnął go i oblizał tyle wystającej spod kołdry Klary, ile tylko zdołał. Potem został zrzucony na podłogę. Przysiadł na tylnych łapkach – wciąż wywijając ogonkiem – i zrobił kałużę.

– Pajton… zabiję cię!

Klara wstała z łóżka i powłócząc nogami, poszła po ścierkę. Wytarła kałużę, ziewnęła szeroko parę razy i trochę poniewczasie wypuściła psa na łąkę.

Usiadła na kamieniu zdobiącym rabatkę bylinową przed domem i ziewnęła jeszcze raz. Słońce nie było specjalnie wysoko. Trzeba by jakoś wytresować Pajtona, żeby nauczył się dłużej spać. Albo siebie, żeby krócej.

Na razie jedno i drugie wydawało się absolutnie niemożliwe do przeprowadzenia.

– Nauczyłbyś się podnosić nogę, stary – powiedziała Klara już spokojnie. – Jesteś facetem!

Szczeniak już zdążył ją rozśmieszyć, wykonując przedziwny taniec w trawie. Znalazł jakiś patyczek, przyniósł go i położył z dumą u jej stóp. Rzuciła patyczek, a on popędził po niego, przyniósł ponownie i znowu położył przed nią.

– Nie chce mi się – zawiadomiła go, ziewając. – Za wcześnie mnie wyciągnąłeś z łóżka.

Pajton nie przyjął do wiadomości odmowy. Wziął patyczek w zęby i umieścił go na jej kolanach. Udała że nie widzi. Wcisnął jej go do ręki, trącił ją mokrym nosem i szczeknął.

– No wiesz? – obruszyła się. – Nie będę twoim automatem do patyczków. Spadaj.

O dziwo, pies zrozumiał, poniechał patyczka, za to swoim zwyczajem zwalił jej się całym ciężarem na stopy. Mlasnął, pisnął i zasnął.

Ona też zasnęła, siedząc na kamieniu, oparta plecami o ścianę domu.

Obudziło ją potrząsanie za ramię. Musiała bardzo twardo spać, bo ten ktoś potrząsał i potrząsał. Pajton na zmianę skakał jak szalony, demonstrując radość i ostrzegawczo powarkiwał na przybysza.

– O, Jacek…

Oprzytomniała i otworzyła oczy. Jacek stał obok z niezadowoloną miną.

– Co ty wyprawiasz, na litość boską? Chcesz się na śmierć zaziębić?

Chciała zaprotestować, bo co to za ton, ale nagle poczuła, że cała się trzęsie.

– Wy… wypuszczałam psa…

– Jakiego psa? Tego, co tu lata? Prawda, Bogusia wspominała, że adoptowałaś szczeniaka starego Wardęgi. Pewnie uratowałaś mu życie. Chodź zaraz do domu, dziewczyno, już masz dreszcze. Czyś ty zwariowała, żeby w nocnej koszuli siedzieć o świcie na zimnym kamieniu i spać?

Wstała z niejakim trudem. Bolały ją wszystkie kości.

– A co ty tu robisz?

– Obiecałem wczoraj Bogusi, że po nią podjadę, bo nocowałem w Przesiece, u znajomych, a jej wysiadł samochód. No już chodź, szybciutko. Ja nie mam specjalnie czasu, musimy z Bogusią jechać do pracy. Do łóżka! Musisz się rozgrzać.

Protestowała dla zasady, ale Jacek zapędził ją z powrotem do łóżka, kołdrę dla pewności przyrzucił jeszcze kocem, zrobił w termosie herbatę i zmusił Klarę do zażycia dwóch aspiryn.

– Nie życzę sobie leczyć cię z zapalenia płuc. Nie znoszę słuchać, jak ludzie kaszlą. Masz leżeć i spać, dopóki nie zrobi ci się naprawdę ciepło. Co najmniej do południa. Zostawić ci jakąś kanapkę? Nie? Jakieś pierniczki w kuchni widziałem, zaraz ci przyniosę na wypadek nagłego głodu. Jak cię złapie przed południem, to masz się nimi zatkać i leżeć dalej. Gdyby po południu tak cię trzęsło jak teraz, zadzwoń do mnie koniecznie. Kundla zabieram, Liza go przytuli na okres sieroctwa.

– Liza pewnie śpi…

– Liza nie śpi nigdy. Leż i się wygrzewaj.

Spojrzała na niego niepewnie.

– Powiedziałbyś mi jakieś dobre słowo…

– Przecież mówię ci same dobre słowa – zdziwił się. – Powinienem na ciebie nawrzeszczeć. A jestem miły i spokojny.

– Wpadniesz po południu?

– Tylko jeśli będziesz się źle czuła. Przepraszam cię, mam mnóstwo roboty głupiego. Papierki, papierki. Coś koszmarnego. Muszę się z tym wreszcie uporać, bo oszaleję. Słuchaj, zadzwoń do mnie po południu, niezależnie od tego, czy się będziesz trzęsła, czy nie. Chcę mieć komunikat o twoim zdrowiu. Trzymaj się jak najcieplej. Jak się nazywa ten świrek?

– Pajton…

– Monty? Chodź, Pajton, z wujkiem. Mamusia musi pospać.

Klara została sama, solidnie ogacona, napojona gorącą herbatą z malinami, zapchana aspiryną i rozgrzewająca się powoli.

Straszny zasadniczek z niego wylazł, z tego Jacka. Ale fajny on jest, ten Jacek. Opiekuńczy. Może dlatego, że lekarz. A może dlatego lekarz, że opiekuńczy. Na pewno tak, w tę stronę, nie odwrotnie. Warto by go jakoś przekonać, że powinien się nią częściej opiekować, znaczy Klarą. Wmówić mu, że ma słabe zdrowie. Albo przynajmniej zadzwonić do niego dziś po południu i nałgać, że dalej ją trzęsie... Ale on mógłby wtedy przyjechać, stwierdzić, że nieprawda, i się wściec. No, gdyby zaryzykować, to by się od razu dało przekonać, wścieknie się, czy raczej ucieszy, że ona chciała go widzieć i wzięła grzech na sumienie, to znaczy zełgała... Ech, to jest ryzyko, bo on może nie znosi łgarzy ani cwanych panienek, co zwabiają mężczyzn pod pretekstem... Jedyna nadzieja, że po południu będzie ją trzęsło nadal... może by zrzucić tę kołdrę i znowu zmarznąć... tylko szkoda, jest tak przyjemnie, ciepło...

No i niestety.

Kiedy Klara obudziła się o drugiej po południu, nic jej nie trzęsło i ogólnie była zdrowiutka jak młody rydzyk w suchym lesie.

∽

Mniej więcej po pół roku od swojego ślubu z przystojnym Theo Ilse odkryła, że w małżeństwie nie tylko sprawy łóżkowe są przereklamowane. Przereklamowane jest samo małżeństwo, które polega na tym, że mąż zostawia żonę na całe dnie i noce, bo jest strasznie zajęty wdrażaniem się w prowadzenie ojcowskiej firmy spedycyjnej. Lada chwila zresztą już nie ojcowskiej, tylko własnej. Mało zabawne jest również to, że mężowi zdarza się trzepnąć żonę co jakiś czas, niby to żartobliwie, a jednak boleśnie. Albo nią potrząsać długo i niesympatycznie, wygłaszając przy tym długie i niesympatyczne przemówienie. Albo pchnąć ją znienacka tak, żeby wpadła na jakiś mebel, a najlepiej na róg tego mebla.

Ilse miała nadzieję, że podczas kiedy mąż będzie się wdrażał, a potem rządził firmą, ona sobie spokojnie pójdzie do szkoły i będzie uczyć dzieci geografii, zgodnie ze swoim wykształceniem. Theo nie był entuzjastą tego pomysłu. Był wiernym wyznawcą ideału trzech K – *Kinder, Kirche i Küche* (dla kobiet, ma się rozumieć) – a kiedy Ilse wyraziła zdziwienie, bo przecież poznał ją na studiach, gdzie kształci się nauczycieli, parsknął jej śmiechem prosto w twarz. On, Theo Bahlow, nigdy nie dał się nabrać żadnej dziewczynie na żadne sztuczki. On, Theo Bahlow doskonale wie, po co kobiety idą na studia. Otóż one idą tam wyłącznie w celu złapania mężów. Ilse złapała, więc o co jej teraz chodzi? Ma siedzieć w domu, dbać o ten dom i czekać na dziecko. A jak dziecko się pojawi, to ma dbać o dom oraz dziecko i czekać na następne dziecko. Aha, ma jeszcze gotować, bo kiedy rodzice wyjadą, to się zwolni kucharkę, a sprzątaczce ograniczy etat do połowy. I było-by lepiej, gdyby się okazało, że umie gotować. I to wszystko nie zwalnia jej z obowiązku dbania o siebie, bo taki biznesmen jak Theo Bahlow musi mieć odpowiednio reprezentacyjną żonę. No.

Jeśli chodzi o gotowanie, to przy babci Grecie Ilse nauczyła się tej sztuki całkiem nieźle. Weszła teraz w komitywę z kucharką, żeby nauczyć się więcej. Lubiła to i uważała za swego rodzaju sztukę, więc nie sprawiało jej to kłopotu. Trochę gorzej było ze sprzątaniem, ale tu wystarczyło postraszyć lekko sprzątaczkę (Bułgarkę jakąś czy Jugosłowiankę), że jeśli będzie marudzić, to się ją zwolni całkiem, więc niech tyra jak dawniej i cieszy się, że ma chociaż te pół etatu. Do kościoła Ilse chodziła bez przykrości, choć nie była specjalnie gorliwa w wierze (Theo wcale nie był), lubiła tam bowiem siedzieć w spokoju i słuchać śpiewu bardzo dobrego chóru.

Z dzieckiem natomiast wyniknął pewien kłopot. Ilse nie zacho-dziła w ciążę. Była, owszem, u specjalisty, który upewnił ją, że wszystko z nią w porządku, i zaproponował przebadanie męża. Ilse przekazała mu tę sugestię. Wtedy to właśnie Theo Bahlow po raz pierwszy naprawdę mocno trzepnął swoją żonę. Przypusz-czenia, że którykolwiek Bahlow może być bezpłodny – to było świętokradztwo.

Ilse nie miała w charakterze buntu. Nie buntowała się więc, tylko spokojnie czekała na odmianę losu i na to, że może jednak dziecko pojawi się na świecie. A wtedy Theo stanie się milszy.

❧

– Pajton, zwariowałeś? Co cię ugryzło?

Pajton, który do tej pory drzemał słodko zwinięty na kanapie obok pani czytającej książkę, zerwał się nagle z dzikim wrzaskiem. Klara aż podskoczyła. Akurat odkrywała na własny użytek prozę Dygata, którego kilka powieści stało na półkach i była w połowie *Podróży*, kiedy szczeniakowi chyba coś się przyśniło.

Darł się nadal i drapał w drzwi. Klara z westchnieniem wstała, żeby go wypuścić.

A jednak!

Pod dom zajeżdżał masywny nissan navara o dziwnie znajomym wyglądzie. Marianne wyciągnęła swojego Ronana w podróż do Polski???

Marianne właśnie wysiadała z samochodu. Ronan z drugiej strony, a z głębi wozu tarabaniła się babcia Hania we własnej osobie!

Klara kwiknęła z radości nie gorzej niż jej własny pies i popędziła witać gości.

– Ale masz tu ładnie! – pokrzykiwała Marianne, rzucając się na siostrę. – Ale mi się tu podoba! Te góry są świetne! Super! Stęskniłam się za tobą! To cud, że trafiliśmy!

– Żaden cud – wtrąciła babcia, rzucając się na wnuczkę. – To ja! Ja wszystko pamiętałam, znaczy jak się tu jedzie! Byłam lepsza od ich GPS-a, który zgłupiał zaraz po wyjeździe z Francji! To nacjonalista!

– Kto nacjonalista?!

– Głupi GPS...

– Muszę zmienić mapy – przyznał Ronan, ściskając Klarę mniej impetycznie, ale nie mniej serdecznie. – Naprawdę, pięknie tu jest. Marianne nie dawała mi spokoju i zamiast wysyłać ci rzeczy, przywieźliśmy całe twoje gospodarstwo.

– I moje – oświadczyła niespodziewanie babcia. – Zostaję z tobą, dziecko! Chyba że mnie wyrzucisz. Ale wtedy ja cię przeklnę. Klątwa nestorki rodu, ty uważaj...

– Babciu, co ty mówisz, jestem zachwycona! Chodźcie do domu. Aha, to jest mój pies, Pajton...

– Monty? – zapytała chórem rodzina i otrzymała potwierdzenie. Wszyscy weszli do środka i znowu Marianne z Ronanem wydali trochę stosownych okrzyków zachwytu nad klimatem domostwa. Klimat był, w istocie, więc Klara nie protestowała. Fałszywa skromność to obrzydlistwo. Nawet jeśli chodzi o dom.

– Chcecie się najpierw rozlokować, czy siądziemy i napijemy się czegoś, zjemy?

– Trochę się rozlokujemy – zarządziła Marianne, która była małą pedantką. – A potem to my przygotujemy kolację. Przywieźliśmy smakołyki. Co stacja paliw, to zmienialiśmy lód w lodówce. Mamy nawet ostrygi!

– Może zaprosimy Bogusię i chłopców? – zaproponowała babcia. – Przytargaliśmy zapasy jak dla pułku wojska. Te jej dzieci już przyjechały?

– Mają być pojutrze.

– Do pojutrza ostrygi nie wytrzymają. Bogusia, Kazio, Egon, Erwin i Jacek.

– I Kinia z Miniem. Nie wiem, czy Jacek nie ma jakiegoś dyżuru w szpitalu.

– No to sprawdź. Ronan, ty się bierz za ciężkie rzeczy, a my z dziewczynkami zorganizujemy przyjęcie na tarasie! Trzeba korzystać z resztek słońca i pogody!

Tak pogoniony Ronan poszedł do auta po bagaże, a kobiety zajęły się znoszeniem i umieszczaniem w lodówce albo na półmiskach istnych gór smakołyków. Pajton robił, co mógł, żeby pomóc wszystkim naraz. To cud, że uniknął rozdeptania.

Późnym popołudniem stół na tarasie zastawiony był francuskimi smakołykami. Głównie były to ryby i owoce morza. Nie zabrakło też bretońskiego ciasta *kouign amann* i kilku wybitnie woniejących lokalnych serów. Szampan, wina i cydr dopełniały całości.

Goście zjawili się, chociaż nie w komplecie. Nie było Jacka, ale nikt poza Klarą nie odczuł jego nieobecności. Rozmawiano po polsku, francusku i angielsku, więc na tarasie zrobiła się istna wieża Babel. Bracia EE ponownie zrobili jak najlepsze wrażenie na Marianne, której podobali się już podczas swego pobytu na wyspie. Teraz wyraźnie patrzyła na nich pod kątem przydatności któregokolwiek z nich do skompletowania z Klarą. Niestety, wyglądało na to, że obaj się nadają. Klasyczne *embarras de richesse*!

– Claire... nie, Klara... już nie wiem, jak do ciebie mówić! – Siostry zostawiły na chwilę towarzystwo i udały się do kuchni po sery.

Zabezpieczyły je uprzednio porządnie, nauczone widokiem Pajtona... jakiś czas temu szczeniak, wskoczywszy po fotelu na stół, omal nie udławił się ostrygą, którą usiłował pochłonąć razem z muszlą. Sery stały wysoko, przykryte kloszem, a wszystkie krzesła i stołki były na wszelki wypadek z kuchni wyniesione.

– W Polsce jestem Klara. A ty Marianna. Albo Maryśka. Chcesz być Maryśka?

– Kto by nie chciał. Patrz, jak to dobrze, że babcia nas tresowała w tym polskim. Słuchaj, ładnie tu, postanowiliśmy z Ronanem, że przyjedziemy do Polski w podróż poślubną. Pomożesz nam wybrać trasę.

– Jasne. A kiedy się pobieracie?

– Wiosną. Nie tęsknisz do Hervé?

– Jakoś nie. Weźmiemy ten klosz na taras?

– Weźmiemy, bo inaczej ptaki z drzew pospadają. Strasznie śmierdzi ten jeden. Musi być przykryty. Ale jest boski, próbowałam. Wiesz, mnie się nawet wydaje, że to dobrze. Przepraszam cię najmocniej. Dobrze, że on cię rzucił. Jakiś taki on był... meduzowaty. Czy ja ranię twoje uczucia?

– Nie ranisz, nie. Mnie też ulżyło. Aż się sama zdziwiłam. Ale wy z Ronanem...

– My z Ronanem wprost przeciwnie niż wy. On ma duże zdolności... tego, jak to się mówi... dyplomatyczne.

– To świetnie, bo ty jesteś trochę wariatka.

– Oj tam, od razu wariatka. Ma się temperament. Ty też masz, znam cię. Który z nich dwóch?

– O co ci chodzi?

– O braciszków. Obaj na ciebie lecą.

– Teraz się mówi inaczej. Mam branie u nich. Ale nic z tego. Lubię ich i to wszystko, na co mnie stać. Chodźmy do gości.

– Już idziemy. A nie masz mi za złe, że ci babcię przywiozłam?

– Nie wygłupiaj się. Bardzo się cieszę z babci. Ona zawsze tęskniła za Starym Krajem, nie?

– Chyba tak. W drodze świergotała cały czas jak skowronek. Ach, i żałuj, że nie widziałaś mamy ostatnio. Rozkwitła jak kwiat paproci. Ojciec ją chyba podrywa czy coś.

Klara pomyślała, że chyba w tej sytuacji nikt już na nią specjalnie w tej Bretanii nie czeka, ale nie wyrwała się z tym stwierdzeniem. Sama wiedziała, że było głupie.

∾

Kolejne dni życia, które Ilse spędzała jako małżonka Theo Bahlowa, mijały beznadziejnie jednakowo. Mąż, jak wiemy, zajmował się głównie firmą, której po roku praktyki został prezesem i właścicielem (teściowie mogli wreszcie spokojnie prysnąć w wymarzoną podróż po Europie). Ilse, co też wiemy, nie pracowała, bo małżonek sobie tego nie życzył. Zajmowała się więc domem, co ją śmiertelnie nudziło. Nie miała przyjaciółek od serca ani z czasów studenckich, ani szkolnych, nie miała sąsiadek w zbliżonym wieku. Odwiedzała czasami dziadków, a czasami mamę i brata. Co jakiś czas szła z mężem na jakieś potwornie nudne przyjęcie albo urządzała potwornie nudne przyjęcie w domu. Theo życzył sobie utrzymywać przyjazne kontakty z różnymi ludźmi, na których zależało mu zawodowo. Trzeba to było znieść z godnością.

Kiedy była sama w domu, bawiła się lalkami. Stawiała je naprzeciwko siebie i w ich imieniu wygłaszała długie monologi albo komponowała dialogi. Od czasu do czasu pojawiał się w nich temat Lebensbornu i całej reszty. Niestety, lalka Elżunia, najstarsza, pamiętająca czasy piosenki o Boleradzu, góry Dorotki i tacimka, sama z siebie nie chciała nic powiedzieć. A Ilse nie pamiętała wielu rzeczy. Trochę sobie jednak przypomniała.

Na Boleradzu, na przykopie
niedotykane ziele…
Na Boleradzu ładni chłopcy,
ale ich niewiele…

Mimo wszystko… mimo wszystko… chciałaby tam kiedyś pojechać. Zobaczyć na własne oczy miasto pod górą Dorotką. Spotkać… prawdziwą matkę.

Nawet jeśli jest ona tylko jakąś głupią Polką, która pozwoliła sobie odebrać dziecko.

Boże, po co ta Hedwig przyjeżdżała do Niemiec, dlaczego musiały się spotkać, dlaczego ta Herta z Ravensbrück studiowała w Bonn?

Pojechać, zobaczyć, zapomnieć. I już do końca żyć spokojnym, niemieckim, uporządkowanym życiem!

Boleradz dwadzieścia siedem.

To, że wyrzuciła tamtą kartkę do kosza na śmieci, okazało się nie mieć najmniejszego znaczenia. Stara pioseneczka sprawiła, że adres pierwszej matki wbił jej się w pamięć i tkwił tam jak cierń. I bolał.

Ilse przyzwyczaiła się do tego bólu. Nie miała na tyle odwagi, żeby wykonać jakieś chirurgiczne cięcie.

∽

– Będzie mi cię brakowało…

– Mnie też! Ciebie. Ty mała wariatko… Dzwoń częściej! Ty się już na dobre przeniosłaś do Audierne?

– No tak, mówiłam ci. To i tak nie byłybyśmy razem, ale zawsze bliżej. Kocham cię, starsza siostro!

– Ja ciebie też, młodsza siostro. Jedźcie, macie długą drogę. Ronan, jeśli ona będzie z tobą nieszczęśliwa, będziesz mnie miał na karku!

– Czemu miałaby być ze mną nieszczęśliwa? – zdziwił się Ronan Bothorel, człowiek z natury spokojny. – Trzy lata już jest szczęśliwa, to i dalej będzie. Ja się nie zmieniam. Ty się tutaj trzymaj, Claire. Miło było cię zobaczyć.

Rodzinne uściski i serdeczne okrzyki trwały jeszcze jakiś czas, po czym Ronan siadł za kierownicą zwalistego nissana, Marianne, czyli Maryśka, siadła obok niego, Pajton dwa razy cudem uniknął nagłej śmierci pod kołami ruszającego auta – i Klara z babcią zostały same na tarasie.

Po czym babcia ni stąd, ni zowąd zaczęła płakać. Wbiła wzrok w oświetlone porannym słońcem góry i płakała rzewnie. Łzy kapały jej na bluzkę, co nad wyraz zainteresowało Pajtona, który runął na nią i zaczął jej te łzy z twarzy zlizywać. To z kolei wzbudziło w niej ataki śmiechu i tak siedziała na wiklinowym fotelu, płacząc, śmiejąc się i odpierając energiczne ataki małego szczeciniastego pyszczka.

Klarę aż zatchnęło.

– Babciu, co się stało? – spytała z niepokojem.

Babcia zrzuciła z siebie Pajtona i wytarła twarz brzegiem szlafroka.

– Paszoł, psina! Już mi dałeś buzi! Och, Klaruniu… nic się nie stało, przepraszam, jeśli cię wystraszyłam. Ale dopiero teraz poczułam naprawdę, że znowu jestem w Polsce. Ty nie masz pojęcia, jak ja strasznie tęskniłam! Tyle lat! Ale nie miałam z kim tu mieszkać. Klaro, nic nie mów, ja wiem, że być może wcale tu nie zostaniesz na zawsze. No to przynajmniej parę miesięcy sobie pomieszkam, porozmawiam z ludźmi po polsku, Boże, przecież nawet ten głupek szczeka po polsku! No chodź, piesek, chodź, dobra psinka, kochana!…

– Babciu, nie wiedzieliśmy, że było ci tak źle…

– Kochana, wcale mi nie było źle, jesteście moi najukochańsi, a Wicek to samo dobre… I Bretania piękna! Tylko na tej wyspie czułam się jak w więzieniu. Jakbyś tam wracała, to ja chyba zamieszkam u Ronanów, w Audierne, zawsze to na lądzie… Nie mówiłam wam, bo po co, nie chciałam, żebyście się martwili, ale zwłaszcza jak były sztormy, to ja umierałam ze strachu!

– Babciu, ależ ty jesteś tajemniczą osobą! Tak się kryłaś przed nami!

– Nie chciałam, żeby wam było przykro. Ale tęskniłam, no co ja ci będę teraz oczy mydlić, tęskniłam bardzo. I nie przypuszczałam, żebym kiedykolwiek mogła tu wrócić. Chociaż na trochę. A tu proszę, jestem. Cała zima przede mną. I może wiosna. A jeszcze jesieni nie ma. Jestem szczęśliwa. Idź, piesku, nie ciągnij tego paska!

∽

Ilse Bahlow lubiła góry i przez całe życie na nie patrzyła. Urodziła się pod górą Dorotką, potem mieszkała u dziadków w Saalbergu i miała tam swoje ukochane Riesengebirge (dopóki nie zabrali ich Polacy do spółki z Czechami), obok Bad Honnef ciągnęło się górskie pasmo, Siebengebirge, choć niewysokie, ale ładne. Najmilszym okresem w roku, na który zawsze czekała, były wakacje. Na przełomie czerwca i lipca wyjeżdżali z mężem w Alpy Berchtesgadeńskie. Zamieszkiwali w niewielkim, za to ekskluzywnym pensjonacie na obrzeżach Berchtesgaden, prowadzonym przez leciwe małżeństwo Fischerów, Bellę i Konrada, odwiecznych przyjaciół rodziców Theo. Państwo Fischer bardzo się ucieszyli, kiedy młodzi państwo Bahlow przyjechali do nich po raz pierwszy.

– Ach, Theo, jak to dobrze, że znowu jesteś! Pani Ilse! Ilse, jaka ty jesteś piękna, dziecko! Przepraszam, że tak do ciebie mówię, ale przecież my znamy Theo od maleństwa! Od chłopczyka! Przyjeżdżał do nas tyle lat z rodzicami! A teraz przywozi nam swoją piękną żonę! Theo, nie wiesz, jak bardzo jesteśmy szczęśliwi!

To było bardzo przyjemne, jak gdyby odwiedzało się rodzinę, a nie płatny (i to słono) pensjonat.

U Fischerów zgryźliwy zazwyczaj i niezadowolony ze wszystkiego Theo łagodniał, odprężał się i nawet zaczynał odrobinkę uwodzić żonę. Przez trzy tygodnie odpoczywali, chodzili po przepięknych górach, czasem jeździli gdzieś na tańce, grali z Fischerami w brydża i pili dobre wina, niemieckie i austriackie.

Ilse odżywała w tym okresie, piękniała i była prawie szczęśliwa. Tym razem miało być jak zwykle – no i prawie było.

Ale nie do końca.

Jakieś dziesięć dni po przyjeździe, kiedy uznali, że są już zaaklimatyzowani i wystarczająco dobrzy kondycyjnie, postanowili wybrać się na Großes Teufelshorn, którego skalisty szczyt znajdował się prawie dwa tysiące czterysta metrów powyżej poziomu morza. Mieli to w planie już od kilku lat, ale zawsze im coś przeszkadzało – a to pogoda nagle się popsuła, a to trzeba było niespodziewanie wyjeżdżać, a to Theo dostał wietrznej ospy i cały był w kropki. Tym razem wyglądało na to, że się uda. Świeciło słońce, ale nie było zbyt gorąco – w sam raz na forsowną wędrówkę. Wiadomo było, że w jeden dzień nie dadzą rady (aż tacy wyczynowcy z nich nie byli), zaplanowali więc wycieczkę na trzy dni, z dwoma noclegami w schronisku.

Wcześnie rano ubrali się więc porządnie, zapakowali swetry i kurtki nieprzemakalne do plecaków, dołożyli tam jedzenie, czekoladę i wodę do picia, wdziali mocne buty w typie wibram i wsiedli do samochodu, aby podjechać na parking w Schönau am Königssee. Zostawili auto i ruszyli naprzód. Nie spieszyli się przesadnie. Zresztą spieszyć się na drodze z takimi widokami byłoby bardzo ciężkim grzechem, co oboje zgodnie przyznali. Königssee, potem Obersee, dwa jeziora, większe i mniejsze, góry nad nimi, skały na drodze, późnowiosenne kwiaty – a może wczesnoletnie... Ilse była zachwycona i szczęśliwa. Theo, zadowolony z życia, szedł pierwszy, tupiąc wibramami i podśpiewując arię ptasznika z Tyrolu. Ponieważ kilka dni wcześniej pogoda w górach była okropna, przeważnie padało i było zimno, ludzie jeszcze chyba nie uwierzyli, że już jest ładnie i nie zaryzykowali wyjścia na szlaki. Było więc cudownie pusto. Ilse i Theo mieli góry właściwie dla siebie, z rzadka tylko trafiał się ktoś, komu zgodnie z dobrym obyczajem mówili *Guten Tag* albo *Berg heil*.

Założyli sobie, że dziś dojdą do schroniska Wasseralm położonego na rozległej polanie wśród świerkowego lasu. Niewielki drewniany dom z małymi oknami i kamieniami na dachu, dla przytrzymania poszycia, żeby go wiatr nie porwał, kilka drewnianych ław na świeżym powietrzu – w górach niewiele więcej potrzeba. Ilse i Theo siedzieli na tych ławach do wieczora, popijając herbatę z odrobiną likieru Jägermeister zabranego w piersiówce przez Theo.

Spać poszli w miarę wcześnie, ponieważ Theo zaczął zdradzać symptomy pewnego zjawiska, które odrobinkę wprawiało Ilse w zaniepokojenie. Mianowicie budził się w nim lew. A kiedy w Theo budził się lew, Ilse była na drugi dzień raczej obolała. Tym razem było to o tyle niekorzystne, że dopiero jutro miał nastąpić naprawdę trudny etap wycieczki, ponad osiemset metrów przewyższenia, i to po skałach i stromiznach.

Ilse miała nadzieję, że nie będą sami w schronisku. Nie było tam bowiem pokoi z łóżkami, tylko czterdzieści miejsc do spania na materacach umieszczonych we wspólnej sali. Niestety, troje wesołych studentów, którzy siedzieli na ławie po drugiej stronie schroniska, sporo przed wieczorem powiedziało im „do widzenia" i poszło w dół.

Theo miał doskonałe warunki, żeby zaprezentować lwa i ogólnie pofolgować męskim instynktom. Był przy tym pewien, że Ilse jest zachwycona.

Nie była, ale po cóż miała mu o tym mówić i psuć humor?

Spała kiepsko, materac był niewygodny, po wyczynach Theo bolało ją wszystko. Jej mąż przeciwnie, chrapał rozgłośnie przez sen, rozłożony swobodnie na sąsiednim leżu.

Zbudzili się o poranku, zjedli, co mieli przeznaczone na śniadanie, wypili herbatę i wyruszyli ku niebotycznym szczytom.

Theo znów był zadowolony z życia i w doskonałej formie. Jak zwykle prowadził i – dla odmiany po wczorajszych śpiewach – pogwizdywał, tego samego *Ptasznika*. Prawdę mówiąc, Ilse trochę to denerwowało, ponieważ, co było do przewidzenia, od rana pękała jej głowa. Starała się jednak dotrzymać mężowi kroku, żeby nie narazić się na niesympatyczne docinki. Była do nich przyzwyczajona, co nie znaczy, że lubiła ich słuchać.

Uwielbiała za to zdobywanie wysokich szczytów. W czasach studenckich sporo chodziła po górach, jak wszyscy z jej roku zresztą, nie wyłączając Theo. Jest coś cudownego w tym momencie, kiedy człowiek, zmęczony wspinaczką, jest już na szczycie, siada sobie na nim spokojnie niczym jego chwilowy właściciel, wyciąga z plecaka wodę i kanapki i spokojnie urządza piknik wysoko pod niebem... Niektórzy miewają w takich chwilach metafizyczne skojarzenia, inni nie, ale wszyscy są szczęśliwi.

Ilse i Theo na szczycie Diabelskiego Rogu też byli szczęśliwi. Siedzieli na wygrzanych kamieniach przytuleni, potem jedli kanapki i pili wodę, potem znowu siedzieli przytuleni, a Theo całował swoją żonę zupełnie tak, jak w pięknych latach studenckich.

Jacyś dwaj starszawi, ale dzielni turyści pojawili się koło nich, zrobili zdjęcia i poszli.

Ilse i Theo też w końcu wstali, żeby zacząć schodzenie.

Wtedy Ilse zrobiła coś niemądrego.

Wszystkiemu było winne to nieszczęsne uniesienie towarzyszące zdobyciu szczytu... I to, że Theo był taki miły, taki kochający jak w najdawniejszych czasach. Tylko tym można wytłumaczyć u Ilse nagłą chęć zadania mu najbardziej idiotycznego pytania na świecie. Pytania, które dręczyło ją od dawna.

– Theo, powiedz, co byś zrobił, gdybym ci powiedziała, że kiedyś byłam Polką?

Miły, uśmiechnięty, przystojny Theo, Theo – zdobywca szczytów, Theo – przedsiębiorca, biznesmen, Theo – król życia, popatrzał na nią ze zdumieniem.

– Ilse, słońce ci zaszkodziło? Co ty mówisz? Dlaczego, do diabła, miałabyś być Polką?

– Już nią nie jestem. Przeszło dwadzieścia lat. Mam niemiecką mamę, miałam niemieckiego tatę, który zginął na wojnie. Ale kiedyś naprawdę byłam polskim dzieckiem. Zabrała mnie organizacja Lebensborn.

– Lebensborn? Co to za bzdury! Kto ci to powiedział?

– Jedna dziennikarka. Theo, ja o tym myślałam ostatnio... Chciałabym tam pojechać. Zobaczyć, gdzie się urodziłam, i wrócić. Pojechałbyś ze mną? Byłoby mi lżej. Bo powiem ci szczerze, trochę się boję...

– Chryste, Ilse! Ty to mówisz poważnie! Polka! Zawsze to wiedziałaś, tylko nie powiedziałaś, bo chciałaś złapać mnie na męża! To nie do uwierzenia... ale wierzę ci, wierzę, mówisz prawdę... Powiedz, mówisz prawdę?!

Ilse skinęła głową, a on krzyczał dalej. Właściwie nawet nie krzyczał, tylko syczał, Wyrzucał z siebie mnóstwo słów pełnych niespodziewanie gwałtownej nienawiści, zaciętości, mówił coś o natychmiastowym rozwodzie, o oszustwie, łajdactwie, bezpłodności, którą chciała zrzucić na niego, ale szczęście całe, że nie zrobił jej dziecka, które przecież byłoby częściowo Polakiem, a musiałoby nosić nazwisko Bahlow, co za podstępna, podła dziwka...

Ilse stała przed swoim wykrzywionym z wściekłości mężem, słuchała jego przemowy i zaczynało kręcić jej się w głowie. Zamrugała oczami. Theo nadal wyrzucał z siebie obelgi. Skąd tyle tego się w nim wzięło? Musiał to nosić w sobie cały czas...

Pchnęła go.

Po prostu go pchnęła, nie zastanawiając się nad tym, co robi. Nie mogła już dalej słuchać.

∽

Zgodnie ze swoim planem Klara urządziła w pokoju na piętrze pracownię. Nie przeniosła się jednak ze spaniem do dawnego pokoju ojca, na parterze, tylko zrobiła tam pokój gościnny. Sama zajęła drugi pokój na piętrze, w trzecim umieszczając babcię Hanię.

– Ktoś powinien spać na dole. – Babcia powątpiewała w słuszność jej koncepcji. – Bo jakby tak ktoś chciał na nas napaść?

– To by mu Pajton odgryzł wszystko, co wystaje – zaśmiała się Klara.

Pajton w istocie poczuł się ostatnimi czasy stróżem domostwa i robił potworne awantury każdemu, kto przechodził bliżej niż dziesięć metrów od domu. Ponieważ turyści podążali tamtędy do czarnego szlaku wychodzącego na granicy Przesieki z Podgórzynem, więc awantury zdarzały się kilka razy dziennie. Wszystkich przyjaciół domu pamiętał doskonale i obdarzał ich należytymi względami, to znaczy na ich widok najpierw szczekał tyleż radośnie, co rozgłośnie, a potem usiłował ich zalizać na śmierć. Szczególną przyjaźń zawarł z bliźniakami, zapewne czując wspólnotę młodości, a poza tym być może pamiętając, kto go przyniósł w koszu do domu kochanej mamusi.

Klara uważała, że jest słodki. Babcia Hania była skłonna przyznać jej rację, z tym zastrzeżeniem, że mógłby jednak o poranku nie kłaść jej kapcia na twarzy (wciąż to robił, widocznie podobało mu się wrażenie, jakie wywierał na ukochanych pańciach).

Córka Justyna i zięć Bogusi, Bernard, czyli rodzice bliźniaków, pojawili się wreszcie i okazali dokładnie tak sympatyczni, jak się Klara spodziewała. A ponieważ Egon i Erwin konsekwentnie wpadali jak najczęściej, życie towarzyskie w Zachełmiu na górce kwitło.

Tylko Jacek się nie zjawiał. No, przyjechał raz, kiedy Kazio, cichy i zapracowany mąż Bogusi, miał urodziny. Klara miała niemiłe wrażenie, że doktorek wcale nie zwraca na nią uwagi! A ona właśnie bardzo by chciała, żeby zaczął zwracać. No po prostu coś ją do niego ciągnęło. A jego nie. Parszywa sytuacja!

Babcia Hania bystrym oczkiem zauważyła to i owo, bystrym uszkiem usłyszała, ale nie wyrywała się jakoś specjalnie z komentarzami. Zaczęła się natomiast poważnie zastanawiać, w jaki sposób można by inteligentnie pokierować tym i owym... Ku pożytkowi wszystkich, oczywiście. Ze sobą włącznie, ma się rozumieć. No.

Właściciele i wszyscy pozostali goście willi w Berchtesgaden byli wstrząśnięci. Ilse wróciła z wycieczki przywieziona przez ratowników, którzy sprowadzili ją, półprzytomną z przerażenia i szoku, spod szczytu Großes Teufelshorn. Jej mąż, Theo Bahlow, potknął się przy schodzeniu i runął w przepaść. Zginął na miejscu. Ilse wołała pomocy, w końcu usłyszeli ją owi starszawi turyści, którzy na szczęście nie zdążyli zejść zbyt daleko. To oni sprowadzili Bergwacht. Niestety, dla Theo nie można już było nic zrobić.

Po wypadku Ilse, która nigdy nie była przesadnie towarzyska, ostatecznie zamknęła się w sobie. Do Bonn wróciła pod opieką państwa Fischerów, którzy zostawili pensjonat w fachowych rękach pracowników. Pan Konrad osobiście prowadził samochód, podczas gdy pani Bella zajmowała się (a przynajmniej starała się jakoś zająć) milczącą Ilse. Rodzice Theo przerwali swoją podróż po Europie i przybyli do kraju, aby pochować jedynego syna i spadkobiercę, który – niestety! – zszedł bezpotomnie. Pan Ernst Bahlow musiał poza tym zadecydować, czy wraca do prowadzenia firmy, czy też ją sprzeda, bo przecież powierzenie jej synowej nie wchodziło w rachubę. Pani Julia na myśl o powrocie do Bonn, gdzie mąż znowu zajmowałby się dniem i nocą tym upiornym przedsiębiorstwem przewozowym, dostała autentycznej histerii i zmusiła go do jedynie słusznej decyzji o sprzedaży firmy.

I tu nastąpił niespodziewany zwrot akcji.

Pan Bahlow uprzytomnił sobie, że firmę Bahlow Cargo formalnie przekazał synowi. Jakim cudem nie pomyślał o tym wcześniej?

Naturalnym biegiem rzeczy spadkobierczynią Theo była jego żona, Ilse. To ona została więc właścicielką rodzinnego interesu przynoszącego bardzo słuszne zyski.

Pani Julia jeszcze nigdy nie słyszała, żeby jej małżonek, zazwyczaj spokojny i zrównoważony, tak głośno krzyczał.

Ilse w tym czasie bawiła się lalkami. Chociaż może nie była to taka zwyczajna zabawa.

– Ilse, wiesz, że źle zrobiłaś, prawda?

Lalka Ilse i żywa Ilse spojrzały sobie w oczy. Miały jednakowe, wielkie i niebieskie.

– Tak – odpowiedziała lalka. – Wiem.

– Nie widzę w tobie żalu, Ilse. Ani skruchy.

– Niczego nie żałuję. – Lalka wzruszyła ramionami.

– Czy możesz mi wytłumaczyć, dlaczego?

– Co, dlaczego?

– Dlaczego to zrobiłaś? Dlaczego nie żałujesz?

– Nie wiem. Jestem tylko lalką.

– Jak to lalką, Ilse?

– Lalką. Można mnie wziąć i oddać. Ubrać w seledynową sukienkę albo w beżową. Kazać mi urodzić dziecko. Jestem ładna, prawda?

– Bardzo ładna, Ilse. Naprawdę, bardzo.

– Jestem bardzo ładna i jestem lalką. Lalki nie czują. Nie wiedzą. Nie można mieć do nich pretensji. Są tylko lalkami. Ty też jesteś lalką, Ilse.

∾

– No, Klaruniu, masz dom, masz pracownię, masz psa, to już jesteś całkiem samodzielna, samorządna i niezależna – powiedziała babcia Hania, która przyszła na taras po świeżo wywietrzoną narzutę na kanapę w pracowni.

Klara siedziała na tarasie, wygodnie rozparta w fotelu, z Pajtonem na kolanach. Psiak spał rozkosznie i nic mu nie przeszkadzało, że trochę zwisa z obu stron.

– Samorządna, samodzielna i co? Czemu tak?

– Aaa, tak się kiedyś mówiło, w czasach naszej sławnej rewolucji...

– Jeśli to polityczne, to mnie nie interesuje. Ale wiesz, babciu, odkąd mogę sobie pracować, to naprawdę czuję się jak we własnym domu.

– Bo to jest twój własny dom, kochana. Twój jak nie wiadomo co. Ciebie to jeszcze wciąż zaskakuje, bo całe życie byłaś od kogoś zależna. Nie obruszaj się, ja nie mówię, że cię to uwierało. Chodzi o to, że nie byłaś panią domu. A teraz, jeśli chcesz pomalować tutaj wszystkie ściany w pomarańczowe samolociki, to je sobie pomalujesz. I nikt ci złego słowa nie powie. Czujesz różnicę?

– Czuję. Chociaż nie jestem pewna tych samolocików.

– To w zielone okręciki. Możesz słonia zainstalować w salonie i złote rybki w lodówce. Jesteś panią. Szlachcic na zagrodzie równy wojewodzie. Nikt ci nie śmie podskoczyć. Lepiej powiedz, czy już zaczęłaś coś robić? W sensie pracy?

– Nawet dwie rzeczy. Ja lubię synchronicznie. Wiesz. Na razie nie zarobkowo. Zrobiłam dla Bogusi wisiorek z żaglowcem, ale dam jej dopiero na Gwiazdkę. I zaczęłam płaszcz dla Lizy.

Babci zaiskrzyły się oczka.

– Zaprzyjaźniłaś się z Lizą?

– Babciu, nie rozśmieszaj mnie! Liza ogranicza kontakty do minimum. Tyle co jej zakupy zrobię albo ona zaopiekuje się Pajtonem, kiedy gdzieś jadę. Ale tak sobie pomyślałam, że powinna się ucieszyć. Ma tak fantastyczną figurę i w ogóle jest tak piękna, że robię jej ten płaszcz dla własnej przyjemności. Chcę ją w nim zobaczyć. I żeby ona w nim chodziła. I żeby wszystkim oczy wyszły na wierzch.

– Piękna jest, to prawda. W jej wieku!

– Babciu, ty też jesteś piękna. I chyba też w tym wieku. Chcesz, to ci zrobię coś ładnego.

– Zrób. W ogóle nie wiem, dlaczego jeszcze mi nie zrobiłaś…

– Bo nie chciałaś. Mówiłaś, że wełna cię gryzie.

– To zrób na podszewce. Żebym nie marzła, jak tu będę siadać w chłodne wieczory. Klara, ten taras jest wart wszystkich pieniędzy świata. Jaki wzorek jej robisz?

– No, babciu, nie domyślasz się?

– Domyślam. Góry, co? Jesienne?

– Góry. ale nie jesienne. Wiosenne. Zielone. A ty co byś chciała?

– A umiałabyś ocean, wyspę i latarnie morskie?

– Ohoho, co ja słyszę! Czyżbyś zatęskniła za Bretanią?

– Może trochę. Ale wolę tu być i tęsknić za Bretanią, niż siedzieć na wyspie i tęsknić za Polską. Umiałabyś?

Klara wydęła wargi i prychnęła spektakularnie, aż Pajton się obudził, zerwał i natychmiast zaczął ją oblizywać z impetem.

– Babciu. Ja wszystko umiem. Pajton, nie całuj mamusi! Masz tam misia. No, złaź!

Zrzuciła psa na podłogę, a on przeciągnął się, ziewnął szeroko i swoim lekko chwiejnym krokiem poszedł zabić pluszowego misia, który leżał w kącie tarasu. Po chwili tarmosił go, warcząc strasznie.

– Miły piesek. Żeby on się tak na złodzieja rzucał…

– Babciu, ja nie wierzę w złodziei. A w ogóle mam dla ciebie niespodziankę. Jutro wieczorem jedziemy do teatru. Miejscowi polecają.

– O, jak miło. Do Jeleniej Góry? A mają tam dobry teatr?

– Nie wiem, podobno tak. Ale nie jedziemy do miasta, tylko wprost przeciwnie, na wieś. O, w tamtą stronę, tak mniej więcej za trzecią górkę. Do Michałowic. Ojciec chciał mnie tam zabrać, miał bilety zamówione, ale to było wtedy, kiedy tak źle się poczuł w Krzeszowie. Potem już siedzieliśmy w domu.

– I tam jest teatr?

– Podobno nawet dwa. Ten nasz nazywa się Nasz.

– I to będzie coś poważnego?

– Przeciwnie, coś w rodzaju kabaretu. O mamo, co to jest?

Pajtonowi udało się oderwać głowę misia od tułowia. Ze środka posypały się jakieś białe kulki i straszna ilość czegoś, co wyglądało jak kłaczki waty.

Tematy kulturalne zeszły chwilowo na dalszy plan.

∽

– Mamo, tato, żegnajcie. Będę o was pamiętać.

– Żegnaj, Ilse. Postąpiłaś przyzwoicie. Daj nam czasami znać, co u ciebie słychać. Jeśli napiszesz na ten adres, a nas tu nie będzie, ktoś na pewno prześle nam twój list.

– Ilse, nie boisz się sama jechać?

– Nie, mamo. Theo mnie całkiem dobrze wyszkolił. Lubił, kiedy go woziłam...

Tuż przed fatalnymi wakacjami Theo zmienił samochód na nowiutkiego opla rekorda A. Zgrabny, seledynowy wóz, szybszy i pojemniejszy niż poprzednie auto młodych Bahlowów. Ilse postanowiła go sobie zatrzymać. Co do firmy spedycyjnej, nie zamierzała puszczać swoich teściów z torbami. Łatwo doszli do porozumienia, że przedsiębiorstwo trzeba sprzedać, a pieniędzmi się podzielić. Pan Bahlow już nie chciał wracać do ciężkiej pracy. Przekroczył sześćdziesiątkę, był zmęczony życiem i przytłoczony nieszczęściem. Nie miał też komu zostawić majątku. Mógł go więc spokojnie roztrwonić. Podjął tę decyzję ku nieukrywanemu zadowoleniu małżonki, która koniecznie chciała wyjechać, aby dom i wszystko, co w domu, nie przypominało jej syna. Po dwumiesięcznym poszukiwaniu trafił na kupca, który zamierzał rozwijać swoje interesy w branży spedycyjnej. Nabył Bahlow Cargo za bardzo przyzwoitą sumę. Ilse dostała swoją połowę i tym sposobem stała się osobą naprawdę bogatą. Drugą połowę jej teściowie przeliczyli na lata, które teoretycznie zostały im do przeżycia (na wszelki wypadek część pieniędzy ulokowali bezpiecznie na wysoki procent), i okazało się, że co roku mogą jechać w zupełnie przyjemną podróż po Europie. Żadne Orienty, Ameryki ani Australie ich nie interesowały. Dom pozostał przy nich, Ilse nie rościła sobie do niego żadnych pretensji.

Stanęła teraz na rozdrożu. Mogła, oczywiście, wrócić do babci i dziadka (ciocia Hannelore Jansen umarła już dwa lata temu). Zawiozła tam swoje rzeczy, ale jednocześnie podjęła decyzję, co do której wahała się od kilku lat.

Postanowiła jechać do Polski, do Grodźca, na ulicę Boleradz dwadzieścia siedem.

Postanowiła też nie mówić nic na ten temat dziadkom ani mamie. Pojedzie, zobaczy swoją prawdziwą matkę, rozejrzy się w sytuacji. Wróci i wtedy opowie, co będzie do opowiedzenia. A może uda jej się odzyskać samą siebie?

Po strasznym wydarzeniu na szczycie Großes Teufelshorn Ilse czuła, że coś się w niej zatrzasnęło, zablokowało, pozbawiło ją możliwości odczuwania tego wszystkiego, co normalni ludzie odczuwają.

Lalka Ilse miała rację – żywa Ilse stała się lalką.

∽

Pani Hanna Stobiecka vel babcia Hania była bardzo zadowolona. Wnuczka wiozła ją po jakichś prześlicznych drogach, wijących się jak wąż w górskim lesie, bo uznała, że najładniejsza trasa będzie przez Jagniątków – no i chyba miała rację. Nadchodzącej nieuchronnie jesieni jeszcze nie było widać, drzewa wciąż były zielone, łąki również. I babcię, i wnuczkę wprawiało to w doskonały humor.

– Chociaż powiem ci, kochana, że jestem ciekawa zimy w tych górach. Może nas zasypie i będą nam dostarczać pożywienie helikopterem. Albo ratrakiem. Albo ratownicy przywiozą nam na skuterach śnieżnych.

– Babciu, ty masz fantazję… Bogusia mówi, że tu odśnieżają.

– Mogę tylko fantazjować. Nigdy nie przeżyłam zimy w górach. Bywałam w nich latem, zresztą raczej jeździło się do Kotliny Kłodzkiej. Czy ty, à propos, nie jedziesz czasami za szybko, dziecko?

– Chyba nie. – Klara jechała czterdziestką, bo gapiła się dookoła. – Nic się nie bój, babciu. Zaraz będziemy w Michałowicach. O, już jesteśmy. Do teatru mają być drogowskazy. Jeśli przeoczymy, to wrócimy i będziemy patrzeć od drugiej strony.

– Tu ma być teatr twoim zdaniem?

– Bogusia tak twierdzi. I Egon z Erwinem.

– Dlaczego nie pojechaliśmy wszyscy razem?

– Bo nie lubię wycieczek zbiorowych – roześmiała się Klara. – Oni zresztą już to przedstawienie widzieli. Poza tym nie było biletów, bo dość późno zamawiałam. Wczoraj. I tak bym nie dostała, ale ktoś zrezygnował akurat z dwóch. O, jest drogowskaz, widzisz, babciu?

Droga trawersowała zbocze góry i zdaniem pani Hanny powinna prowadzić do schroniska młodzieżowego, a nie do teatru.

– *Mon Dieu*, jak tu stromo! Babciu, lepiej zamknij oczy!

Kolejne drogowskazy prowadziły na parking, na którym stało już kilka samochodów. Następne nadjeżdżały. Klara wykonała mistrzowskie parkowanie – niezłym bodźcem było to, że przyglądał im się jakiś przystojniak – i wreszcie obie panie wysiadły.

Poniżej parkingu zbocze góry obsiadły niewielkie domki, najwyraźniej była to część hotelowa. Powyżej stał dom z przybudówką żywo przypominającą stajnię. Tak przynajmniej stwierdziła babcia.

– To nie stajnia, babciu, to teatr. Widziałam w Internecie.

Przy wejściu kręciło się już kilka osób, ale było jeszcze dość wcześnie. Klara, nie znając drogi, wyjechała z zapasem czasowym. Weszły po kamiennych schodach i postanowiły poczekać te dwadzieścia parę minut na zewnątrz. Usiadły na ławce i podziwiały widoki na doliny i góry, za którymi właśnie zamierzało zajść słońce.

– To jeszcze Karkonosze?

– Nie, babciu. To już Izery.

Babcia spojrzała na wnuczkę z uznaniem.

– Ty jesteś tutaj znakomicie zorientowana. Jakbyś mieszkała od urodzenia. Wszystko wiesz!

– Wszystko nie, ale dużo. Babciu, wiesz, ile ja się nachodziłam po tych wszystkich szlakach? A ile godzin siedziałam nad mapami?

– I co, czujesz, że to twoje góry?

– Jeszcze nie wiem, babciu.

Ludzi przy wejściu było coraz więcej. Elegancki mężczyzna w smokingu wynosił właśnie z wnętrza teatru wielkiego burego kota, dzierżąc go krzepko i przemawiając do niego łagodnie, acz stanowczo.

– Pan znowu próbuje wejść bez biletu, proszę pana. To już siódmy raz. Pan nie ma rezerwacji, przecież my to wiemy. Pan nie wejdzie.

Postawił kota na ziemi. Ten, oczywiście, natychmiast skierował się na powrót ku wejściu, ale spotkał na swojej drodze błyszczący trzewik i ostatecznie zrezygnował z oglądania przedstawienia. Oddalił się z godnością i wyprostowanym ogonem, udając, że to nie o niego chodziło.

Klara z babcią, rozbawione, poszły tam, skąd kota pogoniono. W niewielkim przedsionku kłębił się tłumek. Hoże dziewczę sprzedawało bilety, sprawdzając nazwiska na liście zamówień, pan w smokingu witał gości, każdemu podając rękę, a towarzyszyła mu elegancka dama.

– Klaruniu, trochę zakręcona jestem – szepnęła babcia prosto do ucha Klary. – On się przedstawił, ale nie jestem pewna… To byli ci Kutowie, co tu robią za głównych aktorów?

– Chyba tak – odszepnęła Klara. – Bogusia opowiadała, że oni nie tylko robią za aktorów, ale są właścicielami tego wszystkiego, dom z teatrem budowali własnymi rękami, a teraz mają jeszcze te domki dla gości i restaurację. Podobno jest taki zwyczaj, że po przedstawieniu wszyscy lecą do tej restauracji na kolację. Ona sama gotuje…

– Kto?

– No, gwiazda.

– Nie gadaj! A on w tym smokingu drinki podaje?

– Niewykluczone. Kurczę, tu się wszyscy znają?

– Na to wygląda. Gdzie my siedzimy?

– W drugim rzędzie.

– Nie za blisko?

– Chyba nie, to mały teatr. Och, tylko popatrz!

W drugim rzędzie, obok dwóch pustych krzeseł siedział Jacek i miał taką minę, jakby był zupełnie gdzie indziej.

– Cześć, Jacku.

Zaskoczony Jacek pospiesznie wstał. Twarz mu się rozjaśniła.

– Klara. I pani Hanna. Jak to miło panie spotkać!

– I nawzajem – pospieszyła z uprzejmością babcia. – A pan sam? Bez towarzystwa?

– Babciu…

– Sam, jak panie widzą. Miałem być trzeci do towarzystwa, taki jeden mój kolega z żoną się wybierali i chcieli mieć psa prze-wodnika, bo oni pierwszy raz, a ja tu często bywam. Dziecko im zachorowało i zostali w domu.

– To może my mamy po nich bilety. Wczoraj zamawiałam. Pani powiedziała, że to ostatnie.

– No tak, oni wczoraj odwoływali. O, będą zaczynać…

Przedstawienie nosiło tytuł *Nasza klasa* i bardzo się Klarze spodobało, chwilami śmiała się do łez, aczkolwiek nie rozumiała niektórych aluzji i odniesień… trzeba będzie spytać babcię albo lepiej Jacka, powinien być zorientowany, bo siedzi w Polsce cały czas. Zerknęła na prawo i lewo. I babcia, i Jacek mieli takie miny, jakby rozumieli wszystko. No tak, on tu siedzi, babcia siedziała latami, a dla niej, Klary, Polska jest wciąż jeszcze w dużym stop-niu nowością. Spektakl zakończyła jak najbardziej słuszna burza oklasków. Klara spodziewała się teraz owego zapędzenia gości do restauracji, ale na razie jakoś się na to nie zanosiło. Wprost przeciwnie, zaczęło się coś w rodzaju koncertu życzeń. Klara po-woli utwierdzała się w przekonaniu, że ona i babcia są jedynymi osobami na sali, które nie znają całego repertuaru Teatru Naszego na pamięć. Nawet Jacek rozkręcił się i krzyczał głośno, domagając się piosenki *The Man I love*, skądinąd ukochanej piosenki ojca nu-mer dwa. Niejednokrotnie słuchał jej, zwłaszcza kiedy się kiepsko czuł, a szczególnie lubił w niej Barbrę Streisand i Ellę Fitzgerald. Jadwiga Kuta bardziej przypominała Barbrę, ale, zdaniem Klary, była od niej lepsza. Klara powiedziała o tym Jackowi, a on się roześmiał.

– Ona w ogóle jest genialna i ja ją uwielbiam. Jestem na jej wszystkich recitalach. „Ameryka”, „Ameryka”!

Tę „Amerykę” ryknął na cały głos i Klara trochę podskoczyła. Po chwili jednak mnóstwo ludzi w teatrze wołało „Ameryka”. Oczywiście, okazało się, że to też piosenka i to z refrenem tak wpadającym w ucho, że po chwili Klara śpiewała ze wszystkimi:

To jest nasza Ameryka, to jest nasza Ameryka,
ptaków śpiew i drzew muzyka koi ból.
To jest nasza Ameryka, to jest nasza Ameryka,
tu ci wraca radość życia, właśnie tu...

– Jacek, a czemu właściwie Ameryka? – spytała, nieco zadyszana, podczas gdy publiczność kłóciła się, czy Kutowie mają teraz zaśpiewać *Święto każdego dnia* czy *Marzenia*.

– A bo dla Polaków Ameryka to raj. No, nie dla wszystkich, oczywiście, ale wielu myśli, że jak wyjadą do Stanów, to Pana Boga za nogi złapią. Paru moich kolegów powyjeżdżało; do Stanów, do Szkocji, do Irlandii. Jeszcze tę Szkocję i Irlandię jakoś może i rozumiem, ale Ameryka dla mnie jest upiorna. Zresztą ja chyba nigdzie, gdzie nie mówią po polsku, nie czułbym się u siebie.

– A znasz języki? – zaśmiała się odrobinę złośliwie.

– Znam, znam, jędzo – odrzekł pogodnie. – Angielski w każdym razie. A nawet francuski... do pewnego stopnia. Uwierz mi, to nie ma znaczenia.

Kutowie zdecydowali się na *Święto każdego dnia*, po czym ogłosili, że „bar wzięty" i zaprosili wszystkich do grzybka. Trochę to zabrzmiało abstrakcyjnie, ale Jacek wiedział, co to jest grzybek, i powiedział swoim towarzyszkom, że je zaprowadzi, ale sam chyba zaraz będzie uciekał. Babcia tylko błysnęła oczkiem.

– Prowadź, wodzu.

Okazało się, że do restauracji w grzybkowatym domku trzeba zejść po kamiennych schodkach. U samego ich szczytu babcia nagle chwyciła się rękami ni to za serce, ni to za żołądek. Jacek-lekarz był czujny na takie rzeczy.

– Coś się stało, pani Hanno?

– Coś mnie zabolało, ale nie pytaj, chłopcze gdzie, bo ci dokładnie nie powiem. Jakoś tak niesympatycznie. Jesteś pewien, że musisz uciekać? Może na wszelki wypadek posiedź z nami kwadransik... Boże, jakie te schody strome. Zakręciło mi się w głowie. Mogę pana wziąć pod ramię?

– Oczywiście, bardzo proszę. – Jacek-dżentelmen podał starszej pani ramię.

– Klaro, chwyć z drugiej strony! Nie mnie, pana! O ciebie też się boję. No już, nie sprzeciwiaj mi się, bo mi to zaszkodzi!

Klara była świadoma, że babcia chichocze wewnętrznie, ale po pierwsze, nie wiedziała dlaczego, a po drugie, nie chciała jej dekonspirować. Zeszli do restauracji. Gwiazdy wieczoru przedzierzgnęły się w jowialnych gospodarzy i usadzały gości przy wspólnych stołach. Jackowi i jego damom trafili się jacyś sympatyczni ludzie w średnim wieku, jak się okazało, głównie wykładowcy z warszawskiego uniwersytetu, starzy bywalcy teatru. Przy stole siedział jeszcze starszy jegomość – Klarze wydawało się, że przed spektaklem witano go ze sceny jako księdza Kubka, jednak nie odważyła się spytać. Miał wysokie czoło i długie siwe włosy; średnio wyglądał na księdza, ale Klara zaczynała już się przyzwyczajać, że w tych dziwnych górach nie wszystko wygląda na to, czym jest.

Jacek zaproponował, że zamówi jakieś jedzenie i poszedł do kolejki. Klara wykorzystała moment.

– Babciu, co ty wyprawiasz? Naprawdę coś ci jest?

– Jest albo nie jest – odpowiedziała wykrętnie babcia. – Jestem stara i zawsze mogę się gorzej poczuć. A Jacek jest lekarzem, to niech na mnie uważa.

– Mam się denerwować?

Babcia zawsze była okazem zdrowia, Klara więc wbrew sobie troszeczkę się zaniepokoiła.

– Nie denerwuj się. Ani mnie. Idź do niego, powiedz, że ja nie chcę żadnego większego jedzenia. Coś małego i piwo. Albo nie, wino. Może mają śledzia?

– Do wina?

– Oj, teraz już nie przestrzega się tak dokładnie tych wszystkich konwenansów jedzeniowych. Gdybym zamawiała śledzia i kakao, mogłabyś się zdziwić. No idź. I pomóż mu przynieść, nie zostawiaj go samego.

Śledzie, owszem, były. Ogonkowicze bardzo dobrze wyrażali się na ich temat, podobnie jak na temat jakiejś zupy z zielonego ogórka i kilku innych rzeczy. Wyglądało na to, że Klara i Jacek parę minut postoją.

– Twoja babcia na coś choruje? Trochę mnie zaniepokoiły te bóle.

– Babcia na nic nie choruje, ale twierdzi, że jest stara i zawsze może zacząć. Chyba jej się poprawiło, bo już gada z księdzem… Jacek, ja dobrze zrozumiałam, że to ksiądz? I że Kubek?

– Ksiądz Kubek, jak najbardziej. Nazywa się jakoś inaczej, ale nie pamiętam. Kubek. To co bierzemy?

Wrócili do stołu i znaleźli babcię wniebowziętą. Opowiadała ze swadą o maleńkiej wysepce na Atlantyku w krainie wichrów i burz, a nie tylko ksiądz, ale i wszyscy biesiadnicy słuchali jej z zaciekawieniem. Kiedy jednak Jacek napomknął, że on tylko chwilkę posiedzi, natychmiast chwyciła się za serce.

– Panie Jacku, nie zrobi mi pan tego – szepnęła. – Ja się nie ujawniam, bo nie chcę straszyć Klary, ale nie czuję się dobrze. Nie mógłby pan pojechać z nami do Zachełmia? Cały czas mam te bóle, takie nieokreślone. – Podniosła głos. – Klaro, masz pojęcie, że ksiądz urodził się we Francji? To nadzwyczajny zbieg okoliczności. A państwo byli w Bretanii, ale północnej, w Saint-Malo!

Dwie godziny później przed willę *Klara* w Zachełmiu zajeżdżały dwa samochody, Klary i Jacka.

Babcia Hania niemal słaniała się na nogach. Symulowała zaciekle, zastanawiając się, jak to zrobić, żeby nie przedobrzyć i żeby Jacek nie zapakował jej do szpitala. Na wszelki wypadek nie pozwoliła się zbadać, cały czas z boleściwą miną trzymając się za serce.

– Ja się najlepiej położę, a wy jeszcze sobie posiedźcie, wcześnie jest. Panie Jacku, jutro sobota, pracuje pan?

– Zasadniczo nie… po południu muszę wpaść na oddział.

– No to nie odmówi mi pan, tylko zanocuje u nas. Tak się boję…

Zamachała rękami i uciekła, nie dając Jackowi szansy na dalsze wykręty.

– Może naprawdę coś jej jest? Jacek, zostaniesz? Babcia ma rację, jeszcze nie jest za późno, żebyśmy nie mogli się napić wina. Ona piła, a my, kierowcy, nie. Albo cydru. Mam jeszcze zapas, Ronan przywiózł kilka skrzynek.

Babcia Hania, idąca parę minut później do łazienki, z przyjemnością obejrzała sobie przez otwarte drzwi Klarę i Jacka, owiniętych pledami i popijających wino na tarasie. Zachwycony Pajton starannie obgryzał sznurówki butów doktorka, który tego w ogóle nie zauważył. Bardzo dobrze. Niech korzystają z ostatnich cieplejszych nocy w tym roku!

∽

– Ilse, dziecko, dokąd ty się tak naprawdę wybierasz? Nic nam nie mówisz ostatnio. – Babcia Gretel była naprawdę zmartwiona. – My rozumiemy, kochanie, że przeżyłaś tragedię, ale pamiętaj, że jesteśmy z tobą. Nie zostałaś sama na świecie.

– Babciu... wolałabyś nie wiedzieć.

– Ale dziecinko, co ty mówisz? – wtrącił się dziadek Hans. – Chcesz zrobić coś złego? Sobie? Chryste Panie, nie wolno ci w ogóle tak myśleć!

– Nie, dziadku. Możecie się o mnie nie martwić. Nic sobie nie zrobię i w ogóle nic mi się nie stanie.

– To powiedz mnie i babci, dokąd jedziesz.

Dwie pary starych, kochających oczu wpatrywało się w nią intensywnie.

– Do Polski.

Dziadkowie spojrzeli po sobie z przerażeniem.

– Do Polski? Na Boga, po co?

– Do Hedwig?... – Babcia chyba wiedziała, że nie, ale chciała mieć tę odrobinę nadziei, złudzenia, wiary w nieprawdę, którą sama przez wiele lat tworzyła.

– Nie mówiłam wam, bo sama nie wiedziałam, co postanowię... Hedwig mi powiedziała, skąd się u was wzięłam.

Powiedziała mi o Lebensbornie. Potem była ta dziennikarka, co pisała reportaż o Ravensbrück. Ona znalazła moją prawdziwą matkę. Jeszcze przed moim ślubem. Matka mnie szukała przez Czerwony Krzyż.

Babcia zacisnęła zęby i nie powiedziała nic. Dziadek położył Ilse rękę na ramieniu.

– Zastanów się, dziecko, co robisz. Być może zmarnujesz sobie życie...

– Zastanawiałam się pięć lat. A co do zmarnowania życia... nieważne.

– Jak to, nieważne? Chciałabyś być Polką? Ilse!

– Ja byłam Polką. Tego nic nie zmieni. Babciu, dziadku, ja od kilku lat się męczę z tą świadomością. Myślałam sobie, co by było, gdybym miała dziecko z Theo i ktoś by mi to dziecko zabrał, żeby oddać je komu innemu. Po prostu jestem coś winna mojej matce. Muszę do niej pojechać.

Dziadkowie ponownie spojrzeli po sobie.

– Wrócisz? – spytała babcia.

– Pamiętaj, że my cię kochamy – dorzucił dziadek ze ściśniętego gardła.

– Oczywiście. Wrócę. Ja was też kocham.

W dziadku obudził się rodzinny organizator.

– Masz wyznaczoną trasę? Hotele zamówiłaś? Pieniądze na drogę? Uważaj, tam kradną. Mogą cię napaść... Boże, to przecież niebezpieczne! Dziki kraj, dzicy ludzie! Nienawidzą nas, Niemców.

Ilse pomyślała mimo woli, że gdyby jej ktoś zabrał dziecko, też by go znienawidziła. Nie powiedziała tego.

– Kiedy jedziesz?

– Jutro raniutko. Nic się nie martwcie, poradzę sobie. Trasę wyznaczyłam, hotel zamówiłam w Dreźnie, drugi w Katowicach, przez biuro turystyczne, papiery wszystkie mam, pieniądze też. Pojutrze będę na miejscu.

Ilse nie kłamała, mówiąc, że się nie boi, chociaż wyjazdy do Polski uchodziły za naprawdę niebezpieczne. Wciąż siedziała w niej lalka, przytępiająca umysł. Tylko z potrzebą poznania prawdziwej matki lalka nie mogła sobie poradzić.

Nazajutrz rano Ilse pożegnała dziadków, zostawiając im misję powiadomienia mamy, dokąd i po co wyjechała. Do Drezna dotarła w kilka godzin, tak że przed wieczorem podjeżdżała pod pensjonat *Villa Reiche* na Meißner Landstraße. Znała ten hotel dobrze, bo kilkakrotnie mieszkali tam razem z Theo. Recepcjonista ją poznał i był bardzo uprzejmy, a widząc, że jest zmęczona, zaproponował kolację do pokoju. Jadali tak kiedyś z Theo. Nie chcąc żadnych skojarzeń, Ilse podziękowała i poszła do restauracji. Okazało się jednak, że nie może jeść. W pokoju okazało się, że nie bardzo może też spać. Napięcie dawało o sobie znać.

Obudziła się zmęczona, w ostatniej chwili przed zakończeniem śniadania. Z rozsądku zmusiła się do przełknięcia bułki z masłem i pojechała w dalszą drogę. Miała do przebycia niecałe pięćset kilometrów. Spodziewała się większej straty czasu na granicy, ale nie było tak źle. Nie odczuła też żadnej wrogości. Polacy byli uprzejmi i raczej obojętni.

Agencja turystyczna zarezerwowała jej noclegi w katowickim hotelu Monopol. Kiedy tam dojechała, słaniała się ze zmęczenia. Padła na łóżko i tym razem postarała się nie myśleć o niczym, żeby tylko mieć szansę zaśnięcia. Potrafiła się tak wyłączać. Kiedyś ćwiczyła medytację, jakieś początki jogi. To jej pozwalało znosić łóżkowe pomysły Theo. On nie zwracał uwagi na jej potrzeby, często bywał brutalny, a ona się wyłączała.

Wstała w porze wczesnego obiadu. Uznała, że to bardzo dobrze, bo do Grodźca było niedaleko, a i tak zamierzała dotrzeć tam dopiero po południu. Matka pewnie pracuje, nie byłoby sensu czekać pod drzwiami. Czy dziennikarka nie mówiła czegoś o dziadkach? Chyba tak, ale minęło pięć lat, mogli już dawno poumierać…

Zjadła ten wczesny obiad i ruszyła w drogę. Uprzejmy recepcjonista w hotelu wytłumaczył jej, jak powinna jechać. Rozmawiała z nim po polsku. Dosyć kulawo, ale rozmawiała. Przez ostatnie dwa lata usilnie przypominała sobie język polski, czytając w kółko gazetę zostawioną niegdyś przez polską dziennikarkę. Nie bardzo wiedziała, po co właściwie to robi, ale czytała, powtarzała, domyślała się sensu – i powoli, powoli klapki w mózgu jej się otwierały, przypominała sobie wyrazy i zdania, rozumiała coraz więcej.

Pomału, pomału, przyjdzie dziad do dzieci.

Tylko reportażu o Ravensbrück jeszcze nie odważyła się przeczytać.

Dzięki wyczerpującym wskazówkom katowickiego recepcjonisty dojechała do Grodźca bez problemu. Jakiś czas krążyła po ulicach, usiłując wydobyć z pamięci cokolwiek. Niezbyt jej to wychodziło. Miasto zmieniło się od wojny albo może ona miała za słabą pamięć?

Ulica Boleradz nie była długa. Numer dwadzieścia siedem okazał się niewielkim domkiem z wychuchanym ogródkiem.

Ilse znowu czuła się pusta w środku.

Lalka.

Przy furtce nie było dzwonka, Ilse zdjęła więc haczyk, weszła do ogródka, żwirowaną ścieżką doszła do trzech schodków i wreszcie zastukała do drzwi.

⁓

– No i jak panu smakują racuszki, panie Jacku?

Babcia Hania zrobiła na śniadanie fenomenalnie delikatne i pyszne racuszki z jabłkiem, wierząc w zasadę „przez żołądek do serca" – aczkolwiek działała altruistycznie i chciała zdobyć Jacka dla Klary, nie dla siebie. Z przyjemnością skonstatowała, że Jacek małe arcydziełka docenił i zjadł ich jakąś straszną ilość. No, to teraz powinien w podświadomości na stałe skojarzyć racuszki z Klarą, via babcia… Co to jest, żeby taki sympatyczny, przystojny oraz inteligentny facet był samotny, zapracowany i żywił się wyłącznie fastfudem!

Fastfudowego żarcia babcia nienawidziła z całego serca i uważała je za przekleństwo ludzkości.

Stołówek szpitalnych też nie szanowała specjalnie.

A Jacek jej się podobał. W aspekcie Klary. Osobiście zresztą też bardzo go polubiła. Początkowo brała też pod uwagę któregoś z braci – kłopot w tym, że nie wiedziała, którego. Obaj byli bardzo pozytywni. Ech, tacy przyjemni bracia powinni się zakręcić koło jakichś bliźniaczek, bo gdyby Klara któregoś wybrała, zawsze tego drugiego byłoby żal. Jacek wydawał się o wiele praktyczniejszy. Babcia dużo by dała, żeby wiedzieć, o czym rozmawiali wczoraj z Klarą na tarasie. Niestety, nie udało jej się nic podsłuchać.

Przy stole Klara z Jackiem żadnego jedzenia z dzióbków nie uprawiali, nie ćwierkali do siebie słodko, nie rzucali znaczących spojrzeń. Po śniadaniu poszli z zachwyconym Pajtonem na grzyby w jedno grzybne miejsce za drugim paśnikiem... babcia miała nadzieję, że wrócą z pustymi koszykami, co samo w sobie będzie podejrzane, a więc w gruncie rzeczy niosące nadzieję – bo co robili, skoro kosze puste? Ale kosze były pełne i nadzieje babci chwilowo się oddaliły.

Zwłaszcza że Jacek też się oddalił. Naprawdę musi zajrzeć na oddział, powiedział i odjechał.

Klara oddaliła się również. Poszła do swojej pracowni, dłubać kolejną biżutkę. Tym razem wymyśliła wisior w kształcie koła, w którym zamierzała umieścić odwzorowany kawałek Karkonoszy ze Śnieżką inkrustowany kilkoma kawałkami niebiesko-złotego labradorytu. Nie była pewna, czy ażurowy zarys gór lepiej wyjdzie w srebrze czy brązie... do labradorytu chyba lepiej pasuje srebro. Chociaż brąz też może dać ciekawy efekt...

Zajrzała na własną stronę w Internecie – doskonale, są zamówienia na dwa wisiorki, które wykonała jeszcze w Bretanii. Przeleżały się trochę, ale wreszcie pójdą. Jeden do Francji, drugi – no proszę – do Wrocławia.

Brąz będzie odpowiedniejszy dla efektu, który chce osiągnąć. I z labradorytu ten kawałek świecący złocistym odblaskiem.

Słońce zaświeciło w okno. Klara posiłowała się odrobinę z klamką i otworzyła je na oścież. Pajton, który przyszedł za nią i natychmiast zasnął słodko pod stołem, podniósł łebek i powęszył. A potem znowu padł, zmordowany tymi wszystkimi kilometrami, które miał w łapach po grzybobraniu.

To jest nasza Ameryka, to jest nasza Ameryka,
ptaków śpiew i drzew muzyka...

Śpiew ptaków reprezentowały aktualnie dzikie gęsi, czy żurawie (Klara nie wiedziała tego), odlatujące na południe wielkim kluczem i wrzeszczące przeraźliwie. Jesień, jesień nadchodzi! To całe zielone za oknem zaraz zmieni kolor, a za dwa miesiące może być już biało. Tak mówił Jacek.

Och, ten Jacek...

Narysowała na kawałku papieru szkic wisiorka. No proszę, bardzo ładna rzecz może z tego wyjść. A potem jakieś mutacje z innymi kamieniami.

– Można?

– Proszę, babciu, można, oczywiście!

– Przyniosłam ci kawę. Sobie zrobiłam, to pomyślałam, że i ty się napijesz. Tu postawić?

– Ale jesteś kochana, babciu. Myślałam o kawie, ale nie chciało mi się schodzić.

– No widzisz. Mahomet przyszedł na górę, znaczy na piętro. Takie będziesz teraz robić? Ładne. Śnieżka jak żywa. A nienachalna. Jesteś prawdziwą artystką, kochanie.

– Najwyżej taką malutką, babciu. Chodź, wypijemy tę kawę na tarasie.

– Moja jest na dole...

– Już niosę.

Po chwili babcia z wnuczką piły kawę z widokiem. Pajton ograniczył się do bacznego obserwowania horyzontu, zapewne w nadziei, że wpadnie z wizytą ktoś, komu będzie można obgryźć sznurówki albo urwać kieszeń.

– Wiesz, babciu, co tu jest najpiękniejsze? Że nikt mnie do niczego nie goni. Mam natchnienie do biżuterii, to siadam i robię. Chce mi się dłubać na drutach, to biorę druty i dłubię. Moja kochana babcia mi zrobi kawę, to rzucam wszystko i gapię się na góry z filiżanką w łapie. Pajton, zabierz łapy!

Pajton odczepił się od filiżanki, przewrócił na grzbiet i podniósł łapy do góry, bulgocząc radośnie.

– No, no – mruknęła babcia. – I nikt cię nie odrywa od żadnego dłubania, bo trzeba smażyć *galettes*!

– O tak – potwierdziła Klara z uczuciem. – To jest po prostu cudne. Cudne, mówię. I nie muszę latać z tacą ani pozwalać się szczypać w tyłek.

– Szczypali cię w tyłek? – zdziwiła się babcia. – I nie robiłaś awantury?

– Przeważnie mi się nie chciało – przyznała się Klara. – Ale tym, co mnie szczypali, dodawałam datę urodzenia do rachunku.

– Nie gadaj!

– Nie gadam. Datę urodzenia może nie, ale zawsze parę euro.

– O matko! I to było w porządku?!

– A szczypanie jest w porządku? Mogłam robić awantury, rzecz jasna. Tylko co by to dało? Satysfakcję? A co mi po satysfakcji od takiego głupka, który się zalał cydrem i stracił hamulce?

– Praktyczna z ciebie dziewczynka – pochwaliła babcia po zastanowieniu. – Swoją drogą, ciężkie jest życie kelnerki. Jesteś pewna, że nie będzie ci go brakowało? – Z chytrym błyskiem w oczach przekrzywiła głowę i spojrzała na Klarę z ukosa.

Ale Klara ją przejrzała.

– Babciu, ja jeszcze nie podjęłam decyzji, że tu zostanę.

❦

Kobieta, która pokazała się w drzwiach, miała jakieś pięćdziesiąt lat, może trochę więcej, siwiejące włosy krótko obcięte, a na sobie domową spódnicę w łączkę i białą bluzkę rozpiętą pod szyją.

– Dzień dobry – powiedziała młodym głosem, który jednak jakoś do niej pasował. – Pani kogoś szuka?

Ilse patrzyła na kobietę i poznawała ją. Oczy, głos, sposób mówienia, charakterystyczne przytrzymywanie dłonią bluzki, rozpinającej się na dekolcie… ta bluzka naprawdę zawsze tak się rozpinała i mama miała taki nawyk… z tym przytrzymywaniem.

– Źle się pani czuje?

Zza ramienia kobiety wyjrzała inna twarz, starsza, pomarszczona, otoczona całkiem siwymi włosami, też ładnie przyciętymi.

– O, myślałam, że to wszyscy wrócili z kina. A pani do nas?

Obrzuciła Ilse bystrym spojrzeniem i chwyciła się za serce.

– O Matko Boska jedynąca…

Tak, to wyrażenie Ilse również znała. Kołatało jej się w zakamarkach pamięci.

Starsza kobieta chwyciła młodszą za ramię.

– Anusiu… kto to jest?!

– Nie wiem. Kim pani jest?

– Nazywam się Elisabeth Bahlow – powiedziała Ilse bardzo wolno, z niemieckim akcentem, ale po polsku. – Przyjechałam z Bundesrepublik Deutschland… do pani Szumacher.

– My obie jesteśmy Szumacher – wyjaśniła starsza. – Boże, a ja już myślałam… Przepraszam…

Młodsza kobieta była blada jak ściana.

– Proszę, niech pani wejdzie.

Wnętrze domku nie umywało się do rezydencji Bahlowów ani do willi odziedziczonej po cioci Hannelore, ani do mieszkania mamy w Bonn. Meble były stare, sprzęty podniszczone, wszędzie stały szafy i szafki z książkami. Na szczęście było czysto i panował idealny porządek.

– Pani z drogi… zrobię herbaty – zaofiarowała się mama, bo to przecież naprawdę była mama, Ilse już to wiedziała. – A może pani głodna? Mogłabym odgrzać coś z obiadu dla pani.

– A ma pani kluski… żelazne? – spytała Ilse niespodziewanie dla siebie samej. Otworzyła jej się kolejna szufladka w pamięci.

– Akurat dzisiaj gotowałam – powiedziała skwapliwie babcia Hela. Tak, babcia Hela. – Lubi pani kluski żelazne? Ze skwareczkami?

– Moja Oma… babcia takie robiła.

Zapadła cisza. Trzy kobiety siedziały przy okrągłym stole nakrytym haftowanym obrusem i patrzyły na siebie.

– Elżuniu, a umiesz jeszcze robić falbanki na pierogach? – Głos babci był ledwie dosłyszalny.

– Umiem.

Mama powoli jak na zwolnionym filmie wstała z krzesła, ale nie podeszła do córki. Babcia zakryła twarz rękami i rozpłakała się bezgłośnie.

Ilse nie ruszyła się z krzesła.

Matka usiadła z powrotem.

Babcia opanowała się pierwsza.

– Boże mój, dziecko… Ty jesteś jak obca… No tak, nie było cię tu przeszło dwadzieścia lat. Masz swoje życie. Opowiedz. Dobrze ci było?

– Dobrze. Mam mamę w Bundesrepublik… *Opa* i *Oma*…

– Dziadka i babcię – szepnęła matka. – Po polsku mówi się dziadek i babcia.

– Dziadek i babcia. Tak. Tam mnie wszyscy kochają. Miałam mąż. Męża. On umarł, nie żyje. My mieliśmy taką jedną… Hedwig. Pracowała u nas. Ona powiedziała, że mnie Lebensborn zabrał.

– Wiemy – odezwała się cicho mama. – Była tu jej przyjaciółka, dziennikarka. Napisała o nas w gazecie. Napisała list, że cię znalazła, a ty nie chciałaś z nią mówić. Myśmy cię szukali przez Czerwony Krzyż…

– Ja teraz jestem Niemka.

Mama wyglądała, jakby była chora na serce.

– Elżuniu... Ja rozumiem. Wszystko rozumiem. Miałaś inne życie. Najważniejsze, że jesteś, żyjesz, dobrze ci się powodzi. Posłuchaj... ja ci zrobię tych klusek, zjesz, jak dawniej, i opowiesz nam o sobie, dobrze?

– Ja zrobię. – Babcia poderwała się od stołu. – One są gotowe, za dużo zrobiłam na obiad, tylko wrzucę na wodę i usmażę skwarki.

Babcia Hela zawsze robiła za dużo klusek żelaznych... tak się w domu mówiło na kluski ziemniaczane, małe szare kulki, za którymi Elżunia przepadała.

– Czy tylko wy dwie tu mieszkacie?

Ilse zadała to pytanie i stwierdziła, że właściwie jest jej obojętne, jaka będzie odpowiedź.

– Nie, dziadek Józef i oboje dziadkowie Grosowie też z nami mieszkają, tylko poszli wszyscy do kina, zaraz powinni wrócić. Twój tata nie żyje, wiesz...

– Wiem. Mój niemiecki tata też nie żyje. Zabili go Polacy.

– Ciekawe, co on w Polsce robił – warknęła babcia z kuchni, skąd dolatywały apetyczne zapachy smażonej słoninki z cebulką.

– Mamo, nie trzeba.

– Masz rację, Anusiu, nasza Elżunia żyła w innym świecie. Będziemy musieli jej wyprostować to i owo.

Nie ma już żadnej Elżuni, pomyślała Ilse, ale nie powiedziała tego głośno.

Babcia wkroczyła do pokoju z talerzem pełnym małych szarych kulek posypanych skwarkami. Ręce jej się trochę trzęsły.

– Masz, dziecko, jedz.

Żelazne kluski smakowały jak siano i zatykały. Ilse zjadła kilka i odsunęła talerz.

– Przepraszam. Nie mogę. One są dobre, ale nie mogę.

– Napij się herbaty. – Babcia Hela podsunęła jej filiżankę. – Jesteś zdenerwowana, nawet jeśli myślisz, że nie jesteś. Boże, ja nie wiem, co teraz będzie...

Ilse nie do końca zrozumiała te babcine „jesteś" i „myślisz", ale herbatę przyjęła z wdzięcznością. I znowu odemknęło się okienko w pamięci: w domu wszyscy maniacko pili herbatę i uważali, że nigdzie nie parzy się takiej doskonałej. Nawet w czasach wojennych namiastek wszystkiego.

Elżunia dostawała herbatę słabą i słodzoną. Ilse piła teraz dobrze zaparzoną, mocną i bez cukru. Rzeczywiście, znakomitą.

W sieni dał się słyszeć hałas i do pokoju weszła reszta rodziny: babcia Jania, dziadkowie Józek i Zenek oraz jakiś młody człowiek, którego Ilse z niczym nie potrafiła powiązać.

– O, mamy gościa, dzień dobry – rzucił z rozpędu dziadek Józef… chyba Józef.

Tak, Józef już wtedy łysiał, a teraz był całkiem łysy. A dziadek Zenek miał nadal bujną czuprynę, tyle że siwą.

Nagle wszyscy oprócz młodego człowieka zastygli wpatrzeni w Ilse. Młody również stanął jak wryty, widząc, że coś tu się dzieje.

– Anusiu? – Babcia Jania miała głos całkiem zachrypnięty.

– Tak – odrzekła mama krótko. – To jest Elżunia.

∾

Stan osobowy willi *Klara* powiększył się o kota. Zwierzak wyglądał jak rodzony brat burego jegomościa, który usiłował wejść do teatru Naszego bez biletu. Jak to koty – przyszedł, rozejrzał się i został, mimo energicznych protestów Pajtona. Na drodze teatralnych skojarzeń Klara nazwała go Falstaffem. W każdym razie gruby był jak Falstaff.

– Papuśne stworzonko – skonstatowała babcia Hania. – Źle mu nie było tam, gdzie mieszkał.

– Może nie odpowiadało mu towarzystwo – wyraził przypuszczenie Jacek, który ku babcinej radości znowu zaczął wpadać do Zachełmia. – Falstaffie, pozwól.

Kot godnie podszedł do niego i wskoczył mu na kolana. Pajton omal nie zajazgotał się z zazdrości na śmierć.

Babcia uważała, że to dzięki niej Jacek znowu stał się częstym gościem w domu, wyspecjalizowała się bowiem w symulowaniu lekko niepokojących stanów sercowych (spędziła przy Google'u jakieś półtorej godziny i nauczyła się tego, czego chciała się nauczyć). Delikatnie straszyła Klarę, sugerując jednocześnie taką małą domową obserwację… znaczy, trzeba jak najczęściej zapraszać Jacka na obiady, które ona, babcia, osobiście będzie gotować. A on ją będzie obserwował. Bo do szpitala, to wiesz, Klaruniu, za żadne skarby świata…

Na wszelki wypadek babcia sama powiedziała Jackowi o tych obiadach i swoim sfatygowanym sercu, a on, ku jej radości, zgodził się nieomal z zapałem.

Szpitalne obiadki dają potężną motywację! Tyle że negatywną! Która w tym przypadku miała za zadanie okazać się pozytywną! Serce babci zaśpiewało i zaczęła obmyślać jadłospisy, które miałyby zdobyć serce doktorka dla tej kochanej dziewczynki. W efekcie sposób żywienia ordynatora Brudzyńskiego znacznie zyskał na jakości. Babcię złościły tylko stosunkowo częste dyżury, które nie pozwalały Jackowi stołować się w Zachełmiu codziennie.

Nadeszła prawdziwa jesień, ta z gatunku złotych polskich, i góry przybrały fantastyczne barwy. Młodzież domowa i sąsiedzka (tu babcia zaliczała oprócz Klary Jacka, Egona z Erwinem, Justynę i Bernarda, a także ich dzieci, Kinię i Minia) wykorzystywała wszystkie wolne chwile do łażenia po górach. Babcię trochę denerwowało, że robią to tak zbiorowo. Wolałaby, żeby Klara i Jacek chodzili we dwoje, ale nie miała na to żadnego wpływu. Była natomiast zadowolona, kiedy Jacek, zasiedziawszy się na kolacji, zostawał na noc. Trochę ją natomiast rozczarowywało, że sypia na dole, w dawnym pokoju Jerzego, podczas gdy Klara w swoim pokoju na górze… babcia, oczywiście, podsłuchiwała, czy Klara nie schodzi albo czy on nie wchodzi, ale niczego nie wyśledziła. Niestety, w tym klimacie sama zasypiała jak dziecko. Jej spokojnego snu pilnował ostatnio Falstaff. Pajton, który się go bał, nie wpadał więc rano do łóżka z łoskotem, wrzaskiem i kapciem w pysku. Kiedy babcia wstawała, a robiła to zazwyczaj koło ósmej, Jacka przeważnie już nie było, a Klara spokojnie dosypiała u siebie.

– Ta dzisiejsza młodzież w ogóle nie jest romantyczna – wzdychała babcia i zabierała się do studiowania książek kucharskich.

Ona też, podobnie jak Klara, doceniła ostatnio wartość swobody. Pichcenie z własnej woli sprawiało jej mnóstwo przyjemności. *Chez Marianne* było w porządku, ale co domowa kuchnia, to domowa. I broń Boże na chybcika! W restauracji zawsze panował pośpiech – w domu można było dowolnie rozwijać kuchenne talenta, nie spiesząc się, próbując i doprawiając w nieskończoność. Czasem babcia zawiadamiała, że jej się nie chce, wtedy gotowała Klara. Albo obie kontentowały się ziemniakami z boczkiem i kefirem czy pierogami z mrożonki.

O taką wolność warto zawalczyć. Dla babci wizja wolności przybrała zatem postać Jacka, który w porywie romantycznej miłości rzuca się na Klarę… albo lepiej: rzuca się przed nią na kolana, wyciąga rodowy pierścionek po mamusi i oświadcza się uroczyście.

Kurczę pieczone! Ostatecznie ona, babcia Hania, mogłaby nawet poniańczyć im dzieci!

∾

Ilse wróciła do hotelu Monopol w Katowicach z potwornym bólem głowy. Oczywiście, proponowano jej zamieszkanie na Boleradzu… *Na Boleradzu, na przykopie…*, ale podziękowała. Na razie podziękowała, bo właściwie to nawet miałoby sens, pomieszkać z rodziną, spróbować życia tutaj. Polska już ją zdążyła zaskoczyć, spodziewała się kraju ludzi prymitywnych i ponurych, a na razie spotykała raczej sympatycznych. Może imponowały im jej marki. Niemniej tak na oko nie różnili się od ludzi z Bonn czy Bad Honnef. Natomiast porządku takiego tu nie utrzymywano. W miastach klomby kwiatowe, ale brudno. Na wsi to samo. Walące się domy i ogródki w kwiatach. To wszystko należało do Niemiec, stąd właśnie Niemców wygnano, tak jak ich z Saalbergu. Dziadek Zenek coś tam mówił o porozumieniach międzynarodowych, w których nikt Polski nie pytał o zdanie. I jeszcze, że Polska też straciła tereny, na kresach wschodnich. I stamtąd też wypędzono Polaków. Ale Ilse nie obchodzili Polacy. Obchodzili ją Niemcy.

Tego pierwszego dnia, przeznaczonego na wspomnienia i opowieści, nie było sensu jednak wdawać się w dyskusje polityczne. Ilse opowiedziała o swoim życiu, o kochanych rodzicach i kochanych dziadkach. Mama wtedy płakała. Próbowała się pohamować, ale nie dawała rady. Obie babcie miały łzy w oczach, a dziadkowie zaciskali zęby. Potem dziadek Zenek, który zawsze był najspokojniejszy z całej rodziny (kolejne okienko w pamięci zostało otwarte), opowiedział o tym, co się działo w domu. No więc po pierwsze, na dom pod górą Dorotką nikt nie rzucał żadnej bomby, kilka lat temu rozebrano go, bowiem był już stary i groził zawaleniem. Na ten tutaj, na Boleradzu, poszły pieniądze ze sprzedaży dziadkowego Józkowego sklepu, który jakimś cudem przetrwał wojnę. Tata, czyli tacimek, jak się okazało, nie dotarł tam, gdzie miał przeczekać rok czy dwa, tylko został złapany przez Niemców i zginął w Auschwitz.

Ilse początkowo nie uwierzyła ani w rozbiórkę domu, który przecież zniszczyła bomba, ani w żaden obóz, ale przypomniało jej się, że przecież cała rodzina podobno zginęła, a oto siedzą tu wszyscy prócz tacimka… więc czasem przynajmniej Niemcy kłamali.

No tak, kłamali po to, żeby móc zabrać ją z tej okropnej Polski i zrobić z niej Niemkę. Kłamali dla jej dobra.

Po wojnie mama nie chciała już wyjść za mąż, choć podobno adoratorów miała kilku. Skończyła studia i została nauczycielką, zupełnie tak samo jak babcia Jania i dziadek Zenek. Uczyła małe dzieci, znowu tak jak babcia. Kiedy dziadek Zenek dowiedział się, że Ilse podobnie jak on studiowała geografię, ucieszył się bardzo.

Tyle że ona nie pracowała nigdy z dziećmi, chociaż chciała. No, nic, może jeszcze będzie okazja. A na pewno będzie wiele okazji do pogadania.

Ilse nie była tego wcale pewna.

Ten młody, który był z dziadkami w kinie – swoją drogą, Ilse nie przypuszczała, że tu grają w kinach hollywoodzkie filmy, ona sama widziała *What Ever Happened to Baby Jane* z genialną Bette Davis rok temu w Bonn – no więc ten młody to sublokator mamy, bo to mama jest główną lokatorką na Boleradzu. Straszny mądrala. W każdym razie ma siebie za mądralę, to widać. Pracuje na jakiejś uczelni, prawda – na politechnice. Jako asystent. Jest chemikiem. Ilse nie zapamiętała jego nazwiska, tylko imię: Franciszek, Franek. Mama i dziadkowie traktują go jak syna. On się prawie nie odzywał, siedział przy stole i słuchał. To właściwie nie wiadomo, czy naprawdę mądrala… ale tak mu z oczu patrzało. Trochę podobny w typie do Theo, tylko okropnie niedbale ubrany, nawet się nie umywa do jego wyszukanej elegancji.

Okazało się też, że mama dostała od tej dziennikarki, Marty Perkowskiej, adres Hedwig w Szczecinie. Na wszelki wypadek, gdyby Ilse się pojawiła i chciała skontaktować.

Ilse miała naprawdę wielki mętlik w głowie. Napiła się wody i poszła do łóżka. O dziwo, zasnęła natychmiast i spała spokojnie całą noc.

∽

Nadeszła połowa października i karkonoska jesień zdecydowanie nabrała kolorów, Klara ozdabiała teraz biżutki ze Śnieżką karneolami, cytrynem i granatami, a płaszcz dla Lizy wydłużył się o ładne pół metra. Natomiast dni skróciły się znacznie i wszyscy zapowiadali rychły śnieg.

Była niedziela, Jacek miał wolne i wpadł po Klarę, bo chciał ją namówić na mały „objazd posiadłości", jak to nazywał, uważając całe góry za swoją własność. Wyjechali z domu zaraz po śniadaniu, nie zabierając z sobą Pajtona, co go przyprawiło o atak niepohamowanej rozpaczy wyrażonej długotrwałym wyciem. Dopiero babcia ukoiła go kawałkiem parówki.

Klara chciała zobaczyć po czeskiej stronie coś, co nazywało się Górne Miseczki (Dolne też były, a jakże), ponieważ niesłychanie bawiła ją ta nazwa. W ramach inspekcji pojechali więc górami przez Jagniątków i Michałowice do Szklarskiej Poręby, Jakuszyc i Harrachova, dalej do Rokitnicy nad Izerą i do owych Miseczek. Okazało się, że z Górnych chadzają autobusy na sam grzbiet Karkonoszy, do źródeł Łaby. Klara postanowiła to zapamiętać i wykorzystać latem.

– To znaczy, że planujesz tu następne lato, a może i następne? Jak tam twoje procesy decyzyjne?

Siedzieli na ławce w tych Miseczkach i spoglądali na rudziejące zbocza.

– Mów do mnie prościej, bo jeszcze nie wszystko po polsku rozumiem…

– Procesów decyzyjnych nie rozumiesz?

– Tak na logikę… mniej więcej. Chodzi ci o to, czy zdecydowałam się zostać?

– No właśnie. Powiem ci, moja droga, mam nadzieję, że się zdecydowałaś. Ja widzę, jak ty patrzysz na góry. Taką piosenkę kiedyś słyszałem, dzieciak na plaży robi babki z piasku i pyta morze, czyje jest, a ono mu odpowiada: twoje. Dorósł, popłynął w rejs i znowu pyta: czyje jesteś, morze? A ono mówi: twoje. Zestarzał się, a ono cały czas do niego mówi: twoje, dziadek, twoje! Pytałaś góry, czyje są?

Klara przymrużyła oczy przed jesiennym słońcem.

– Pytałam.

– I co ci odpowiedziały?

– Że moje.

– No widzisz?

– No widzę. Ale ocean też mi to mówił.

– To jedźmy do Szpindla na knedle...

W Szpindlerowym Młynie Jacek znał sympatyczną gospodę U pieczonej kachniczki, przy czym kachniczka nie oznaczała żadnej Kasi, tylko kaczkę. Pozostawił jednak kaczkę Klarze, podczas gdy sam pochłonął jakąś zupełnie niezwykłą ilość placków kartoflanych, tłumacząc, że miał od jakiegoś czasu straszną ochotę na bramboraki.

– Trzeba było powiedzieć, babcia Hania nasmażyłaby ci górę bramboraków.

– Taaak, babcia Hania bardzo o mnie dba...

Roześmiali się oboje. Trudno było nie zauważyć wzmożonej troskliwości dobrej babci.

Najedzeni i zadowoleni wrócili do Polski przez Okraj szalejący kolorami.

A dwa dni później w Karkonoszach spadł pierwszy śnieg.

❧

Po trzech dniach pobytu w hotelu Monopol Ilse zdecydowała się zamieszkać w domu na Boleradzu, w Grodźcu. Po swojej pierwszej tam wizycie cały dzień przeleżała w łóżku. Dziadek Zenek dzwonił do hotelu i pytał o nią, ale kazała powiedzieć, że źle się czuje, co zresztą było prawdą.

Może po tych kluskach?

Tylko czy po kluskach bolałaby głowa i trzęsłoby tak okropnie?

Po coś jednak przyjechała do tej Polski. Musi się dowiedzieć, co w jej życiu było prawdą, a co kłamstwem.

Wieczorem poczuła się lepiej, siadła więc w wygodnym fotelu przy lampie i przeczytała kilka stron *Awantury o Basię* Kornela Makuszyńskiego, książki właściwie dla dzieci. Był to prezent od mamy. Podobno czytywała tę książkę małej Elżuni. Duża Ilse nie pamiętała tego.

Trzeciego dnia pojechała do Grodźca, głównie po to, żeby się umówić na owo „pomieszkanie". Ten cały Franek chciał się od razu wynosić z zajmowanego pokoju, ale na piętrze był jeszcze jeden, mały, mansardowy. Ilse poprosiła o ten właśnie pokoik. Przypominał jej trochę własny pokój u cioci Hannelore w Bonn, tylko ten w Bonn był oczywiście większy i ładniejszy. Ale okno miał podobne.

No więc kiedy podjęła decyzję, wymeldowała się z hotelu, zapłaciła i poczuła się, jakby ktoś zatrzaskiwał jej życie.

Bzdura.

Domek na Boleradzu czekał na nią wysprzątany, wywietrzony, na stolikach stały kwiaty, a w oknach wisiały świeże firanki. Wszyscy dziadkowie i mama byli obecni, tylko Franek musiał rano iść do pracy. Jakoś on nie wyglądał na pracownika naukowego. Może dlatego, że przecież Polacy nie nadają się do prac umysłowych... Ilse tyle lat to słyszała... Ale przecież dziadkowie Grosowie i mama... No, nie wiadomo, jaki jest poziom w tych szkołach i politechnikach.

Nawet się przy powitalnej kawie zgadało o tym Franku i dziadek Zenek powiedział o nim z dużym uznaniem, że to bardzo zdolny chemik teoretyk.

– Jest doktorem inżynierem i pracuje w katedrze chemii analitycznej. Podobno studenci bardzo lubią jego zajęcia.

– Niemożliwe...

– Dlaczego, kwiatku? – zdziwił się dziadek, niepodejrzewający Ilse o to, że również jego własny poziom umysłowy budzi we wnuczce wątpliwości.

– A, nie, przepraszam. Ja źle powiedziałam. Ja źle mówię po polsku.

– Nic się nie martw – powiedziała stanowczym tonem babcia Hela, donosząc z kuchni nowy talerz drożdżowego ciasta z kruszonką. – Pomieszkasz u nas, będziemy rozmawiali jak najwięcej, przypomnisz sobie język i całą resztę. A potem sama będziesz wiedziała, co o nas myśleć.

– Nie rozumiem...

– Rozumiesz. Ja widzę, że tutaj wszystko jest dla ciebie gorsze, biedniejsze niż w Niemczech. Niemcy to bogaty kraj. Polska nie, zwłaszcza po tej wojnie. Nasza rodzina nigdy nie była bogata i dalej nie jest. Ty żyłaś te dwadzieścia kilka lat w dostatku. Myśmy ledwie wiązali koniec z końcem. Ale nie wyciągaliśmy ręki o jałmużnę. Ja wiem, Elżuniu, jak ci ciężko. Dla Niemców Polacy byli gorszym gatunkiem ludzi i wcale nie wiem, czy oni ci tego nie wmówili.

Ilse wcale nie chciała się zaczerwienić, ale się zaczerwieniła.

– Niech mama jej nie męczy, proszę. Najważniejsze, że do nas przyjechała, to znaczy chciała się dowiedzieć prawdy. To nie będzie łatwa prawda, córeczko.

– Ona do ciebie nie mówi „mamo" – zauważył dziadek Zenek.

– Wszyscy potrzebujemy czasu. Pamiętajcie, co ją spotkało. Elżuniu, proszę, nie martw się niczym. Nie musisz mnie nazywać mamą. Ja i tak jestem szczęśliwa, odkąd wiem, że przeżyłaś i że ci się dobrze powodzi. Gdyby twój tata żył, też byłby szczęśliwy.

– Czemu on nie żyje?

– Zginął w obozie. Elżuniu, chyba jeszcze nie czas, żeby ci o tym mówić. Musisz się najpierw przyzwyczaić do Polski. I do nas.

∽

Okazało się, że Klara i Jacek zrobili „objazd posiadłości" w ostatni weekend ładnej jesieni. Trzy dni później pogoda spaskudniała znacznie, lunął deszcz i zawiał wiatr. Ani Klarze, ani babci Hani nie przeszkadzało to specjalnie – obie były przyzwyczajone do jesiennych sztormów na Atlantyku. Jak określał to Kazio, mąż Bogusi, „okopały się do pozycji stojąc" i zajęły pożytecznymi pracami domowymi. Klara w swojej pracowni zarabiała na życie (przyszły nowe zamówienia na płaszcze, z Francji i z Niemiec, i udało się sprzedać kilka Śnieżek), babcia zaś robiła przegląd domu pod kątem ewentualnych napraw i udoskonaleń. Kinia i Minio byli teraz codziennymi gośćmi w willi *Klara* – po powrocie ze swojej zerówki, owszem, trochę poeksplorowali zadeszczony teren, ale umywszy się już z błota, nie mieli co robić całe wieczory. Wpadali więc z wizytą do Pajtona, którego uszczęśliwiali nieziemsko, ponieważ jego dwie panie nie chciały się z nim bawić całymi dniami. Mieli po tych zabawach mnóstwo siniaków, zadrapań i ogólnie wyglądali jak ofiary przemocy domowej. Justyna, ich mama, w każdej chwili spodziewała się wizyty kuratora sądowego z inspekcją. Bliźniaki z dużym zacięciem pomagały też babci Hani przy pieczeniu ciast i ciasteczek albo siedziały przy Klarze i patrzyły, jak robi swoją biżuterię (robótki druciarskie ich nie interesowały). Nauczyła ich rozróżniać poszczególne minerały i pozwoliła zrobić własną biżutkę – oczywiście pod swoim bacznym okiem i bez użycia skalpela (sama wycięła im żądany kształt). W momencie kiedy Kinia i Minio zobaczyli przez siebie wykonany, bogato napakowany kamieniami wisior dla mamusi na Gwiazdkę – pokochali Klarę prawie tak samo mocno jak Pajtona. Do tej pory też ją lubili, bo zawsze traktowała ich poważnie. Ale to wisior przypieczętował ich młodzieńcze uczucia.

– Klaro kamieniaro, ale ty zostaniesz już z nami, prawda? – spytała kiedyś Kinia, udając, że wcale jej na tym nie zależy.

– Nie wiem, Kiniu. Jeszcze myślę.

– Ale jak wymyślisz, to nam powiesz? – upewnił się Minio.

– Powiem. A jak się nazywa ten kamień?

– Kwarc dymny z wrostkami rutylowymi – odparła niedbale Kinia.

– A ten? Minio, wiesz?

– Pewnie że wiem, Klaruniu. – Minio z tej nowej miłości niemal zupełnie zaprzestał rymowania. – Chryzokola. Wymyśl coś trudniejszego.

– Ten?

Dwie dziecięce głowy pochyliły się nad błyszczącym kamykiem.

– He, he – zaśmiał się Minio. – Piryt. Złoto głupców.

– Wzór chemiczny – zażądała Klara, żeby na czymś zagiąć swoich młodych przyjaciół.

– FeS_2 – odpowiedziały chórem.

– Nadsiarczek żelaza – dodał niedbale Minio.

Klara była pełna podziwu.

– Skąd to wiecie?

– Z Wikipedii – wyjaśniła Kinia, najwyraźniej zdziwiona, że Klara nie zna podstawowego źródła informacji o wszystkim. – Kiedyś żeśmy sprawdzili.

– Kiedyś sprawdziliśmy.

– Tak. I wiemy, że Fe to jest żelazo, a S to siarka. Ferrum i sulfur.

– Matko jedyna! To wy jesteście prawdziwi poszukiwacze wiedzy!

– Noooo! – Poszukiwacze wiedzy ochoczo potwierdzili opinię swojej starszej przyjaciółki.

– Znaleźliśmy w Internecie tablicę Mendelejewa – powiedział skromnie Minio.

– I wiemy, co to są pierwiastki.

– No co?

– Aaa, takie małe – wyjaśniła Kinia. – A jak takich małych jest dużo, ale różnych, to wtedy jest związek chemiczny. Jak ten piryt. Bo same kryształy siarki też widzieliśmy, u pana Juliusza. Bardzo ładne, żółciutkie.

– Kto to jest pan Juliusz?

– Taki pan – udzielił wyczerpującej odpowiedzi Minio. – On jeździ na wózku. Ma sklep z kamieniami.

Ach, Wielki Mistrz Waloński! Niedługo trzeba będzie udać się do niego po kamienie, bo zapasy z Internetu są już niewielkie.

No i koniecznie porozmawiać z Justyną i Bernardem o dzieciach. Ciekawe czy oni wiedzą, że małe są genialne? Sześciolatki spokojnie rozmawiające o tablicy Mendelejewa!

– A, to ja im kiedyś powiedziałem, że istnieją pierwiastki – rzekł Jacek, który wpadł na kolację, ale o wiele za wcześnie, bo kolacji jeszcze nie było, a w dodatku babcia gdzieś przepadła. – One mnie pytały, z czego zrobiony jest świat, to im objaśniłem to i owo. Potem ty opowiadałaś im o kamieniach i minerałach, no to zajrzały do encyklopedii i dodały dwa do dwóch.

No bo wiesz, że czytać potrafią już ze dwa lata. A jak tam twoje robótki ręczne?

– Całkiem dobrze. Bardzo ładne kolczyki zrobiłam, tak patrzyłam przez okno na te chmury i zrobiłam kolczyki-obłoczki. Z opalami. Chodź na górę, to ci pokażę.

– A gdzie babcia?

– Babcia pojechała z Lizą na zakupy. Ravką! Dogadały się starsze panie ostatnio.

Istotnie, babcia Hania dokonała czegoś, co nie udało się dotąd nikomu z domowników – może dlatego, że nikt naprawdę nie próbował, wszystkich zniechęcił chłód leciwej sublokatorki. Babcia postanowiła ten chłód przełamać.

Tego dnia, kiedy Klara z Jackiem byli w Czechach, babcia udała się do bokówki z misją dobrej woli. Zastukała do drzwi, usłyszała chłodne jak zawsze „proszę" i weszła. Wnętrze urządzone było skromnie, wręcz minimalistycznie, natomiast w kilku miejscach na kanapie, krzesłach i fotelach pyszniły się lalki. Sześć dużych i elegancko ubranych oraz dwie szmacianki wyglądające jak Jaś i Małgosia. Liza Kózka siedziała na ostatnim niezajętym przez lalki fotelu przy oknie i czytała *Buddenbroków* w oryginale (babcia podejrzała to później).

– Dzień dobry, pani Lizo. Nie przeszkadzam?

– Proszę. – Liza wstała i odłożyła książkę. – W czym mogę pani pomóc?

– W niczym – powiedziała babcia bezceremonialnie. – Przyszłam do pani, bo nie mogę znieść, że pani tutaj siedzi taka sama. Zapraszam na górę. Klarę wyniosło gdzieś z Jackiem, a ja miałam melodię do pieczenia, no i upiekłam genialne drożdżowe paszteciki z grzybami. I z rozpędu kruche ciasteczka z orzechami. Wszystko jest jeszcze ciepłe. Do pasztecików przydałby się barszczyk, ale już mi się nie chciało babrać w buraczkach. Zrobimy sobie z papierka.

– Bardzo dziękuję, pani Hanno. Ale ja jestem przyzwyczajona do tego, że siedzę sama. Lubię to i mam co robić. Proszę się o mnie nie martwić.

Liza Kózka znacząco położyła dłoń na *Buddenbrokach*. Babcia Hanna lekceważąco machnęła ręką w stronę arcydzieła literatury.

– Pani Lizo! Ja nie twierdzę, że się o panią martwię. Mnie pani zwyczajnie żal. I proszę mi nie mówić, że nie potrzebuje pani litości, bo to nie jest litość. Ja różne rzeczy rozumiem. Byłam samotna po śmierci męża, nawet nie tak długo, dwa lata siedziałam w naszym dawnym domu i rozdrapywałam rany. Aż w końcu cisnęłam to wszystko i wyjechałam do Francji, do rodziny. Mojego Władeczka wcale nie zapomniałam ani nie przestałam kochać, ani w niczym nie uchybiłam jego pamięci. Pani Lizo, ja nie wiem, dlaczego pani zagrzebała się w tym podziemiu i wcale pani o to nie pytam. Ja tylko pani mówię: szkoda świata. Tak mało pani wychodzi! Proszę pomyśleć o ludziach! Naprawdę pani do nich nie ciągnie? Wcale?

– Średnio – uśmiechnęła się Liza. – Zresztą mam tu towarzystwo.

– Lalki?!

– Lalki. Wystarczają mi w zupełności.

– Ale my jesteśmy sympatyczniejsi od lalek! – wykrzyknęła babcia Hania niemal oburzona.

Liza Kózka rzuciła w jej stronę wyniosłe spojrzenie i natrafiła na szeroko otwarte, poczciwe, brązowe jak u Pajtona oczka babci Hani.

Babcia wytrzymała ten wzrok razem z całym jego chłodem i wyniosłością.

I w tym momencie Liza – jak to potem opowiadała babcia – pękła. Pękła i zaczęła się śmiać.

– A co, może nie?!

– Przepraszam – powiedziała Liza przez łzy. – Ma pani sto procent racji. Jesteście państwo bardzo sympatyczni…

– Chociażby ja. – Babcia rozluźniła się i puściła do niej oko. – Nic mi nie brakuje, zapewniam panią. A jeśli pani myśli, że umiem tylko piec ciasteczka, to jest pani w dużym błędzie. Ja je lubię piec. Lubię. A poza tym jestem doktorem historii, pracowałam kiedyś na uniwersytecie, a potem w archiwum państwowym. To archiwum mnie wykończyło, prawdę mówiąc. Straszne nudziarstwo.

Powinnam była pójść na archeologię i tłuc się całe życie po wykopaliskach. Idziemy na te paszteciki? Klara wróci Bóg wie kiedy, a z Pajtonem trudno jest pogadać, bo on tylko gryzie. Możemy rozmawiać o *Buddenbrokach*, jeśli pani chce. W oryginale ich nie czytałam, ale tak w ogóle to bardzo ich lubię. Serio. *Czarodziejską górę* też.

– Jest pani zdumiewająca. – Liza śmiała się nadal.

– Władeczek też tak twierdził, świeć Panie nad jego duszą. I mój zięć mi tak czasem mówi. To bardzo dobry chłopak, ten Vincent.

– Vincent... jak van Gogh.

– Dokładnie tak. Jego rodzice mają fioła na punkcie impresjonistów. Siedzą teraz w Prowansji, mądrale, i nie boją się, że ich śnieg zasypie. Zapraszam!

Babcia Hania twierdziła potem, że przekonała Lizę tym swoim doktoratem oraz ogólną erudycją, bo przez bite trzy godziny rozmawiały wyłącznie o literaturze światowej ze szczególnym uwzględnieniem obu Mannów, Dickensa, Galsworthy'ego, Satrre'a, Houellebecqa oraz Joanny Chmielewskiej. Wypieki słone i słodkie również zrobiły swoje. Obie starsze damy umówiły się na wspólną wizytę w teatrze Kutów, w jeleniogórskim teatrze imienia Norwida i w filharmonii.

Doprawdy, czyż nie tak wygląda początek pięknej przyjaźni?

∽

Kochana Babciu, kochany Dziadku!

Wiem, że się niepokoicie i przepraszam, że piszę do Was dopiero teraz, ale wciąż jeszcze nie udało mi się dojść do porządku z samą sobą. A nawet jest jakby gorzej, niż było.

Przede wszystkim – tak jak telegrafowałam z hotelu w Katowicach – jestem w Grodźcu (ulica Boleradz 27). Wyprowadziłam się z hotelu i zamieszkałam w domu mojej polskiej rodziny. Mój ojciec nie żyje, a w Grodźcu mieszkają dziadkowie (wszyscy czworo) i mama. Jest jeszcze sublokator, ale piszę o nim tylko dla porządku, bo nie jest ważny.

Nasze spotkanie nie było ani serdeczne, ani wrogie, w każdym razie z mojej strony, raczej obojętne. Oni nie próbowali mi narzucać niczego, chociaż odkąd tu zamieszkałam, słyszę stale rzeczy, z którymi nie umiem się pogodzić. Ja rozumiem, że oni jako Polacy nie mogą tak po prostu przyznać się do tego, że wywołali wojnę i skrzywdzili tak wielu Niemców. Wielka szkoda, że Was tu nie ma, Dziadek na pewno potrafiłby znaleźć argumenty na ich wyjaśnianie historii ostatnich lat, a zwłaszcza wojny.

Proszę, nie martwcie się o mnie. Zamierzam tu jeszcze trochę pozostać i na pewno w końcu sama znajdę te argumenty, których teraz tak bardzo mi brakuje. Tutaj wszyscy są dla mnie dobrzy. Dziwnie pomyśleć, że moją mamą jest ta zniszczona kobieta. Choć nie powiem, że zaniedbana, bo co to, to nie. Oni są czyści i schludni, to mi się podoba. Jedna z tych moich niby-babć mówi, że na Śląsku trzeba stale sprzątać, bo inaczej zaraz wszystko będzie czarne od sadzy i dymu. No i sprzątają. Sami, bo o żadnej służbie, nawet dochodzącej, mowy nie ma. Nie powodzi im się dostatecznie dobrze. Moja polska mama pracuje w szkole jako nauczycielka, a dziadkowie mają emerytury. Jedna babcia (kiedyś akuszerka) dorabia szyciem, a druga udziela korepetycji. Dziadek Gros też daje korepetycje, bo też był kiedyś nauczycielem.

Uczę się polskiego i już bardzo dobrze rozumiem, tylko robię trochę błędów w mowie. Oni mówią, że bardzo ładnie się wysławiałam jako pięcioletnie dziecko.

Jeszcze raz proszę, nie martwcie się o mnie.

Bardzo serdecznie Was pozdrawiam, ściskam i całuję mocno.

Wasza wnuczka –

Ilse.

W połowie listopada spadł pierwszy śnieg. Był to od razu bardzo porządny śnieg, sypał wielkimi płatkami całą noc i kiedy Klara otworzyła oczy, poraził je blask zza okna. Zrzuciła na podłogę Pajtona, który jakiś czas temu się do niej przykolegował i chrapał teraz, zanurzywszy nos w jej kapciu, a kapeć ukrywszy w fałdach kołdry. Wstała, spojrzała na góry i wydała okrzyk zachwytu. Czegoś podobnego nie widziała nigdy. Wszystko było białe, cały świat! Śnieg nie padał już, ale był wszędzie. Był i lśnił w słońcu. Klara doszła do wniosku, że to słońce specjalnie chciało jej zrobić przyjemność, nie minęła bowiem godzina, a chmury znowu zasnuły niebo i wielkie płatki zasłoniły cały widok.

Nie wytrzymała i zadzwoniła do Jacka.

– Cześć. Bardzo przeszkadzam?

– Nie bardzo, mam trzy minuty. Jakieś szczęście cię spotkało, sądząc z głosu?...

– Żebyś wiedział. Jacek, jaki ten śnieg jest piękny! Twoim zdaniem on już taki zostanie?

– Moim zdaniem jeszcze nie, chyba że na górach. Ale za jakiś czas przyjdzie i zostanie. I będzie leżał do wiosny.

– Już można po nim jeździć na nartach? Pewnie jeszcze nie?

– Na pewno nie. Już idę, siostro. Muszę kończyć. Przepraszam. Idę, idę!

Wyłączył się. Klara nie zdążyła się z nim pożegnać, ale nie miała mu za złe, rozumiejąc, że jeśli ktoś jest w pracy, to może w każdej chwili musieć do tej pracy lecieć. Zwłaszcza lekarz. Zwłaszcza ordynator.

Nadal ją jednak nosiło. Tym razem zadzwoniła do Francji.

– Tato! To ja, twoja kochana córeczka! Czy może już nie?...

– Dostaniesz od ojca w tyłek za takie głupie gadanie. Co u ciebie, bezczelna dziewczynko?

– Tato, śnieg spadł. Mam bajkę za oknem. Jestem królewną w wieży i jak się królewicz nie zjawi, to będzie kiepsko.

– Claire, kochanie, może wystarczy maszyna do odśnieżania? Na pewno mają ze trzy w tej twojej Polsce!

– A żebyś wiedział, że mają! Podobno pług dociera aż do naszej polany, do samego końca drogi. Tylko jeszcze go nie było, to pierwszy śnieg. A w ogóle co to za gadanie o mojej Polsce?!

– To subtelna zemsta za wątpliwości w sprawie córeczki. Dawno nie dzwoniłaś. Opowiadaj, co u ciebie.

Klara złożyła ojcu wyczerpujące sprawozdanie z życia rodzinnego, nie pomijając bynajmniej Kini, Minia, Pajtona ani Falstaffa.

– A co u was, tatku?

– U nas? Cieszę się, że babcia zaprzyjaźniła się z Lizą...

– Tatku, każdy się cieszy. Jak ty i mama, pytam wyraźnie. Tato, czemu wzdychasz?

– Chyba z niedowierzania.

– Tak dobrze?

– Tak dobrze. Claire, ja nie wiem, co na to wpłynęło, najprawdopodobniej to, że zostaliśmy sami, bo ty odjechałaś, babcia Ana za tobą, Marianne siedzi już praktycznie stale u Ronana...

– No to faktycznie, jak w miesiącu miodowym! Sami na wyspie!

– A przynajmniej sami w domu. Poderwałem twoją matkę...

– O matko, a mama?

– Dała się poderwać...

– Tato, nie mów!

– Mogę nie mówić.

– Nie, nie, mów! Mama zaczęła nosić seksowne szlafroczki?

– Nie śmiej się, dziecko. Twoja mama jest bardzo piękna i ma cudowne... cudowną figurę. A i ja nie jestem jeszcze do końca wrakiem.

– Jakim wrakiem, co ty gadasz, przystojniak jesteś! Tato! Daj mi ją do telefonu!

– Nie mogę, kotku, bo twoja mama właśnie robi sobie kąpiel z jakimiś pachnącymi preparatami. Sole piękności, pianki, takie tam różne. Zaraz do niej pójdę, obejrzę ją sobie w tych piankach.

– Tato!

– Co, tato?

– Jest dziewiąta rano!

– To u ciebie. U nas jest dziewiąta rano.

– Tatku, bredzisz!

– Niech ci będzie, że bredzę.

– Tato, dobrze, idź do mamy i bawcie się cudnie w piankach, tylko przy okazji jej powiedz, że Bogusia zaprasza wszystkich na Wigilię! Zabierzcie Marianne i Ronana albo Marianne bez Ronana i przyjedźcie. Będzie normalna, polska Wigilia z choinką i ze wszystkim.

– Zastanowimy się w piankach.

– O matko! Całuję was oboje i ściskam do uduszenia!

– Pa, dziewczynko. Uściskaj babcię i wszystkich swoich przyjaciół. Z kotem włącznie.

Klara wyłączyła telefon i uściskała Pajtona, który właśnie usiłował zacałować ją doszczętnie. Falstaff nie lubił takich karesów. Pozwalał się pogłaskać, owszem, ale jakieś ściskanie… na pewno nie wchodziło w grę.

– Klara! Zrobiłam śniadanie! Chodź, potem się wykąpiesz!

– Lecę, babciu!

Babcia zazwyczaj wstawała wcześniej od wnuczki i przygotowywała śniadanie. Zależnie od jej humoru było obfite i eleganckie albo składało się wyłącznie z jajecznicy podanej na patelni. Tym razem babcia upiekła szybkie puszyste bułeczki, nakroiła szynki (sprzedawca przysięgał, że bez konserwantów), podała kilka gatunków sera, dżem, miód i ugotowała jajka na miękko.

– Jajka są najważniejsze – oznajmiła na widok Klary w szlafroku. – Chodź, zobacz, co kupiłam! Wykwit luksusu, symbol przynależności do establishmentu, przedmiot absolutnie niepotrzebny! I w tym jego wielkość!

– Jajko? – Klara nie zrozumiała.

Babcia wzruszyła ramionami i zaprezentowała jej błyszczący, metalowy przyrządzik w kształcie kółka. Kółko miało dwa wystające uchwyty, trochę przypominające uchwyty od nożyczek.

– Co to jest? Ten wykwit?

– Wykwit! Patrz uważnie! – Babcia nacisnęła uchwyty i w środku kółka pojawiły się metalowe ząbki.

Klara nadal patrzyła mało inteligentnym wzrokiem. Babcia podniosła oczy z politowaniem.

– To jest maszynka do obcinania czubków jajek na miękko! – zawołała tryumfalnie. – Patrz, biorę czubek jajka w to kółko, naciskam…

Ząbki wyszły i przyrządzik zgrabnie odciął czubek jajka.

– Boskie, nie?

– No, boskie, ale ja zawsze obdłubywałam to jajko… Albo tak, wiesz, nożem…

– I jak waliłaś w nie nożem, to wyskakiwało z kieliszka na podłogę! A jak dłubałaś, to parzyłaś sobie paluszki! Boże, Klara! Ja sama wiem, że to niepotrzebne! Ale właśnie dlatego kupiłam!

– Hehe, symbol przynależności do establishmentu – zaśmiała się Klara, rozbawiona entuzjazmem babci.

– Kochana! Przez wiele lat kupowałam tylko to, co było w domu absolutnie niezbędne! Na zimę miałam jedną parę butów i nosiłam je, póki się nie zdarły! A teraz mam szpejo do obcinania jajkom czubków! Nie mów nikomu, kupiłam drugie takie dla Bogusi, dam jej pod choinkę, oni tam wszyscy umrą ze śmiechu! Smacznego!

∞

Ilse mieszkała u rodziny w Grodźcu już trzeci tydzień. Babcie gotowały dla niej na zmianę różne dania, które powinna była pamiętać z dzieciństwa, mama pokazywała albumy, dziadkowie tłumaczyli „uwarunkowania geopolityczne”, jak to określał dziadek Zenek. Wykorzystała też swój samochód i odbyła kilka przejażdżek, bliższych i dalszych, zawsze w towarzystwie jakiegoś rodzinnego przewodnika, który opowiadał o tym, co aktualnie zwiedzają. Pokręciła się więc po Śląsku, zajechała w Beskidy, Śląski i Żywiecki, a potem nawet przez Babią Górę pojechała do Zakopanego, pod Tatry. W Zabrzu była na występie zespołu Śląsk, który zrobił na niej wielkie wrażenie, bo nigdy nie przypuszczała, że polskie stroje ludowe są tak bogate i różnorodne. Pomyślała jednak, że to tylko na użytek propagandowy ustrojono tak chór i balet... z drugiej strony w Zakopanem, jak była w kościele, to tam wielu miejscowych miało prawdziwe góralskie ubrania. Takie same jak te... propagandowe. Ilse jednak przypomniała sobie, że to przecież *Goralenvolk*, dziadek Hans kiedyś coś mówił na ten temat, to nie Polacy... Mama z kolei zabrała ją do bytomskiej opery na *Don Carlosa* Verdiego i tutaj też Ilse spotkało zaskoczenie, bo spektakl był na bardzo dobrym poziomie, czego już nie można było tłumaczyć propagandą. Albo śpiewak umie śpiewać, albo nie, a ci tutaj umieli.

Naprawdę, Ilse wciąż nie potrafiła wyrobić sobie zdania na temat tej całej Polski.

Mama i dziadkowie widzieli to, ale jakoś nie mogli do niej dotrzeć.

W któryś piękny późnowiosenny wieczór Ilse siedziała na ławeczce przed domem i kończyła czytać *Disneyland* Dygata. Dostała tę książkę od mamy po *Awanturze o Basię*. Szło jej już całkiem nieźle. I mówiła po polsku o wiele lepiej niż przed miesiącem.

– Mogę się przysiąść?

– Proszę bardzo. – Powiedziała to dosyć sztywno i zniechęcająco, ale Franek, a właściwie pan Franek skorzystał z tego wymuszonego zaproszenia.

– A czy mogę mówić na panią „Ela", a nie „Ilse"?

– Dlaczego chce pan mówić do mnie „Ela"?

– Z powodów gramatycznych. „Ilse" nie odmienia się dobrze po polsku.

– Podobno pan jest chemikiem, nie gramatykiem...

– Chemikiem też. I niezłym obserwatorem, w każdym razie tak mi się wydaje. Pani Elu... O, widzi pani, to o wiele zgrabniejsza konstrukcja niż „pani Ilse". No więc, pani Elu, jeśli dobrze zrozumiałem, przyjechała pani do Polski, żeby rozstrzygnąć sprawę swojej tożsamości...

– Może pan mówić... bardziej prosto? Ja nie wszystko rozumiem.

– O, przepraszam. Oczywiście, ma pani rację. To ja to powiem prościej. Była pani Polką, potem przez wiele lat Niemką, a teraz chce się pani przekonać, kim jest naprawdę. Tak?

– My możemy mówić sobie po imieniu?

– Jasne, będzie mi bardzo przyjemnie. Ale będę mówił „Elu", dobrze?

– Dobrze. Franek. Nie „Frank"?

– Nie, nie, tylko Franek, absolutnie. Powiedz, Elu, czy ja dobrze myślę?

– Z tym, że jestem i Niemka, i Polka? No, tak. Chyba dobrze.

Po bliższym przyjrzeniu wcale nie był podobny do Theo. Owszem, miał jasne włosy, ale nie takie złociste, tylko bardziej popielate. I oczy zielone. Trochę krzywy nos. A zgrabne ręce poplamione, pewnie jakimiś odczynnikami... Ilse wydawało się, że Franek jest życzliwy. Chociaż dlaczego Polak miałby być życzliwy?

– Posłuchaj, chciałbym, żebyś mi powiedziała jedną bardzo ważną rzecz. Czy ty chcesz się dowiedzieć prawdy, wszystko jedno, dobrej albo złej, czy raczej wolałabyś pozostać Niemką i po prostu wrócić do swojego Bonn? Do mamy, Horsta, babci i dziadka, którzy cię kochają?

Ilse zastanowiła się uczciwie.

Czy ma znaczenie to, czego ona chce, czy ważna jest tylko prawda?

– To trudne pytanie – powiedziała trochę bezradnie. – Nie wiem. Muszę pomyśleć jeszcze trochę. Ale powiem ci na pewno. Jutro, dobrze?

Śnieg, zgodnie z przypuszczeniami Jacka, poleżał chwilę i stopniał. Niebawem jednak spadł znowu i poleżał odrobinkę dłużej. I tak zabawiał się mniej więcej do połowy grudnia. Święta Barbara była po wodzie, więc wszyscy mieli nadzieję, że Boże Narodzenie będzie po lodzie. Klara poza tym liczyła na obiecany kurs jazdy na nartach – niestety, kiedy już pogoda na to pozwoliła, obaj bracia, potencjalni instruktorzy, legli powaleni dziecięcą anginą. Legli u swojej dobrej ciotki Bogusi, bo żal jej się zrobiło dwóch singli, którym we własnych domach nie miałby kto podać szklanki herbaty. U niej chętnych do samarytańskich uczynków było wielu, a jeszcze dochodziły Klara z babcią.

Tak więc narty chwilowo się oddaliły, za to Wigilia nadchodziła wielkimi krokami.

– Bogusia z Kaziem, Justynka z Bernardem, dzieci, to sześć, Egon i Erwin to osiem, Klara, ty ze mną dziesięć, Ewa z Wickiem i Marianne z Ronanem czternaście, Jacek piętnaście... matko jedyna, będzie parzyście, a powinno być nieparzyście!

– Przecież jest nieparzyście.

– Zaprosiłam Lizę. Ona się kryguje, bla, bla, ale ja jej nie popuszczę. Nie będzie kobieta siedziała sama w Wigilię, nie dopuszczę do tego, choćby mnie miał szlag trafić.

– Ale babcia stanowcza...

– A bo co, może ty myślisz inaczej?

– Pewnie, że nie. Babciu, a jak się liczy niespodziewany gość?

– Nie wiem. Ale jak postawimy nakrycie, to się będzie liczył za siedemnastego. Bardzo dobrze wymyśliłaś, kochana. Zawsze wiedziałam, że mądra z ciebie dziewczynka.

W związku z Wigilią na siedemnaście osób, nawet jeśli jedna miała być wirtualna, w obu domach na polanie po prostu musiało w pewnej chwili zapanować pandemonium.

No i zapanowało. Chyba tylko Liza nie wpadła w amok.

Kobiety szalały z gotowaniem i pieczeniem. Klara nigdy nie przypuszczała, że takie zbiorowe szykowanie świąt może być do tego stopnia przyjemne. Domowi mężczyźni (z wyjątkiem zaanginionych braci) wyrąbali szeroką drogę w śniegu, który też jakby oszalał i zaczął padać bardzo gorliwie. Poprawiali ją i posypywali czasem dwa razy dziennie, żeby domowe kobiety nie miały problemu z komunikacją. Nie wszystko bowiem da się załatwić za pomocą telefonu komórkowego, na przykład próbowanie grzybowego farszu do uszek jest wykluczone. Sklejaniem uszek, których zdawały się być tysiące, zajmowała się wyciągnięta ze swego mieszkanka Liza Kózka. Kinia i Minio produkowali wielkie ilości przecudnych, bardzo domowych ozdóbek na choinkę. Bogusia z babcią oddelegowały się do zajęć ciężkiego kalibru, czyli do mięs, zaś Klara z Justyną piekły pierniczki, makowce i gigantyczny sernik. Co jakiś czas robótki przerywano, aby zasiąść razem do jakiejś niewielkiej przekąski (przeważnie z zapitką) i chwilkę pośpiewać kolędy. Tylko Jacek, całkiem zadowolony z życia, siedział w szpitalu i pełnił dyżury.

Pandemonium przycichło nieco dzień przed Wigilią, ale wieczorem przyjechali goście z Bretanii i wszystko zaczęło się od nowa, bo coś trzeba było zrobić z tymi skrzynkami ryb i owoców morza, a także słodkimi wypiekami od Bothorelów, a właściwie Gerarda Bothorela, ojca Ronana, w którego rodzinie pieczeniem ciast od pokoleń zajmowali się mężczyźni.

Jakoś się w końcu z problemem uporano, zapasy schowano, tylko ostrygi zjedzono od razu, tego samego wieczoru. Na wszelki wypadek, żeby nie przestały być absolutnie świeże. Nieświeże ostrygi to trucizna, jak wiadomo. Wiadomo też, że do ostryg pasuje szampan. Goście przywieźli szampana, owszem, dwie skrzynki. Vincent poznał towarzystwo podczas wizyty pogrzebowej i wiedział, że nie ma się co wygłupiać z jedną.

Babcia Hania i Klara patrzyły na niego i Ewę z lekkim niedowierzaniem. Pozostawiły ich we Francji skłóconych, nieszczęśliwych i niepewnych, co dalej będzie. Teraz promienieli jak Blake Carrington i Krystle tuż po ślubie. Oczywiście, tę refleksję miała tylko babcia. Klara była za młoda na oglądanie *Dynastii*, tej niezapomnianej ramoty.

– Klara, ty wiesz może, co się z nimi porobiło? – Babcia przyłapała wnuczkę w jakimś kącie, gdzie nikt ich nie mógł podsłuchać.
– Wyglądają, jakby on ją świeżo poderwał...

– No bo tak mniej więcej było, babciu. Jak zostali w domu sami, we dwójkę, to mieli alternatywę: albo się pozabijać, albo pogodzić. No więc tata postanowił zaryzykować i poderwał mamę jeszcze raz.

– A ty skąd wiesz?

– Mówił mi...

– No to nawet nie wiesz, jaki wielki kamień mi z serca spadł!

– Mnie też. Martwiłam się o nich, bo tak mi wyglądało, że oni się raczej pozabijają. Tata jest po prostu strasznie mądry.

Babcia skrzywiła się i podrapała po głowie.

– Twoja mama też w sumie nie najgorsza, tylko charakter ma taki wybuchowy. I w dodatku idealistka z niej straszna. I maksymalistka. Wszystko to ma po twoim dziadku, nie po mnie. Próbowałam jakoś ją pogodzić ze światem, ale to nie było łatwe. Jak wiesz.

– Jak wiem.

– No właśnie. Boże, jakie ona miała szczęście, że trafiła na Wicka!

– Po tym, jak puściła kantem... tak to się mówi? Mojego ojca. On był w porządku.

– Klaruniu, wiem. I wiem, że go unieszczęśliwiła na całe życie. Ale już go nie ma i nic by nie dało dochodzenie do żadnej tam sprawiedliwości dziejowej. Jest, jak jest, i dobrze. Inaczej nie będzie.

– No tak, to jest racja. Babciu, idę pakować prezenty! Nie wchodź do mnie i nikogo na mnie nie napuszczaj!

Klara cmoknęła babcię w czółko i poszła do swojej pracowni, gdzie w głębi szafek miała pochowane prezenty pod choinkę. Należało teraz wyciągnąć z innej szafki zwoje kolorowych papierów, motki wstążek i popakować zgrabne paczuszki, potem je podpisać... roboty na dwie godziny. A trzeba było wziąć przykład z babci, która popakowała swoje tydzień temu!

– Nie ma mnie! Nie wchodzić!

Drzwi się uchyliły i w szparze pojawiła się głowa Ewy Autret.

– To tylko ja... Już powyciągałaś prezenty? Babcia mówiła, że dopiero co się rozstałyście i na pewno nie zdążyłaś. Ja nie patrzę. Wchodzę, mogę?

– A babcia ci nie powiedziała, że mnie nie ma?

– Powiedziała. Oj, pogadamy pięć minut i dam ci spokój. Chyba że Vincent przyjdzie... O, już przyszedł!

Rodzice weszli do pracowni i bezceremonialnie rozsiedli się na kanapie.

– Jak ci tutaj, córeczko?

– Masz na myśli pracownię, tato, dom, Zachełmie, czy może Polskę ogólnie?

Vincent Autret spojrzał na zimowe góry za oknem i rozparł się wygodniej na poduszkach.

– Wszystko po kolei, kochanie.

– Dobrze mi tutaj. To fajny dom. Bardzo wygodny. Pracuje mi się tu genialnie, bo mam dobre światło i dużo, i ładne widoki. Równie ładne jak ocean, musisz to przyznać uczciwie...

– Proszę bardzo, mogę przyznać. Tu zawsze zimą jest tyle śniegu?

– Chyba tak. Mam zamiar jeździć na nartach. Już bym jeździła, tylko Egon z Erwinem popadali. – Klara machnęła ręką w stronę gór. – Tam już prawie wszędzie byłam. Nie zwiedziłam wszystkiego dokładnie, ale obeszłam albo objechałam. Podoba mi się tu i dobrze się czuję. Tato, powiedz od razu, co knujesz?

Vincent westchnął.

– Ty mnie zawsze rozszyfrujesz, dziecko. Ale naprawdę chcieliśmy wiedzieć, jak ci tu jest. I bardzo się cieszymy, że dobrze.

– Mamo, ty też knujesz, czy tylko tato?

Teraz westchnęła Ewa.

– Zbiorowo knujemy, kochanie. Bo widzisz... pomyśleliśmy... wiesz, ty wyjechałaś, mama też, Marianne praktycznie cały czas siedzi w Audierne u Bothorelów...

Zamilkła i rozłożyła ręce. Vincent minę miał co najmniej nietęgą.

– Ale z was konspiratorzy od siedmiu boleści. Wyduście wreszcie, o co chodzi. Albo nie. Sama wam powiem. Chcecie się wyprowadzić z wyspy.

Oboje zamachali gwałtownie rękami.

– Nie chcemy! To znaczy, nic jeszcze nie postanowiliśmy! Vincent, ty mów…

– Tato, tylko nie kręć! Pamiętasz naszą rozmowę w sprawie tajemnic?

– A co? – zainteresowała się Ewa. – Co w sprawie tajemnic?

– Że są szkodliwe – odrzekła Klara. – Tato! Bądź mężczyzną!

Vincent wyprostował się, aż mu stawy zatrzeszczały.

– Dobrze. Ostatecznie mogę być. Trudno mi o tym mówić, bo od zawsze było postanowione, że poprowadzisz *Chez Marianne* i tak dalej, no wiesz…

– No wiem. Rodzinna firma turystyczna.

– W której wszyscy pracujemy i nie zostawiamy cię na łasce losu.

Klara spojrzała na miny Ewy i Vincenta, po czym zaczęła się śmiać.

– A teraz chcecie mnie zostawić na łasce losu i prysnąć do Prowansji, do dziadków, słońca i lawendy…

– Skąd wiesz?!

Spojrzała na nich z politowaniem.

– Mam w głowie mnóstwo szarych komórek przyzwyczajonych do pracy. Zawsze wiedziałam, że te geny po dziadkach kiedyś się w was odezwą.

– Ja miałam innych rodziców…

– Oj tam, ale Prowansję lubisz, a nie lubisz, jak ci zimno. No więc mówcie, jak to chcecie zorganizować? Myślicie, że ktoś będzie chciał kupić *Chez Marianne*?

– No a ty? – jęknęła Ewa. – Co z tobą, jak sprzedamy restaurację?

Klara wzruszyła ramionami.

– Mamo, pomyśl. Ja nie jestem Marianne, ja jestem Claire. Klara. A jak się nazywa ten dom? *Villa Klara*. Od stu lat tak się nazywa. On chyba czekał na mnie. Tak naprawdę to od razu trzeba było myśleć o oddaniu *Chez Marianne* Marianne, a nie mnie.

– Och, wiesz, jakie były plany. A kupiec, owszem, jest…

– Czekaj, tato. Wiem. Jean Riou chce się rozwijać!

Jean Riou miał kafejkę w sąsiednim domu i dotąd oferował gościom tylko ciastka, słodycze i napoje. Było logiczne, że połączywszy swoją *Cafe Ocean* (swoją drogą facet miał chyba manię wielkości z tą nazwą!) z kreperią Autretów mógłby zrobić wcale przyjemną restaurację i przy okazji niezły interes.

– Tak. Zaproponował całkiem niezłą cenę. Za wszystko. Kreperia, dom i pensjonat. Oczywiście podzieliłoby się pieniądze między ciebie i Marianne…

– A wy?

– Znalazłbym jakieś zajęcie w Arles.

– Tato, wykluczone. To znaczy zajęcie sobie możesz znaleźć, ale forsę trzeba podzielić na cztery! I nie mów mi, że Marianne zgodziła się was oskubać!

– Nie zgodziła się. Też powiedziała, że na cztery. Ale my z mamą wolimy…

– Nawet mnie nie denerwuj!

– Ale ja rzeczywiście będę miał zajęcie w Arles! Ojciec, to znaczy twój dziadek Charles zna tam kogoś, kto poszukuje dyrektora hotelu, bo mu się południe znudziło i chce resztę życia poświęcić podróżom w krainy lodów. Naprawdę. Grenlandia, Szpicbergen, North West Passage… Jestem dla niego najlepszym kandydatem jako syn przyjaciela. No i mam odpowiednie kwalifikacje. Trochę je odkurzę i będzie dobrze. Tylko martwimy się o ciebie, bo Marianne ma swojego Ronana…

Klara uśmiechnęła się szeroko.

– Tato, mamo, nie martwcie się. Prędzej czy później kogoś złapię, taka ostatnia nie jestem… Albo zostanę singielką. Ewentualnie dam ogłoszenie albo poszukam męża w Internecie.

– Nawet tak nie żartuj!

– Oj, mamo, spokojnie!

– A jak sprawy finansowe?

– Jestem w stanie sama się utrzymać, przynajmniej na razie. Moje robótki się sprzedają. Patrzcie, jaki ten Internet pożyteczny. Mam tę forsę od ojca. Plus ta jedna czwarta... Zanim to wydam, złapię męża, gwarantuję wam. Słuchajcie, idźcie sobie gdzieś, ja muszę popakować te prezenty, bo nie zdążę na wieczerzę!

∞

– No i co zdecydowałaś?

Franek wrócił ze swojej Politechniki późnym popołudniem i zastał Ilse na tej samej ławeczce i z tą samą książką co wczoraj.

– Chciałabym mieć jakąś pewność, wszystko jedno jaką. To znaczy, ja wiem, że urodziłam się Polka, ale o wiele dłużej byłam Niemka... Wy tu mówicie o wojnie i o wszystkim zupełnie co innego niż Niemcy. Nie wiem, jaka jest prawda. Kto ma rację. Ty mi to możesz powiedzieć? Pięć osób mi tego nie potrafi powiedzieć, dziadkowie, babcie, mama...

Usiadł obok niej i zapatrzył się w korony drzew po drugiej stronie ulicy.

– Oni nie chcą cię zranić. Rozumiesz? Nie chcą, żebyś cierpiała. Nie mówią ci wszystkiego, bo cię oszczędzają. Wiedzą, że kochasz swoich niemieckich... bliskich. Wolą cię stracić. Kochają cię.

– Ja nie wiem, czy oni mnie kochają...

– Nie mówisz do mamy „mamo" ani do dziadków „dziadku"...

– Nie umiem. Ale tak myślę, bo wiem, że to prawda. Ale powiedzieć nie umiem. Moja mama jest w Bonn. Dziadek i babcia też. A ty jak mi dasz dowód? Po prostu powiesz: taka jest prawda i to Polacy mają rację? A dlaczego ja mam ci wierzyć? Ja wiem, że Niemcy są uczciwi i nie kłamią.

Franek powoli pokręcił głową.

– Nie będę ci nic mówił, ale zabrałbym cię na wycieczkę. Na cały dzień. Musielibyśmy jechać samochodem. Ja nie mam samochodu, więc twoim.

– To daleko?

– Jakieś czterdzieści pięć kilometrów.

– To możemy jechać.

Franek sprawiał wrażenie, jakby wciąż zastanawiał się, czy dobrze robi.

– Elu… Muszę cię uprzedzić: to nie będzie przyjemna wycieczka. Więcej. Będzie dość okropna. Co ja mówię, koszmarna. Będzie cię bolało. Może nie ma sensu…

– Jest sens. Może boleć. Ja jestem… jak to się mówi?

– Odporna.

– Tak. Odporna. Ale ja chcę wszystko wiedzieć naprawdę. Kiedy pojedziemy? Jutro? I dokąd?

– Niespodzianka – powiedział ponuro. – A jutro nie mogę, bo pracuję. W niedzielę. Nie wiem, czy dobrze robię. Nie wiem, czy mam prawo…

– Chcę wiedzieć. Ty mnie nie żałuj. Nie znasz mnie.

– Trochę już cię znam.

– Nic o mnie nie wiesz. Idę do domu, bo mi zimno. A w niedzielę pojedziemy. Słuchaj, może lepiej im nie mówić? Im, w domu, wszystkim? Jak mówisz, że nie wiesz, czy dobrze robisz? Bo oni może zabronią?

Franek nie patrzył na nią. Wzrok miał wbity w ziemię.

– Może to i racja. Nie mówmy. Tylko tyle, że jedziemy na wycieczkę.

Ilse kiwnęła głową i weszła do mieszkania. Ten cały Franek dziwnie wyglądał. I dziwnie mówił. Ale przecież nie wywiezie jej Bóg wie gdzie i nie zepchnie ze skały…

Po raz pierwszy pomyślała o tym, że sama zepchnęła męża ze skały. I nikt się o tym nie dowiedział, nikt nie żądał sprawiedliwości. Do tej pory wypierała to ze świadomości, jak tylko mogła. Nawet na pogrzebie Theo nie myślała o tym. Theo nie żył i to wszystko. Świat przepływał obojętnie gdzieś obok niej, równie obojętnej.

Po raz pierwszy od tamtego dnia czuła coś więcej niż pustkę.

Leciuteńka ekscytacja. Może trochę obawa. Co on jej chce pokazać w niedzielę?

Wieczerza wigilijna u Bogusi i Kazia – według określenia babci Hani – przeszła ludzkie pojęcie. W największym pokoju mieściły się z trudem stół i krzesła na siedemnaście osób. Bogato zdobioną choinkę trzeba było ustawić w pokoju obok. Ponieważ Kinia i Minio byli już uświadomieni w sprawie Mikołaja (dwa lata temu wyśledzili dziadka Kazia, jak doklejał sobie brodę), wszelkie cyrki z udziałem tego przyjemnego świętego były zbyteczne. Pod choinką piętrzyły się hałdy paczek i paczuszek, czekając na magiczny moment pomiędzy zasadniczym daniem rybnym i deserami. Tradycją tego domu było rozpakowywanie prezentów z jednoczesnym podgryzaniem słodkości i popijaniem wina (dorośli) i kompotu z suszu (dzieci).

Pierwsze łzy wzruszenia popłynęły, oczywiście, przy dzieleniu się opłatkiem. Kiedy w szesnastoosobowym towarzystwie każdy ściska się z każdym, składając życzenia, to widok ten musi, po prostu musi wyciskać łzy co wrażliwszym (babciom na przykład).

Pajton również był obecny, pod ścisłym nadzorem Kini i Minia. Bernard-alergik zaryzykował pryszcze i katar, bowiem podobnie jak wszyscy nie wyobrażał sobie samotnego zwierzątka w domu w wigilijny wieczór. Falstaff zlekceważył zaproszenie i już rano wymaszerował gdzieś na małą wycieczkę, być może połączoną z polowaniem na sikorki.

Gospodyni, czyli Bogusia, okazała się istnym demonem organizacji. Porozdzielała precyzyjnie zadania, dzięki czemu, począwszy od przystawek (polskie śledziki, francuskie małże itd.), poprzez barszcz z uszkami i danie główne (pieczone karpie, groch, kapusta, grzybki), aż do wystawienia na stół ciast, orzechów i słodyczy – można było powziąć przekonanie, że talerze i półmiski same latają z kuchni do salonu i z powrotem.

Z powodu nieobecności świętego Mikołaja pod choinkę posłano dzieci, które miały za zadanie rozdać prezenty. Postanowił im pomóc Pajton – do tej pory grzecznie czatujący pod stołem na smaczne kąski. Koniecznie chciał zanosić do stołu (albo gdzie indziej) każdą paczuszkę. Z konieczności wylądował, wściekły i gryzący, na kolanach Jacka, który z niemałym trudem w końcu go spacyfikował. Na stołach i krzesłach rosły więc góry kolorowych pakunków, zebrani śpiewali kolędy, atmosfera robiła się niepowtarzalna. W końcu dzieci uporały się z zadaniem i nieco fałszywe tony kolęd zostały zastąpione hałasem dartego papieru oraz podnieconymi głosami obdarowanych.

Tylko Liza Kózka powstrzymała się od wydawania okrzyków. Nikogo to nie dziwiło, bo wszyscy wiedzieli, że z natury jest małomówna. Kiedy Minio przydźwigał jej spod choinki największą paczkę, stanęła nad nią zdumiona i usiłowała przekonać towarzystwo, że to pomyłka i paczka jest dla kogoś innego. Oczywiście, nikt jej nie słuchał, machnęła więc ręką i rozdarła papier.

No i jednak wydała ten okrzyk. Zdumienia i zachwytu. Bo też Klarze udało się *wysztrykować* arcydzieło. Królewski płaszcz – gobelin, długi do ziemi, w różnych odcieniach szarości, błękitu i zieleni.

– Przymierz! – zażądała nowa przyjaciółka Lizy, Hania. – Przymierz natychmiast!

– Ale dlaczego? Ja nie zasłużyłam...

– Oj tam, oj tam – prychnęła babcia. – A bo to na wszystko trzeba jakoś zasługiwać? Moja wnuczka powiedziała, że masz taką piękną figurę, że ona ci musi zrobić taki płaszcz po to, żeby cię w nim zobaczyć. Zakładaj!

Jak wiele pięknych strojów, płaszcz zaprezentował się godnie dopiero na osobie. Liza Kózka rozpostarła szeroko jego poły i stanęła plecami do widzów, żeby mogli podziwiać górski pejzaż w całej krasie.

Klara została okrzyknięta, słusznie zresztą, wielką artystką.

– Pani Klaro, nie wiem, jak dziękować. – Liza bezradnie rozłożyła ręce. – A jakim cudem pani tak genialnie trafiła w rozmiar?

– Mam oko. A poza tym zmierzyłam po kryjomu pani sweter, jak pani wywiesiła pranie na słońcu.

Chwilę potem zapomniano o płaszczu Lizy, bo wszyscy wydawali nowe okrzyki, rozpakowując własne prezenty. Klara czekała na jeszcze jeden, konkretny. I doczekała się.

– Jaki piękny wisiorek! Żaglowiec! Kaziu, to od ciebie?

Kazio pokręcił głową.

– Nie, kochanie. Pokaż. Piękny, naprawdę.

– Dzieci? Justynka, Benek? Też nie? No to kto?

– Święty Mikołaj – mruknęły dwugłosowo dzieci, zajęte rozkładaniem na podłodze między kuchnią a pokojem pucla z tysiąca pięciuset elementów przedstawiającego zamek Ludwika II Wittelsbacha, Neuschwanstein, na tle Alp Bawarsko-Tyrolskich. Wszystkie te dane z metki na pudełku bliźniaki byłyby w stanie już powtórzyć. Z prawidłową wymową niemiecką.

Babcia Hania znowu musiała pochwalić się wnusią.

– To też Klara zrobiła!

– Trochę tak myślałam – przyznała Bogusia, która była kiedyś w pracowni Klary i widziała tam to i owo. – Ale nie sądziłam... Klaro, jesteś bardzo hojna.

– Przesadzasz, Bogusiu. Podoba ci się? On jest aluzyjny, wiesz.

– No wiem! Słuchajcie, to ja nadam komunikat. Chciałam poczekać na spokojniejszy dzień, ale właściwie po co? Podpisałam umowę z Akademią Morską w Gdyni i w marcu płynę na Azory.

– Czym? – Vincent należał do tych niewtajemniczonych.

– Darem Młodzieży. Wicek, to jest najpiękniejszy statek na świecie. Szkolny. Ty rozumiesz, co mówię?

– Rozumiem...

– Żaglowiec. Fregata. Nie macie pojęcia, jak się cieszę, że mnie jednak zechcieli!

Nastąpiła kolejna seria okrzyków podziwu, życzeń szczęścia, pomyślnych wiatrów, stopy wody i tak dalej. Potem ktoś wlazł dzieciom na pucla, co stało się powodem małej awanturki, potem pozbierano wszystkie opakowania, co dało ogromny kłąb makulatury, potem znowu śpiewano kolędy, przegryzając orzechami i sernikiem. Albo makowcem. Albo bretońskim *kouign amann* w małych ilościach (w większych tego przesłodkiego ciasta zjeść się nie da). Koło północy bliźniaki miały już połowę pucla ułożoną i zostały wyrzucone spać. Poszły z protestami, ale zamek króla Ludwika został przedtem pieczołowicie przesunięty na mniej newralgiczny kawałek podłogi. Dorośli też ogłosili koniec Wigilii i rozeszli się do swoich sypialni w dwóch domach. Jacek tym razem spał u Bogusi, *Villa Klara* bowiem była w całości zapchana rodziną.

W domu Klary cisza zapanowała koło drugiej w nocy, bo przecież rodzina musiała pobyć ze sobą, pogadać, napić się wina. Ostatecznie przy kuchennym stole zostali – z butelką bardzo dobrego Pinot Noir z Burgundii – babcia Hania i Vincent, skądinąd starzy przyjaciele.

– I jak ci się to wszystko podobało, zięciu?

– Bardzo. Uroczy ludzie. Naprawdę, bardzo sympatyczni. Zdrowie waszych przyjaciół, teściowo.

Stuknęli się kieliszkami, które wydały miły uchu dźwięk.

– Ładne kieliszki – zauważył mimochodem Vincent-restaurator. – Polskie?

– Czeskie. Tu pięć kilometrów za granicą, której już zresztą nie ma, jest taki sklepik szklany. Liza mi pokazała. W Harrachowie. Patrz, kochany, jakoś się wszystko poukładało. A ja się bałam…

– Czego się bałaś?

Babcia Hania poprawiła się w krześle i zadumała na momencik.

– Wiesz… Po pierwsze, bałam się o Klarę, bo nie wiedziałam, co ją tu spotka. Ja wprawdzie znałam Jerzego ze studenckich czasów Ewy i nawet go bardzo lubiłam, ale po tylu latach mógł mu zbrzydnąć charakter. Poza tym choroba zmienia, rozumiesz.

– No tak. Ale wygląda na to, że jego nie zmieniła.

– I chwała Bogu najwyższemu. Ale ja się nie tylko o Klarę bałam. Bałam się o was, Ewę i ciebie. Bo tam już mało brakowało, prawda?

Vincent skinął głową.

– Jesteś naprawdę bardzo mądry, zięciu. Bardzo. A jakim cudem udało ci się przekonać Ewę, żeby jeszcze raz spróbować, to ja już zupełnie nie wiem. Coś ty jej zrobił, że cię drugi raz pokochała?

– Ana, ona mnie pokochała pierwszy raz...

– No tak. Ale jak to zrobiłeś?

– Oj, nie będę ci opowiadał szczegółów, moja droga!

– Ale ja nie chcę szczegółów, ja chcę ogólnie!

Vincent roześmiał się i pocałował ją w rękę.

– Uwiodłem ją w sposób klasyczny.

– Piękne słówka i tak dalej?

– Ana, KGB mogłoby przysyłać do ciebie na kurs swoich śledczych... Piękne słówka i w ogóle cały arsenał. Prawie że serenady jej śpiewałem. A poza tym...

– Wicek!

– Poza tym raz jedyny przemówiłem jej do rozsądku. Przypuszczam, że gdyby żył Jerzy, nie poszłoby mi tak łatwo. Ewa straciła... nie wiem, jak to nazwać... mit, którym się żywiła cały ten czas. Że gdzieś tam jest ten jedyny prawdziwy ukochany. Ale Jerzy umarł i mit się rozleciał. Ciężko by jej było w naszym wieku zaczynać wszystko od nowa. Praktyczniej było skorzystać ze mnie... i moich wdzięków...

Babcia zachłysnęła się winem.

– Ty draniu. A ty ją kochasz?

– Ja? Oczywiście. I w moim wypadku to jest recydywa. A poza tym również wykazałem rozsądek...

Babcia pękała ze śmiechu.

– Twoje zdrowie, męski draniu.

– I twoje, pani lejtnant...

– Jaki znowu lejtnant?

– No, z KGB...

– Nie umrzesz własną śmiercią, zięciu!

Vincent spoważniał.

– A teraz ty mi powiedz, jak ty widzisz Klarę w tym wszystkim? Da sobie radę? Myślisz, że będzie jej tu dobrze? Ona jest w wieku, kiedy może zacząć wszystko od początku…

– I dobrze, niech zaczyna. Poza tym już zaczęła. Wicek, myślę, że nie ma się co martwić. Na moje oko już jest jej dobrze. Lubi ten dom. Ma przyjaciół, jak widzisz. Jakieś kontakty nawiązuje. Tylko jeszcze bym chciała, żeby chłopa jakiego trafiła… Ma tu pod ręką trzech jak malowanie, a wszystkich, cholerka, traktuje jak braci.

– Przyjdzie i na to czas.

– Niby tak, ale lata lecą. Chyba jednak będę musiała w to wkroczyć osobiście.

◦

Niedziela była piękna, jak na zamówienie. Ilse ubrała się sportowo, a przy śniadaniu poinformowała rodzinę, że pan Franek zabiera ją na bliżej nieokreśloną przejażdżkę. Pan Franek nie chciał, niestety, zdradzić tajemnicy, dokąd się wybierają. Uroczy poranek wpłynął na Ilse pozytywnie: wyglądała ślicznie i miała dobry humor.

Po śniadaniu mama poszła, tak jak chodziła przed wojną i w czasie wojny, na górę Dorotkę, do kościoła, a wycieczkowicze wsiedli do samochodu i skierowali się na południe. Prowadziła Ilse, Franek był pilotem. Jechali przez górniczy Śląsk, którego zadymione pejzaże przypominały Ilse krajobrazy Zagłębia Ruhry.

– Przemysł i górnictwo zawsze są takie same. Jak się czujesz, Elu?

– A co, źle prowadzę?

– Doskonale prowadzisz.

– No to dobrze. Słuchaj, ja dostałam od mamy taką gazetę, nie wiem, czy wiesz, z artykułem o naszej Hedwig, to była służąca…

– Wiem, twoja mama mi pokazywała. I co?

– Ja tam wszystko przeczytałam, a ten artykuł o Hedwig, on jest właściwie o tej lekarce z Ravensbrück... nie mogłam go czytać. Ale przeczytałam, wczoraj wieczorem. Franek, ty mi nie powiesz, że to prawda, co ona napisała o obozach, ta Perkowska... Widzisz, ja chcę się naprawdę wszystkiego dowiedzieć, ale to jest po prostu jeszcze jedno polskie kłamstwo o Niemcach... To nie jest możliwe, żeby niemieccy doktorzy robili jakieś eksperymenty na więźniach. Ja kiedyś słyszałam, mój mąż mi mówił, i teść, że Polacy wymyślają różne rzeczy. I popatrz, to jest prawda. Wymyślają.

Franek pomilczał chwilę. Ilse zerkała na niego, wyraźnie oczekując odpowiedzi.

– Słuchaj... Ja nie będę mówił nic o tym artykule, dobrze? Tu skręcasz w prawo. Wiesz, gdzie jesteśmy?

– Wiem, widziałam tabliczkę. Oświęcim.

– Słyszałaś kiedy o Auschwitz?

– Słyszałam, że to dopiero jest kłamstwo.

– W każdym razie pokażę ci to kłamstwo, dobrze?

– Proszę bardzo.

Jeszcze kilka przecznic i stanęli na miejscu, gdzie można było zostawić auto.

To, co nastąpiło później, utrwaliło się Ilse w pamięci jako szereg zmieniających się obrazów. Trochę jak w fotoplastykonie, w którym była jako mała dziewczynka, w Dreźnie.

Arbeit macht frei. Praca czyni wolnym. No i prawda, pracę trzeba szanować. Jeśli się nie pracuje, jest się od kogoś zależnym.

– Pamiętam, jak bardzo chciałam pracować w szkole, a mój mąż się sprzeciwiał. Ja rzeczywiście zależałam od niego, jego pieniędzy. Gdybym miała swoje, to bym miała wolność.

– To nie jest takie proste, Ilse. Chodź, wejdziemy przez tę bramę. Setki tysięcy ludzi tędy przechodziło.

– Jakie setki tysięcy, Franek?

– A orkiestra obozowa im grała. Chodźmy.

Druty kolczaste, baraki, ulice między barakami. Jakaś ściana. Kwiaty. Franek mówi, że to ściana śmierci. Opowiada o egzekucjach. Bloki, bloki, bloki. Franek mówi o milionach ludzi w obozie macierzystym, a potem w Birkenau, o transportach, krematoriach, gazie, jakiejś rampie, selekcjach.

– Skąd ty to wszystko wiesz? To nie może być prawda!

– Ale ja ci pokażę i rampę, i krematoria, i wszystko. A skąd wiem? Podczas studiów dorabiałem tu do stypendium jako przewodnik wycieczek. Chodźmy, w tym bloku jest wystawa.

To jakiś koszmar. Na wystawie są zdjęcia, ale są o wiele gorsze rzeczy w wielkich gablotach. Ilse o mało nie mdleje przy gablocie ze zwałami włosów. W innej są protezy, dalej jakieś garnki, sprzęty, lalki. Były tu dzieci. Jedna lalka przykuwa wzrok Ilse – ma spódniczkę w szkocką kratkę, taką samą, jaką uszyła kiedyś dla niej Hedwig. Ale ma też odłamaną głowę. Śmierć lalki jak śmierć człowieka.

– Źle się czujesz? Może jednak pójdziemy stąd, do diabła z prawdą…

– Nie, obejrzę jeszcze te zdjęcia.

A jednak znowu robi jej się słabo. Niemożliwe, żeby to wszystko było kłamstwem, przecież takich zdjęć, takich eksponatów nie można spreparować, nie na taką skalę.

Boże, to wszystko naprawdę zrobili Niemcy?

Kiepska fotografia z wyładunku transportu ludzi na rampie. Niemieccy żołnierze w takich samych mundurach, jaki miał tato…

Inna fotografia, częściowo zniszczona. Ale dwóch esesmanów widać dokładnie. Jeden trzyma rozwścieczonego psa na smyczy.

Drugim jest SS-Sturmbannführer Otto Widmann.

Ocknęła się na świeżym powietrzu. Leżała na ławce, a nad nią pochylał się przestraszony Franek.

– Pomóż mi.

Jakoś usiadła, ale w głowie wciąż jej się kręciło. Franek usiadł koło niej.

– Ilse, przepraszam cię…

– Nie masz mnie za co przepraszać, Franek. Skąd się tu wzięłam?

– Wyniosłem cię. Ludzie mi pomogli. Tutaj to się zdarza. Jak się czujesz?

– Jeszcze chwila… i będę się czuła dobrze.

– Zaraz cię stąd zabiorę.

– Nie martw się o mnie. Jestem twarda.

– Właśnie widzę.

– Ja chcę zobaczyć ten drugi obóz.

– Birkenau?!

– Tak. Chcę uwierzyć do końca.

❧

Liza Kózka westchnęła i napiła się herbaty z chodzieskiej filiżanki. Siedziały obie z babcią Hanią w salonie. Młodzież (babcia wliczała tu Ewę i Vincenta) poszła na spacer po cudownie ośnieżonym i osłonecznionym Zachełmiu. Dwie starsze damy miały do dyspozycji salon, herbatę i półmisek świątecznego ciasta.

– I rzeczywiście poszliście jeszcze do Birkenau?

– Podjechaliśmy, bo to kawałek drogi.

– Boże mój, ty się chciałaś dobić, dziewczyno?

– Musiałam na własne oczy zobaczyć te komory gazowe i krematoria. I ten ogrom. Haniu, ten ogrom chyba najbardziej mnie przerażał. I ta perfekcyjna, niemiecka organizacja.

– I uwierzyłaś…

– Uwierzyłam. Tam już nie można było nie wierzyć. Franek się o mnie bał, przepraszał. Ale ja mu byłam wdzięczna. Tylko, rozumiesz, moje życie znowu się rozleciało. Po tym, co zobaczyłam i czego się dowiedziałam, nie mogłam przecież tak po prostu wrócić do Bonn. Wszystko mi się zaczęło układać jak ten pucel bliźniaków. Tak nawiasem mówiąc, myślałam, że nie będą umiały go ułożyć, a wczoraj chyba jedną trzecią już zrobiły.

– To świetne dzieciaki.

– Tak. One chyba się mnie zawsze bały, więc jak dotąd nie miałam okazji się o tym przekonać. To się zmieni. Przestałam być jędzą...

– A matką lalek?

– A matką lalek nie przestałam. One mi długie lata zastępowały rzeczywistość. Wiesz, ja żyłam jakoś tak może w połowie, może mniej. Tylko z nimi mogłam rozmawiać szczerze i o wszystkim.

– Ach, te twoje lalki! Czekaj: Elżunia, Lieschen, Liesel, Ilse... Hansel i Gretel?

– No i jeszcze jest Ela. I Liza. Elę dostałam w prezencie ślubnym.

– Od pana Kózki?

– Nie, poprosiłam dziadków o taki prezent, do kompletu.

– Przepraszam cię, a co się stało z panem Kózką? I w ogóle dokończ, bo ja ci tu pęknę na tysiąc kawałków... Kim w ogóle był pan Kózka? Czy może jest?

– Nie mówiłam? Frankiem był. Franciszek Kózka, ostatnio profesor na Politechnice Śląskiej. Niestety, kilka lat temu umarł na zawał. Wtedy kupiłam sobie Lizę i przyjechałam tutaj.

– Do Saalbergu...

– Tak, do Saalbergu.

Babcia nerwowo zjadła kawałek sernika.

– Liza, ja cię proszę, uporządkuj mi tę końcówkę, bo mam braki. Jak wtedy wróciliście z Auschwitz, to co?

– To jeszcze przez jakiś czas nie mogłam dojść do siebie. Dojść do rozumu, jak mawiała nasza Hedwig. – Liza uśmiechnęła się. – Ale moja rodzina, po pierwsze, mnie kochała, po drugie, była taktowna i myśląca. Wypytali Franka, co i jak, on im powiedział, że dostałam jakiegoś ataku i że muszę odpocząć. Trzeba mi dać czas. Więc chodzili koło mnie na paluszkach, pozwalali spać do południa i robić, co chciałam. No to ja chciałam jeździć w góry i jeździłam codziennie te sto kilometrów w Beskidy. Potem miałam okres siedzenia w domu i czytania polskich książek dla dzieci. Makuszyńskiego czytałam w kółko. Po jakimś czasie zaczęłam mówić do mamy „mamo" i postanowiłam zostać w Polsce. Jak się domyślasz, trzeba było przejść skomplikowane procedury, znaleźć dokumenty Lebensbornu i tak dalej. Bardzo mi pomogła wtedy Marta Perkowska. Ostatecznie napisała o mnie ten reportaż. Znalazłam też Hedwig, która wystąpiła jako świadek.

– Mieszkałaś cały czas z rodziną?

– Tak, to zresztą nie były czasy, kiedy łatwo było o mieszkanie. Ale ja się dobrze czułam na Boleradzu. Lubię małe pokoiki. Do dziś mi to zostało.

– A Franek?

– Franek przez długi czas miał poczucie winy, które mu się potem przerodziło w wielką miłość.

– Naprawdę?

– Naprawdę. Strasznie był zakochany.

– A ty?

– Wiesz, jak ktoś dostatecznie długo patrzy w ciebie takimi cielęcymi oczami, to chyba nie ma kobiety, która by się nie złamała.

Obie starsze panie zachichotały i zjadły po pierniczku.

– Żeby już dokończyć. Pobraliśmy się i było nam dobrze razem, mieszkaliśmy na Boleradzu, po jakimś czasie dziadkowie poodchodzili. Mama żyła długo, do końca była z nami. Franek został profesorem zwyczajnym, Wałęsa mu dawał nominację w Belwederze. Ja uczyłam dzieci w szkole geografii. Dzieci nie mieliśmy, z mojej winy tym razem. Chyba mi hormony tąpnęły po tej historii z Theo... rozumiesz.

– Rozumiem. Franek wiedział? Powiedziałaś mu?

– Tak, Franek wiedział. Tylko on. Ty jesteś druga.

– Nie powiedziałaś rodzinie?

– Nie. Im ta wiedza była niepotrzebna.

– A powiedziałaś, że znalazłaś w Auschwitz zdjęcie Otto Widmanna?

– Tak. Mojej niemieckiej rodzinie też to powiedziałam i pożegnałam się z nimi na zawsze. To nie było łatwe. Ale nie mogłabym już z nimi... chyba nawet rozmawiać. Wcale nie mam pewności, czy to nie on zabił mojego prawdziwego ojca. W każdym razie mógł go zabić. Mój ojciec zginął w Auschwitz, nawet nie wiemy, jak. Napisali, że umarł na serce, ale serce tata zawsze miał zdrowe. Przeważnie tak pisali do rodzin. A jak było naprawdę?

– Brakuje ci Franka...

– Brakuje. Ale sama wiesz, lata uczą pokory wobec życia. Należy dziękować Opatrzności za to, co nam dobrego dała. Najlepsze, co ja dostałam, to było moje dzieciństwo, a potem Franek.

Liza Kózka uśmiechnęła się swoim pięknym, spokojnym uśmiechem.

– Kiedy nauczyłam się żyć bez niego, kupiłam Lizę i przyjechałam do Zachełmia.

– Czemu nie chciałaś być dalej Elą?

Liza uśmiechnęła się do swoich wspomnień.

– Elą byłam tylko dla Franka. W domu, jak przed wojną, mówili do mnie Elżunia. Po śmierci Franka już nie chciałam, żeby ktokolwiek mnie tak nazywał.

Babcia Hania dolała herbaty do filiżanek.

– Wiesz już, jak nam się ostatecznie wykrystalizowała sytuacja rodzinna?

– Pani Klara zostaje tutaj, tak mi się obiło o uszy.

– Tak. Jej rodzice, to znaczy Wicek i Ewa, przenoszą się do Prowansji. – Babcia zaczęła się śmiać. – Zdaje się, że on też robił ostatnio cielęce oczy...

Opowiedziała swojej nowej przyjaciółce skomplikowaną historię rodzinną. Akurat kiedy kończyła, rodzina z dużym hałasem wróciła ze spaceru. Zaczęło się tupanie w sieni, szukanie wieszaków na zaśnieżone ubrania, radosne szczekanie Pajtona i tak dalej. Liza Kózka chciała odejść do swojego mieszkania, ale babcia Hania jej nie pozwoliła.

– Siedź. Oni też się napiją herbaty i zjedzą ciasta. Może pośpiewamy kolędy, wczoraj nam to świetnie wychodziło. Hej! Ilu was jest?

– Dużo! – zawołała Klara z sieni. – My wszyscy, Justynka, Egon z Erwinem i Jacek. Już idę, pomogę ci zrobić herbaty. Albo kawy. Z wkładem rozgrzewającym, zmarzliśmy!

– To zorientuj się, kto co pije, i chodź do kuchni.

Chwilę później babcia i wnuczka szykowały kawę, herbatę, wkład rozgrzewający w postaci wiśniówki do kawy i rumu do herbaty, oraz kroiły nowe porcje ciast świątecznych.

– A wyście tu sobie plotkowały z panią Lizą, co? Babciu, wy już chyba jesteście przyjaciółkami!

– To nie jest wykluczone – powiedziała babcia. – Słuchaj, ona mi opowiedziała swoje życie. Ja ci, oczywiście, wszystkiego nie powiem, ale trochę. Jak już goście wyjadą i będzie spokój w domu. Niesamowita kobieta!

– Ona wygląda niesamowicie. To znaczy, ja wyczuwam coś u niej w środku... nie wiem, jak to powiedzieć.

– Ty się znasz na ludziach, dziecko. To znaczy, masz wyczucie, bo przecież młoda jesteś, więc nie z doświadczenia. Masz tu półmisek, sernik daj na to, a makowiec na okrągły talerz i te pierniczki dookoła.

– Jestem wiedźmą bretońską albo może walońską, babciu – zaśmiała się Klara. – Muszę mieć wyczucie. Dobre duszki na mnie pracują. Wiesz, korrigany. A jakieś tutejsze na pewno też.

– Liczyrzepa, co? Mógłby ci wreszcie ten Liczyrzepa albo te twoje korrigany dać mężczyznę, nie takiego jak ten gamoń Hervé!

– Spoczko, babciu. W końcu da.

– Ale ja się o ciebie martwię! Hej tam! Niech ktoś przyjdzie po ciasto!

Przyszedł Jacek, wziął półmiski i uśmiechając się mile, odmaszerował z nimi do salonu, gdzie ktoś już podśpiewywał *Cichą noc*. Babcia powiodła za nim wzrokiem.

– No popatrz... on ci się nie podoba?

– Podoba mi się, babciu – powiedziała Klara grzecznie, jakby pytanie dotyczyło koloru nowych firanek w sypialni.

Babcia załamała ręce.

– No, ja nie mogę – jęknęła młodzieżowo. – Klara, ja cię nie rozumiem! Jakieś emocje, wielka miłość, motyle w brzuchu... brrr, obrzydliwość, kto wymyśla takie okropieństwa! Motyle! Małe drapiące nóżki... i te skrzydełka, odwłoczki włochate, fuj. Ale wiesz, o co mi chodzi. O miłość, a nie o to, że się podoba. I co z tego, że się podoba, skoro nic z tego nie ma. – Zaplątała się ostatecznie.

– Spokojnie, babciu... A zresztą... Powiem ci, bo się tak ładnie o mnie martwisz. A poza tym w końcu wywiercisz mi dziurę w brzuchu. Ja go kocham, babciu.

– O matko jedyna! – Babcia z wrażenia oparła się o kredens, który omal się nie przewrócił, bo jedną z jego kulistych nóżek Pajton ostatnio prawie zjadł. – A on co?

– On mnie też kocha.

– No jak to, kocha? I co?

– No nic. To znaczy dużo. Sypiamy z sobą od jakiegoś czasu. Znaczy, się bzykamy.

W babcię Hanię jakby piorun strzelił.

– Zwariowałaś? A w ogóle, jak ty mówisz?

Klara zaczęła się śmiać.

– Nie wierzysz? Jacek!

Jacek, pogodny i chętny do czynu kelnerskiego, przyszedł natychmiast.

– Co mam nosić? A pani Hania czemu taka zarumieniona? Źle się pani poczuła?

– Poczekaj. Babcia nie wierzy, że my się bzykamy.

Jacek objął władczym gestem ramiona Klary i pokiwał głową.

– Bzykamy, pani Hanno. I jeśli wolno mi tak powiedzieć, daje nam to wiele radości...

– Czekaj, Jacek, nie denerwuj babci. Ślub też weźmiemy przy najbliższej sposobności.

– Matko Boska, ślub! Ale jakim cudem...

– Bzykamy? Babciu kochana, wykorzystujemy okazje. Jak ty śpisz słodko w swoim łóżeczku albo jak idziemy na grzyby do lasu...

– Ale zawsze przynosiliście te grzyby, no więc kiedy?! Grzybów trzeba trochę poszukać, to zajmuje czas…

– Oj, babciu. Grzyby kupowaliśmy od starego Wardęgi. On zawsze zbiera i sprzedaje.

Babcia opuściła ręce na podołek.

– Jestem załamana. Dlaczego tak się tajniaczyliście cały czas?

– Z wygodnictwa, babciu. Żeby nikt nas do ślubu nie gonił…

– No i z romantyzmu, pani Hanno – dodał z powagą Jacek. – Tajemniczość, pani rozumie, dodaje romantyzmu wszelkim poczynaniom.

– Ale ja nic po was nie poznałam…

– Staraliśmy się, pani Hanno…

Do kuchni wszedł Vincent.

– Przysłano mnie do pomocy. Co mogę zrobić?

Babcia natychmiast odzyskała wigor. Uwielbiała ogłaszać sensacje.

– Wicek! Oni będą się pobierać! Ślub, rozumiesz?

– Ooo – ucieszył się szczerze Vincent, który też się znał na ludziach i od razu Jacka polubił. – Mów mi Wicek, Jacek!

– To dla mnie zaszczyt.

Panowie uścisnęli sobie ręce.

– Kochasz ją?

To pytanie Vincent zadał tonem, w którym dźwięczała ukryta groźba. Że gdyby nie, to…

Jacek walnął się w piersi, aż zahuczało.

– Jak wariat, Wicek. Jak wariat.

– Dobrze. Jak jej zrobisz krzywdę, to ja dam ci w mordę. Nie wiem, czy dobrze mówię to po polsku, Jacek…

– Bardzo dobrze. Ja rozumiem. Bądź spokojny, Wicek!

Panowie jeszcze raz uścisnęli sobie prawice. W tym samym momencie do kuchni przybyły kolejne posiłki w postaci Egona i Erwina, rwących się do noszenia tac i półmisków. Babcia natychmiast rzuciła w nich newsem, który ich nieco zasmucił, po chwili jednak oni też ściskali Jackowi rękę, a Klarę całowali z dubeltówki.

W kuchni robiło się coraz ciaśniej, bo kolejni goście z pokoju przenosili się tu, gdzie coś się działo.

Jako ostatni zjawił się Bernard, nieuczestniczący w spacerku. Przyszedł z kategorycznym zaproszeniem od swojej teściowej Bogusi, nalegającej usilnie, żeby wszyscy przyszli dziś do niej, zjeść te tony żarcia, które ona ma w domu.

⤳

Późną nocą Klara i Jacek stanęli koło okna w cichym wreszcie salonie. Księżyc w pełni świecił nad górami tak, że na dworze było jasno jak w dzień. Zabrakło tylko barw, bo noc kontentuje się czernią i szarością. Długie cienie kładły się fantastycznymi kształtami na śniegu. Mały korrigan siedzący na parapecie i oparty o kryształ dymnego kwarcu spoglądał na to wszystko niebieskimi oczami.

– Cudowne są rodzinne święta – powiedział Jacek, kiedy tylko wypuścił Klarę z objęć.

– O, tak – zgodziła się. – Na szczęście nie trwają wiecznie.

– Tak, coś w tym jest. Właściwie dobrze, że wydaliśmy ten komunikat. Babcia przestanie nas podglądać. Żeby tylko nie przestała tak karmić! Bo przecież ona mnie zanęcała na wyżerkę…

– Babci się powie, że trzyma cię przy mnie ta jej kuchnia. Babcia Hania lubi gotować. I w ogóle jest kochana. Masz coś przeciwko temu, że dalej będzie mieszkać z nami?

– Ależ skąd. Ja też uważam, że babcia jest kochana. W tej sytuacji chyba się tu sprowadzę, jak myślisz?

– Bardzo dobry pomysł. Zrób to jak najszybciej. I patrz, za trzy dni będziemy w tym domu sami… to znaczy we trójkę, z babcią. Będzie cicho i cudnie…

– I będziemy mieli jak w tej piosence u Kutów – święto każdego dnia…

– Jesteś pewien?

– Tak – odparł stanowczo. – Tak właśnie będziemy mieli. Wprawdzie ja będę stale siedział w szpitalu, a ty będziesz dniami i nocami dłubać te swoje cuda, ale za to jak już nam się uda spotkać...

– Chodź do łóżka, konkubencie.

– Proszę cię najuprzejmiej.

Poszli po lekko skrzypiących schodach na górę, a za nimi wsunął się do pokoju nieduży, kosmaty pies. Miał nadzieję, że w czasie, kiedy państwo będą się zajmowali sobą, jemu uda się zjeść przynajmniej jeden kapeć.

KONIEC